OZEANE
für clevere
KIDS

OZEANE
für clevere
KIDS

DK

Text John Woodward
Fachliche Beratung Professor Dorrik Stow

Lektorat Shaila Brown
Bildredaktion Smiljka Surla, Owen Peyton Jones
Cheflektorat Paula Regan
Kartografie Simon Mumford
Herstellung Gillian Reid, Mary Slater
Umschlaggestaltung Laura Brim, Sophia MTT, Claire Gell
Bildrecherche Rob Nunn
Art Director Karen Self
Redaktionsleitung Andrew Macintyre
Programmmanager Liz Wheeler
Design Director Stuart Jackman
Programmleitung Jonathan Metcalf

DK Delhi
Lektorat Antara Moitra, Tejaswita Payal
Bildredaktion Chhaya Sajwan, Parul Gambhir, Astha Singh,
Pooja Pipil, Roshni Kapur, Riti Sodhi, Meenal Goel,
Priyansha Tuli, Arunesh Talapatra
Cheflektorat Pakshalika Jayaprakash
Herstellung Pankaj Sharma, Balwant Singh
DTP-Design Mohammad Usman, Dheeraj Singh,
Nand Kishor Acharya
Bildrecherche Sumedha Chopra, Deepak Negi,
Nishwan Rasool, Taiyaba Khatoon

Für die deutsche Ausgabe:
Programmleitung Monika Schlitzer
Redaktionsleitung Martina Glöde
Herstellungsleitung Dorothee Whittaker
Herstellungskoordination Arnika Marx
Herstellung Claudia Bürgers

Titel der englischen Originalausgabe:
Ocean – A children's encyclopedia

Übersetzung Michael Kokoscha
Lektorat Hans Kaiser

ISBN 978-3-8310-3209-9

Druck und Bindung
RR Donnelley, China

MIX
Papier aus verantwor-
tungsvollen Quellen
FSC® C144853

www.dorlingkindersley.de

Inhalt

ATLAS
DER MEERE

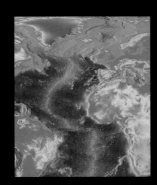

Durch die Fortschritte in der Technik können wir die Meere immer genauer kartieren. Dabei entdecken wir in der Tiefe eine versteckte Welt der Berge, Vulkane und Gräben.

Meere der Welt

Über zwei Drittel der Erdoberfläche sind von Meerwasser bedeckt.
Die fünf großen Ozeane haben daran den größten Anteil, doch es gibt
auch die Schelfmeere an den Küsten. Manche Meere wie das Mittelmeer und
das Rote Meer sind fast vollständig von Land umgeben. In diesen riesigen
Wassermassen findet man eine faszinierende Vielfalt von Lebewesen.

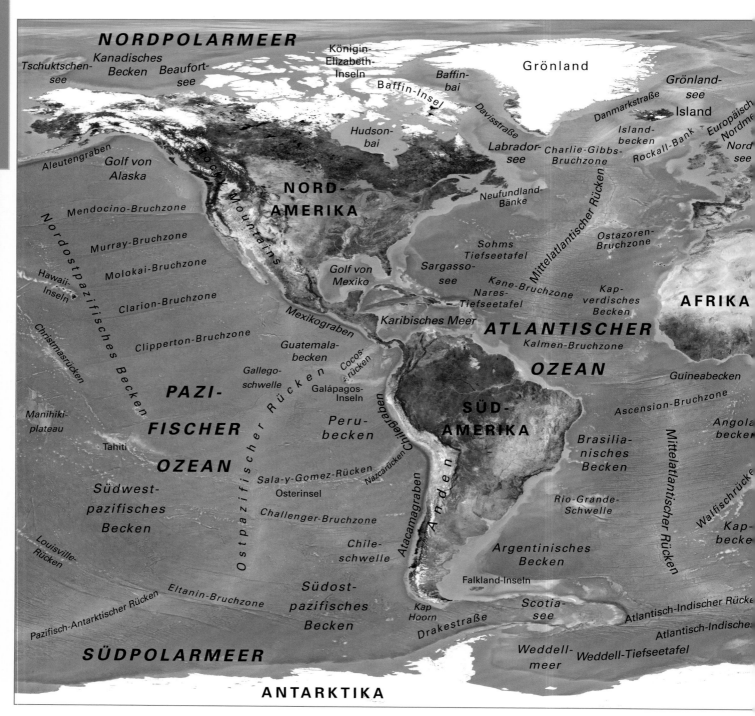

NORDPOLARMEER
Tschuktschen-see
Kanadisches Becken
Beaufort-see
Königin-Elizabeth-Inseln
Baffin-Insel
Baffin-bai
Grönland
Grönland-see
Danmarkstraße
Island
Davisstraße
Island-becken
Rockall-Bank
Europäisch Nordme
Nord
Hudson-bai
Labrador-see
Charlie-Gibbs-Bruchzone
Aleutengraben
Golf von Alaska
NORD-AMERIKA
Neufundland-Bänke
Mittelatlantischer Rücken
Ostazoren-Bruchzone
Mendocino-Bruchzone
Murray-Bruchzone
Sohms Tiefseetafel
Sargasso-see
Molokai-Bruchzone
Golf von Mexiko
Kane-Bruchzone
Nordostpazifisches Becken
Hawaii-Inseln
Clarion-Bruchzone
Nares-Tiefseetafel
Kap-verdisches Becken
AFRIKA
Mexikograben
Karibisches Meer
ATLANTISCHER
Christmasrücken
Clipperton-Bruchzone
Guatemala-becken
Cocos-rücken
Kalmen-Bruchzone
Manihiki-plateau
PAZI-
Gallego-schwelle
Galápagos-Inseln
OZEAN
Guineabecken
Ostpazifischer Rücken
FISCHER
Peru-becken
SÜD-AMERIKA
Ascension-Bruchzone
Angola-becken
Tahiti
OZEAN
Brasilianisches Becken
Mittelatlantischer Rücken
Südwest-pazifisches Becken
Sala-y-Gomez-Rücken
Osterinsel
Nazcarücken
Chilegraben
Anden
Walfischrücke
Louisville-Rücken
Challenger-Bruchzone
Rio-Grande-Schwelle
Kap-becke
Chile-schwelle
Atacamagraben
Argentinisches Becken
Pazifisch-Antarktischer Rücken
Eltanin-Bruchzone
Südost-pazifisches Becken
Falkland-Inseln
Kap Hoorn
Scotia-see
Atlantisch-Indischer Rücke
Drakestraße
Atlantisch-Indische
SÜDPOLARMEER
Weddell-meer
Weddell-Tiefseetafel

ANTARKTIKA

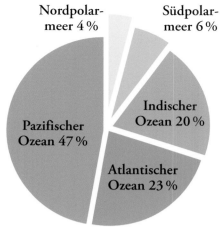

Nordpolar-
meer 4 %

Südpolar-
meer 6 %

Indischer
Ozean 20 %

Pazifischer
Ozean 47 %

Atlantischer
Ozean 23 %

GRÖSSE DER MEERE

Die fünf Weltmeere oder Ozeane reichen vom Nordpolarmeer, dem kleinsten Meer, bis zum Pazifischen Ozean, der über ein Viertel der Erdoberfläche bedeckt. Dieses Diagramm ermöglicht einen Größenvergleich der Meere: Der Pazifische Ozean ist fast so groß wie die übrigen Weltmeere zusammen!

96,5 %
Wasser

3,5 % Salze

SALZWASSER

Meerwasser besteht zu 96,5 % aus Wasser und zu 3,5 % aus Salzen. Das wichtigste ist Natriumchlorid, unser Kochsalz.

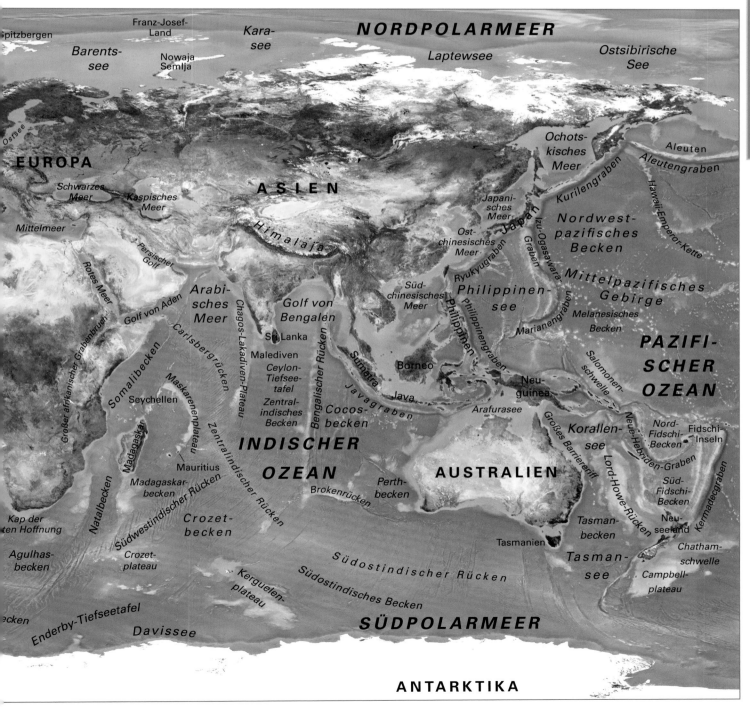

Nordpolarmeer

Das von Nordamerika, Europa, Asien und Grönland umgebene Nordpolarmeer ist das kleinste Weltmeer. Am Nordpol ist es das ganze Jahr über gefroren und die von Eis bedeckte Fläche ist im Winter doppelt so groß wie im Sommer. Wegen des Klimawandels geht diese Fläche allerdings immer weiter zurück.

WISSENSWERTES

Fläche:	14 056 000 km²
Mittlere Tiefe:	1205 m
Tiefster Punkt:	5607 m

Eisige Inseln

▲ ABKÜHLUNG
Dieses Satellitenfoto zeigt, wie sich um die Prince-Charles-Insel (Nunavut) Meereis bildet.

Auf der nordamerikanischen Seite des Meers befinden sich viele Felseninseln. Zusammen mit einem Teil des Festlands bilden sie das kanadische Territorium Nunavut. Im Winter gefriert das Meer zwischen den Inseln, sodass sie Bestandteil einer Eisfläche werden.

Schmelzendes Eis

Der Klimawandel wirkt sich in der Arktis besonders stark aus. Im Sommer schmilzt so viel Eis, dass zuvor blockierte Schifffahrtsrouten passierbar werden. Innerhalb der nächsten 50 Jahre könnte der Nordpol vollständig eisfrei werden.

Bewegliches Ziel

Der Nordpol liegt im Herzen des Nordpolarmeers in einem Bereich, der zurzeit das ganze Jahr über von Meereis bedeckt ist. Seine Position ist markiert, doch da sich das Eis mit einer Geschwindigkeit von etwa 10 km pro Tag bewegt, verändert sich auch die Position der Markierung. In der Zukunft könnte das schmelzende Eis das Aufstellen eines Hinweisschilds unmöglich machen.

Im Jahr 1958 passierte das U-Boot USS Nautilus den Nordpol unter dem Eis.

Tonga
Mittelpazifische Kette
Nordwest-pazifisches Becken
Hawaii-Emperor-Kette
Emperorgraben
Aleuten-becken
Aleutengraben
PAZI-FISCHER OZEAN
Hawaii-Inseln
Mendocinostufe
Murraystufe

▶ GEFRORENES MEER
Die tiefen Becken im Herzen des Nordpolarmeers sind von breiten Kontinentalschelfen und seichten Meeren umgeben. Im Winter besteht ein großer Teil des Meers aus treibendem Packeis (hellblau).

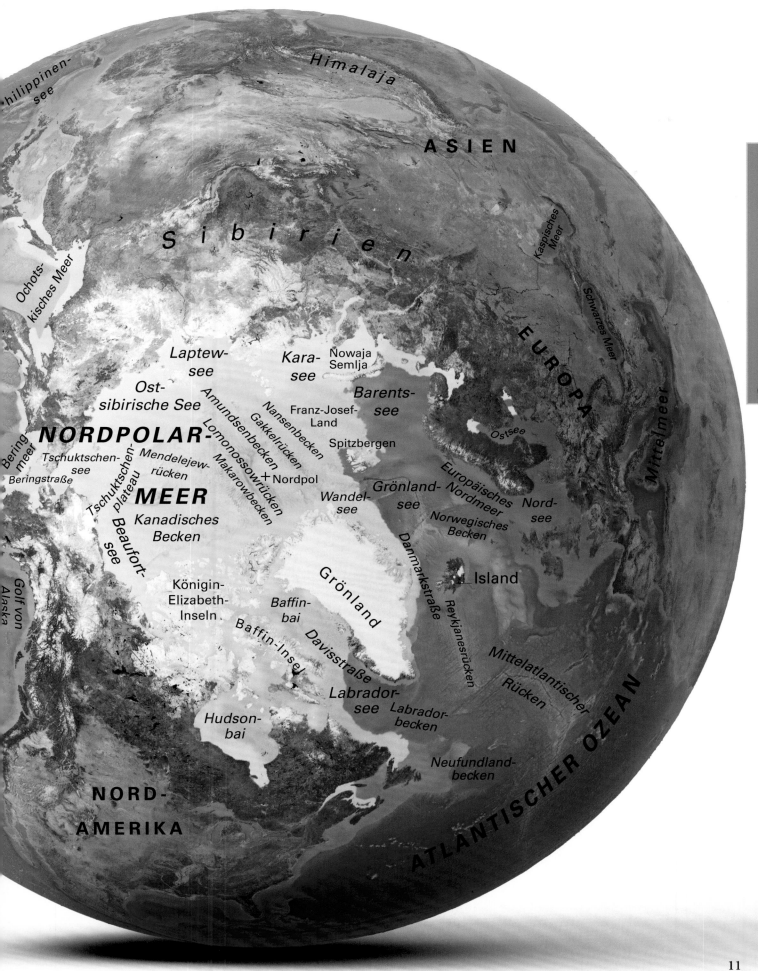

hilippinen-
see

Himalaja

ASIEN

Sibirien

Ochots-
kisches Meer

Kaspisches
Meer

EUROPA

Schwarzes Meer

Laptew-
see

Kara-
see

Nowaja
Semlja

Barents-
see

Mittelmeer

Ost-
sibirische See

Amundsenbecken

Franz-Josef-
Land

Ostsee

NORDPOLAR-

Nansenbecken

Gakkelrücken

Lomonossowrücken

Makarowbecken

Spitzbergen

Europäisches
Nordmeer

Nord-
see

Bering-
meer

Tschuktschen-
see

Mendelejew-
rücken

×Nordpol

Grönland-
see

Norwegisches
Becken

Beringstraße

Tschuktschen-
plateau

MEER

Wandel-
see

Kanadisches
Becken

Beaufort-
see

Danmarkstraße

Golf von
Alaska

Königin-
Elizabeth-
Inseln

Baffin-
bai

Grönland

Island

Reykjanesrücken

Mittelatlantischer

Baffin-Insel

Davisstraße

Labrador-
see

Labrador-
becken

Rücken

Hudson-
bai

NORD-

AMERIKA

Neufundland-
becken

ATLANTISCHER OZEAN

11

Atlantischer Ozean

Der Atlantik trennt Nord- und Südamerika von Europa und Afrika und ist der zweitgrößte Ozean. Er wird in jedem Jahr 2,5 cm breiter. Das liegt an dem Mittelatlantischen Rücken in seinem Zentrum, an dem sich neuer Meeresgrund bildet. Es gibt auch nur wenige Subduktionszonen, an denen der Boden zerstört wird.

WISSENSWERTES

Fläche:	76 762 000 km²
Mittlere Tiefe:	3646 m
Tiefster Punkt:	8605 m

Antillenbogen

▲ AKTIVER VULKAN
Dampf und Gase entströmen dem Vulkan Soufrière Hills auf Montserrat in der Karibik.

Die Inseln über und unter dem Winde bilden eine am Rand der Karibik gelegene Inselkette, die eine von nur zwei Subduktionszonen im Atlantischen Ozean darstellt. Hier schiebt sich ein Teil des Meeresbodens unter die Karibik, bildet den Puerto-Rico-Graben und eine Reihe von Vulkanen.

Hotspot Island

▲ BASALTSÄULEN
Abkühlender Basalt ist geschrumpft und hat diese spektakulären Säulen gebildet.

Weit im Norden hat sich ein Teil des Atlantikbodens durch heißes, aufsteigendes Gestein unter dem Mittelatlantischen Rücken über den Meeresspiegel gehoben. So entstand Island mit seinen Lavafeldern aus schwarzem Basalt, seinen Geysiren und Gletschern.

Mittelatlantischer Rücken

Der Atlantik entstand vor 180 Millionen Jahren als Riss in der Erdkruste, der einen Kontinent teilte. Hier bildete sich der Mittelatlantische Rücken, an dem neues Gestein den Boden eines immer breiter werdenden Meers bildete. Auch heute entsteht hier neues Gestein (Bild unten).

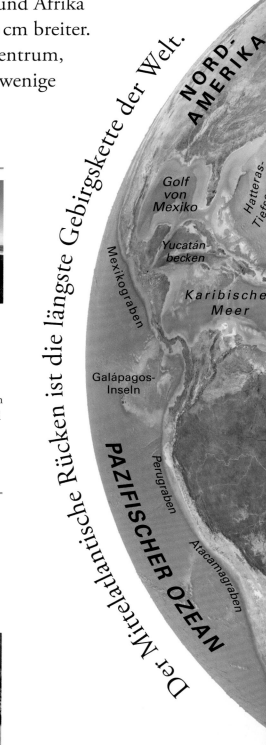

Der Mittelatlantische Rücken ist die längste Gebirgskette der Welt.

NORD-AMERIKA

Golf von Mexiko

Hatteras-Tiefsee

Mexikograben

Yucatán-becken

Karibische Meer

Galápagos-Inseln

Perugraben

Atacamagraben

PAZIFISCHER OZEAN

▶ TRENNUNG DER WELT
Der Atlantische Ozean ist etwa 5000 km breit und über 15 000 km lang. Dieses s-förmige Meer trennt die Kontinente Nord- und Südamerika im Westen von Europa und Afrika im Osten.

Hudson-
bai

Baffin-
bai

Grönland

Grönland-
see

Island

Europäisches
Nordmeer

Ostsee

Labrador-
see

Reykjanes-
rücken

Island-
becken

Nordsee

EUROPA

Labrador-
becken

Charlie-Gibbs-
Bruchzone

Schwarzes
Meer

Neufundland-
Bänke

Porcupine-
Tiefseetafel

Golf von
Biskaya

Neufundland-
becken

Azoren-Biskaya-Schwelle

Mittelmeer

Sohms
Tiefseetafel

Ozeanografische

Azoren

Iberisches
Becken

Bermudas

Bruchzone

Ostazoren-
Bruchzone

Sargasso-
see

Atlantis-

Madeira

Bruchzone

Madeira-
Tiefseetafel

Mittelatlantischer Rücken

Nares-
iefseetafel

Kane-

Bruchzone

Kanarische
Inseln

Kap-
verdisches
Becken

AFRIKA

ATLANTISCHER

Barracuda-Bruchzone

Kapverde-
Tiefsee-
tafel

OZEAN

Kap-
verdische
Inseln

Demerara-Tiefseetafel

Vema-Bruchzone

Gambia-
Tiefseetafel

Kalmen-Bruchzone

Four-North-Bruchzone

Sierra-
Leone-
Becken

Romanche-Bruchzone

Guinea-
becken

Golf
von
Guinea

Chain-Bruchzone

SÜD-

Pernambuco-
Tiefseetafel

Bruchzone

AMERIKA

Ascension-
Ascension

Bruchzone

Angola-
becken

Bode-

Mittelatlantischer Rücken

Bruchzone

Brasilianisches
Becken

St. Helena

Saint-Helena

Santos-
plateau

Walfischrücken

Rio-Grande-
Schwelle

Rio-Grande-

Bruchzone

Kapbecken

Argentinisches
Becken

Tristan-da-Cunha-Bruchzone

Tristan da Cunha

Argentinische
Tiefseetafel

Gough-Bruchzone

Gough-Insel

Südgeorgien

Falkland-
Inseln

Scotiameer

13

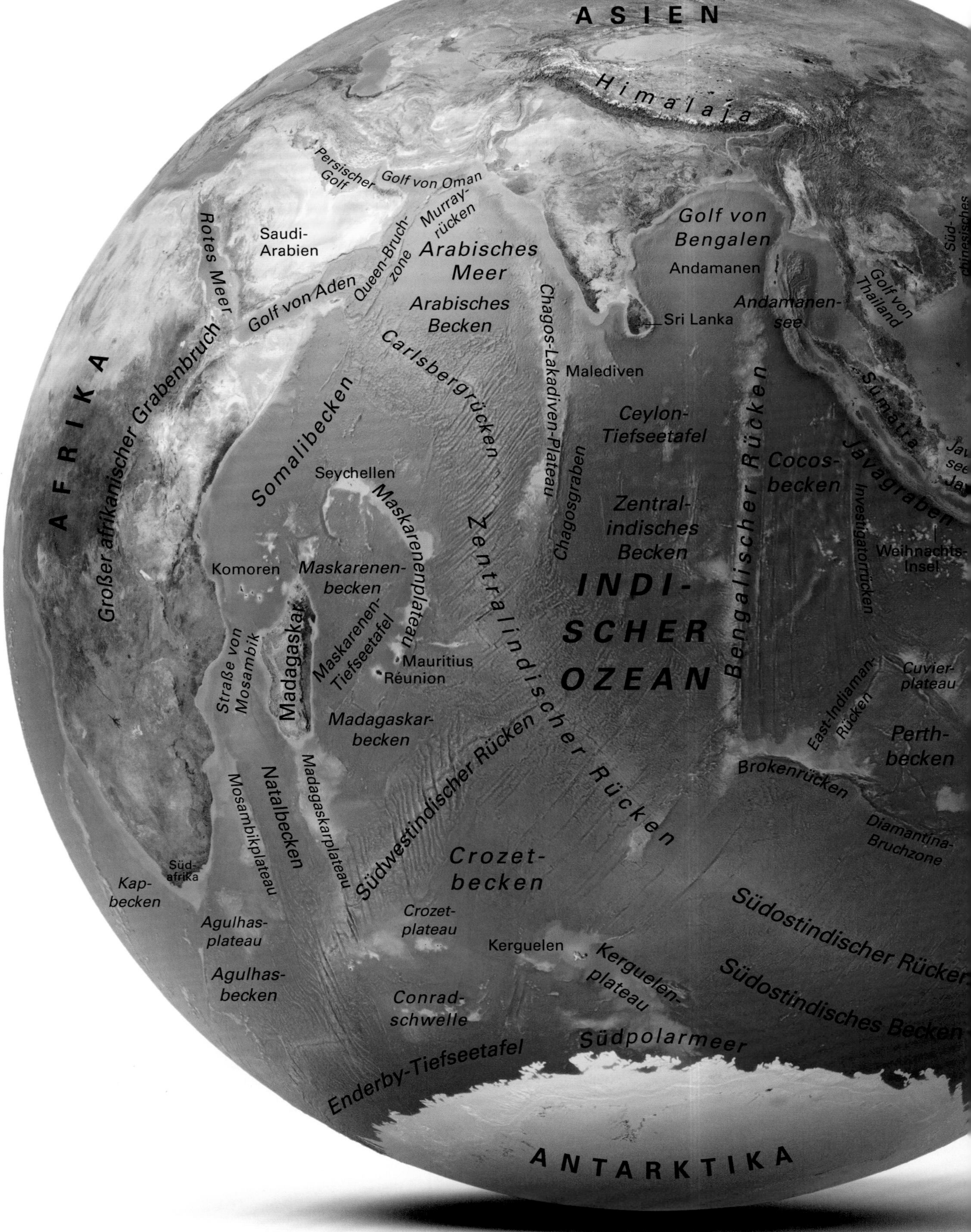

ASIEN

Himalaja

Persischer Golf

Golf von Oman

Rotes Meer

Saudi-Arabien

Murray-rücken

Queen-Bruch-zone

Golf von Aden

Arabisches Meer

Arabisches Becken

Carlsbergrücken

Chagos-Lakadiven-Plateau

Golf von Bengalen

Andamanen

Golf von Thailand

Sri Lanka

Andamanen-see

Maledivan

Ceylon-Tiefseetafel

Südchinesisches

Sumatra

Bengalischer Rücken

Cocos-becken

Javagraben

Jav see

Ja

Somalibecken

Seychellen

Zentral-indisches Becken

Chagosgraben

Großer afrikanischer Grabenbruch

Maskarenenplateau

Maskarenen-becken

Komoren

Madagaskar

Straße von Mosambik

Maskarenen-Tiefseetafel

Mauritius

Réunion

Zentralindischer Rücken

INDI-SCHER OZEAN

Investigatorrücken

Weihnachts-Insel

Madagaskar-becken

Cuvier-plateau

East-Indiaman-Rücken

Perth-becken

Mosambikplateau

Natalbecken

Madagaskarplateau

Südwestindischer Rücken

Brokenrücken

Diamantina-Bruchzone

AFRIKA

Süd-afrika

Kap-becken

Agulhas-plateau

Agulhas-becken

Crozet-becken

Crozet-plateau

Kerguelen

Kerguelen-plateau

Südostindischer Rücken

Südostindisches Becken

Conrad-schwelle

Südpolarmeer

Enderby-Tiefseetafel

ANTARKTIKA

Indischer Ozean

Anders als der Atlantische und der Pazifische Ozean überschreitet der Indische den Äquator kaum in nördlicher Richtung. Mit Ausnahme des südlichsten Teils gehört er zu den Tropen. Der Sundagraben am östlichen Rand ist eine aktive Erdbebenzone und erzeugt auch Tsunamis.

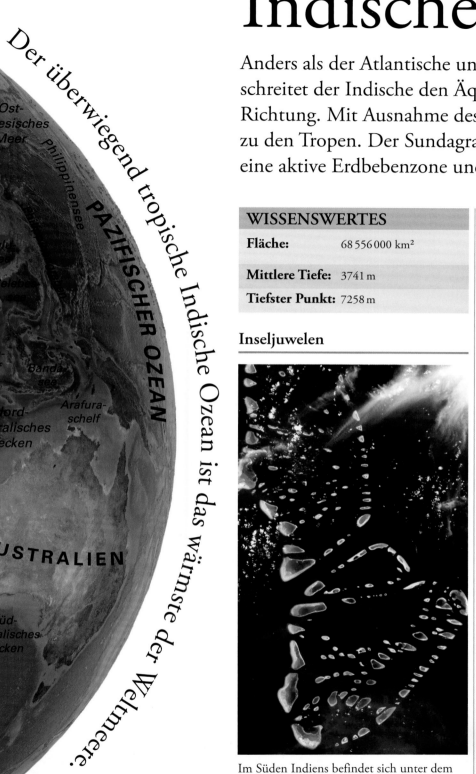

Der überwiegend tropische Indische Ozean ist das wärmste der Weltmeere.

Ost-chinesisches Meer
Philippinensee
PAZIFISCHER OZEAN
Sulu-see
Celebes
Borneo
nda-chelf
Banda-see
Arafura-schelf
Nord-australisches Becken
AUSTRALIEN
Süd-australisches Becken

▲ DRITTGRÖSSTER OZEAN
Von Südafrika bis zu seiner Ostgrenze an der Südspitze Australiens ist der Indische Ozean fast 10 000 km breit. Im Süden grenzt er an die kalten, stürmischen Gewässer des Südpolarmeers.

WISSENSWERTES

Fläche:	68 556 000 km²
Mittlere Tiefe:	3741 m
Tiefster Punkt:	7258 m

Inseljuwelen

Im Süden Indiens befindet sich unter dem Wasserspiegel eine Gebirgskette, die von den ringförmigen Atollen der Malediven gekrönt wird. Jedes Atoll besteht wiederum aus kleineren Atollen, die aus der Luft wie eine Perlenkette wirken. Die flachen Inseln können durch Tsunamis und einen steigenden Meeresspiegel leicht überflutet werden.

Neue Meere

▲ ROTES MEER
Dieses Meer ist möglicherweise nach den Rotalgen benannt, die sich gelegentlich schnell vermehren. Ansonsten ist sein Wasser tiefblau.

Das Rote Meer zwischen Afrika und Asien ist eine Spreizungszone der Erdkruste und wird ständig breiter. In ferner Zukunft wird sich hier ein neuer Ozean erstrecken. Der Grabenbruch verläuft weiter durch Ostafrika, wo wohl ein neues Meer entstehen wird.

Monsunwinde

Über den meisten Ozeanen weht der Wind immer aus der gleichen Richtung. Im nördlichen Indischen Ozean kommt er allerdings im Winter aus dem trockenen Nordosten und im Sommer aus dem regnerischen Südwesten – ein Kennzeichen der Monsunwinde.

Pazifischer Ozean

Der Pazifik ist das größte und tiefste der Weltmeere. Er erstreckt sich an der breitesten Stelle fast über den halben Globus. Er schrumpft jedoch in dem Maß, in dem sich der Atlantik ausdehnt. Der Pazifik enthält unzählige Vulkaninseln und im Wasser verborgene Seamounts. In seinen Gräben befindet sich der tiefste Punkt der Erde.

WISSENSWERTES

Fläche:	155 557 000 km²
Mittlere Tiefe:	3970 m
Tiefster Punkt:	10 924 m

▼ RIESIGER OZEAN
Um den riesigen Pazifik zu zeigen, braucht man zwei Karten. Die in der Nähe von Asien liegende westliche Hälfte enthält mehr Inseln als die östliche, in der sich viele Bruchzonen befinden – lange Risse im Meeresgrund.

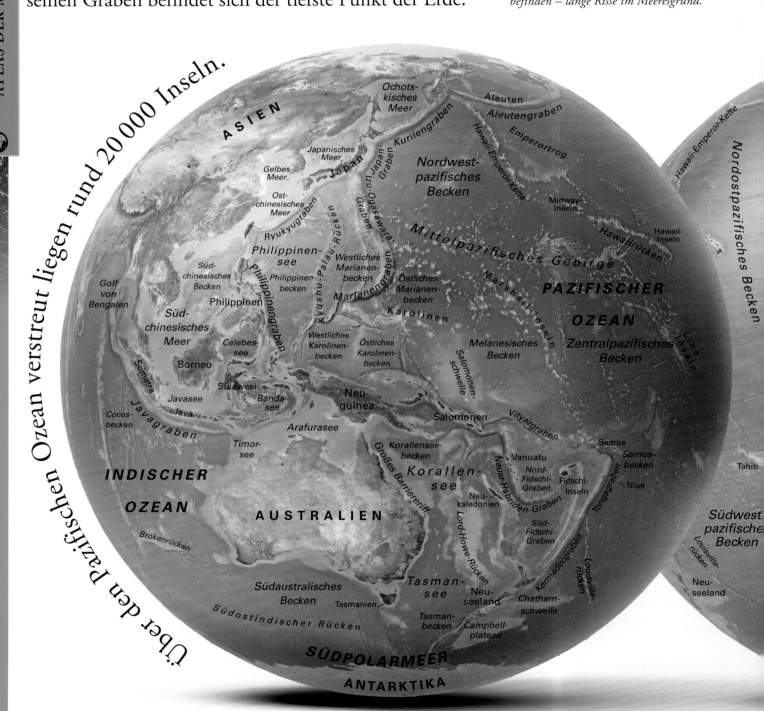

Über den Pazifischen Ozean verstreut liegen rund 20 000 Inseln.

ASIEN

Ochotskisches Meer
Aleuten
Aleutengraben
Emperortrog
Hawaii-Emperor-Kette
Nordostpazifisches Becken

Japanisches Meer
Kurilengraben
Gelbes Meer
Japan
Ostchinesisches Meer
Izu-Ogasawara-Graben
Izu-Japan-Graben
Nordwestpazifisches Becken
Midway-Inseln
Hawaiirücken
Hawaii-Inseln

Ryukyugraben
Philippinensee
Mittelpazifisches Gebirge
Südchinesisches Becken
Philippinenbecken
Kyushu-Palau-Rücken
Westliches Marianenbecken
Marshall-Inseln
PAZIFISCHER OZEAN
Golf von Bengalen
Philippinengraben
Philippinen
Marianengraben
Östliches Marianenbecken
Karolinen
Zentralpazifisches Becken
Line-Inseln

Südchinesisches Meer
Celebessee
Westliches Karolinenbecken
Östliches Karolinenbecken
Melanesisches Becken
Salomonenschwelle
Sumatra
Borneo
Sulawesi
Bandasee
Neuguinea
Vityazgraben
Samoa
Cocosbecken
Javasee
Java
Salomonen
Samoabecken
Javagraben
Arafurasee
Tahiti
Timorsee
Korallenseebecken
Vanuatu
Neuer-Hebriden-Graben
Nord-Fidschi-Graben
Fidschi-Inseln
Niue

INDISCHER OZEAN
Großes Barriereriff
Korallensee
Neukaledonien
Süd-Fidschi-Graben
Tongagraben
Südwestpazifische Becken
Brokenrücken
AUSTRALIEN
Lord-Howe-Rücken
Kermadecgraben
Louisvillerücken
Louisville-rücken

Südaustralisches Becken
Tasmansee
Neuseeland
Chathamschwelle
Neuseeland
Tasmanien
Tasmanbecken
Campbellplateau
Südostindischer Rücken

SÜDPOLARMEER
ANTARKTIKA

Koralleninseln

Im tropischen Westpazifik gibt es Tausende von korallengesäumten Inseln. Einige von ihnen sind die Gipfel erloschener Vulkane, doch andere bestehen aus Korallensand. Die von lebenden Organismen gebauten Korallenriffe sind faszinierende Lebensräume.

◄ VERBORGENER SCHATZ
Das klare tropische Meer, das diese Insel umgibt, stellt mit seinen Korallenriffen einen der vielfältigsten Lebensräume des Meers dar.

Seamounts unter Wasser

Nur ein Bruchteil der auf dem Meeresboden ausgebrochenen Vulkane ist in Form von Inseln zu sehen. Die meisten Vulkane bleiben unter dem Wasserspiegel und werden als Seamounts bezeichnet. Manche waren vulkanische Inseln, die nach Erlöschen des Vulkans wieder versunken sind. Andere sind noch aktiv und wachsen. Viele Seamounts bilden Ketten wie die Hawaii-Emperor-Kette, die über 6000 km lang ist.

▼ NAHRUNGSANGEBOT
Die an Seamounts aufsteigenden Strömungen bringen Nahrung an die Wasseroberfläche, die zum Beispiel die Mantarochen nutzen.

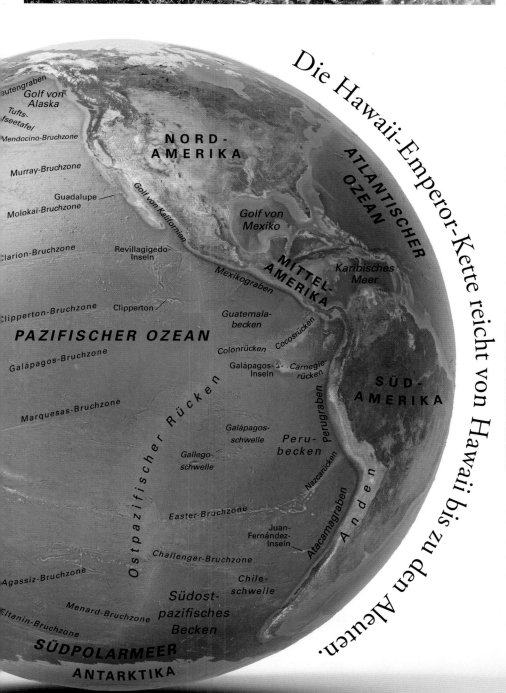

Die Hawaii-Emperor-Kette reicht von Hawaii bis zu den Aleuten.

Aleutengraben
Golf von Alaska
Tufts-Tiefseetafel
Mendocino-Bruchzone
Murray-Bruchzone
NORD-AMERIKA
ATLANTISCHER OZEAN
Guadalupe
Molokai-Bruchzone
Golf von Kalifornien
Golf von Mexiko
Clarion-Bruchzone
Revillagigedo-Inseln
MITTEL-AMERIKA
Karibisches Meer
Mexikograben
PAZIFISCHER OZEAN
Clipperton-Bruchzone
Clipperton
Guatemala-becken
Cocosrücken
Galápagos-Bruchzone
Colonrücken
Galápagos-Inseln
Carnegie-rücken
SÜD-AMERIKA
Marquesas-Bruchzone
Perugraben
Galápagos-schwelle
Peru-becken
Ostpazifischer Rücken
Gallego-schwelle
Nazcarücken
Atacamagraben
Anden
Easter-Bruchzone
Juan-Fernández-Inseln
Agassiz-Bruchzone
Challenger-Bruchzone
Chile-schwelle
Südost-pazifisches Becken
Menard-Bruchzone
Eltanin-Bruchzone
SÜDPOLARMEER
ANTARKTIKA

Schrumpfendes Meer

An manchen Stellen dehnt sich der Boden des Pazifiks aus. Hier gibt es mittelozeanische Rücken wie etwa den Ostpazifischen Rücken vor Südamerika. Manche Bereiche bewegen sich schneller als andere, sodass das Gestein an Bruchzonen aufbricht. Die Erdbebenbereiche um den Pazifik zerstören den Meeresgrund allerdings schneller, als er entsteht, sodass er insgesamt schrumpft.

Südpolarmeer

Das den Kontinent Antarktika umgebende eisige Südpolarmeer
ist der windigste und gefährlichste Ozean der Welt. Eisberge
lösen sich von Gletschern und im Winter besteht die Oberfläche
aus sich auftürmendem Packeis. Das unter dem Eis hervor-
tretende kalte Wasser erzeugt starke Tiefenströmungen,
die sich über die ganze Welt fortsetzen.

WISSENSWERTES

Fläche:	20 327 000 km²
Mittlere Tiefe:	3270 m
Tiefster Punkt:	7235 m

Weddell- und Rossmeer

▲ TREIBENDES EIS
*Die Spitze eines riesigen Gletschers reicht
über das Packeis des Rossmeers hinaus.*

Das Weddell- und das Rossmeer teilen
den südlichsten Kontinent in West- und
Ostantarktika. Die Meere liegen in der
Nähe des Südpols, sodass sie zum großen
Teil von schwimmendem Schelfeis und von
Gletschern bedeckt sind. Der Rest gefriert
im Winter zu treibendem Packeis.

Heulende Winde

Starke Winde wehen das ganze Jahr über
von Westen nach Osten über das Südpolarmeer, da keine Landmassen sie bremsen
können. Je weiter man nach Süden kommt,
desto stärker werden sie, sodass sie über
Antarktika Stürme bilden. Diese Winde
waren als Antrieb für die Segelschiffe in
früheren Zeiten sehr wichtig.

▲ RENNEN AUF DEM MEER
*Moderne Segelschiffe können die starken
Winde des Südpolarmeers nutzen.*

Nahrungsreichtum

Die nördliche Grenze des Südpolarmeers ist
die Antarktische Konvergenz. Hier sinkt das
kalte Wasser unter das wärmere des Pazifischen, des Atlantischen und des Indischen
Ozeans ab. Das fördert das Planktonwachstum
und damit auch das des garnelenartigen Krills.

◄ SOMMERGÄSTE
*Diese Küstenseeschwalben sind halb um die Welt
geflogen, um den Nahrungsreichtum zu nutzen.*

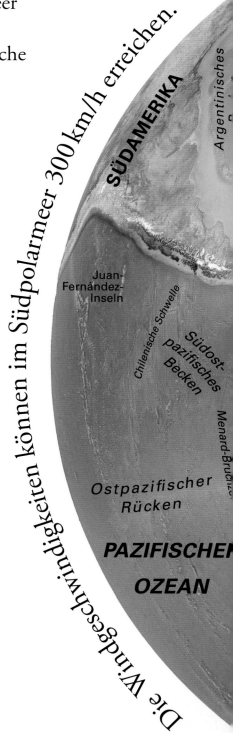

Die Windgeschwindigkeiten können im Südpolarmeer 300 km/h erreichen.

SÜDAMERIKA

Argentinisches

Juan-
Fernández-
Inseln

Chilenische Schwelle

Südost-
pazifisches
Becken

Menard-Bruchzone

Ostpazifischer
Rücken

PAZIFISCHER

OZEAN

▶ GEFRORENES MEER
*Im Winter friert das Meer um Antarktika
zu und bildet eine Packeiswüste (hellblau).
Die weiß gepunktete Linie stellt die
Antarktische Konvergenz dar –
die Grenze des Südpolarmeers.*

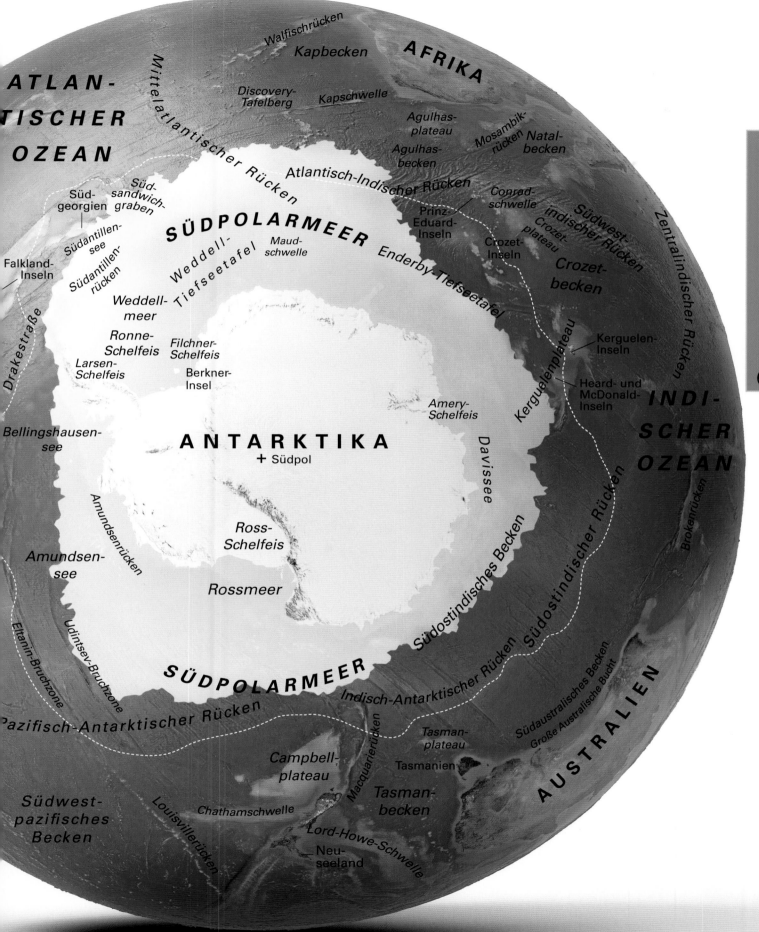

ATLAN-
TISCHER
OZEAN

Walfischrücken

Kapbecken

AFRIKA

Discovery-
Tafelberg

Kapschwelle

Mittelatlantischer Rücken

Agulhas-
plateau

Mosambik-
rücken

Natal-
becken

Agulhas-
becken

Atlantisch-Indischer Rücken

Süd-
sandwich-
graben

Süd-
georgien

Conrad-
schwelle

Südwest-
indischer Rücken

Zentralindischer Rücken

Falkland-
Inseln

Südantillen-
see

Prinz-
Eduard-
Inseln

Crozet-
plateau

SÜDPOLARMEER

Südantillen-
rücken

Weddell-
Tiefseetafel

Maud-
schwelle

Enderby-Tiefseetafel

Crozet-
Inseln

Crozet-
becken

Drakestraße

Weddell-
meer

Kerguelenplateau

Kerguelen-
Inseln

Ronne-
Schelfeis

Filchner-
Schelfeis

Heard- und
McDonald-
Inseln

INDI-
SCHER
OZEAN

Larsen-
Schelfeis

Berkner-
Insel

Amery-
Schelfeis

Bellingshausen-
see

Davissee

ANTARKTIKA

+ Südpol

Amundsenrücken

Brokenrücken

Amundsen-
see

Ross-
Schelfeis

Südostindischer Rücken

Südindisches Becken

Rossmeer

Eltanin-Bruchzone

Udintsev-Bruchzone

Südostindischer Rücken

Südostindischer Rücken

Indisch-Antarktischer Rücken

Südaustralisches Becken

Große Australische Bucht

SÜDPOLARMEER

Pazifisch-Antarktischer Rücken

Tasman-
plateau

AUSTRALIEN

Campbell-
plateau

Macquarierücken

Tasmanien

Südwest-
pazifisches
Becken

Louisvillerücken

Chathamschwelle

Tasman-
becken

Lord-Howe-Schwelle

Neu-
seeland

DER BLAUE PLANET

Die Meere bedecken den größten Teil der Erdoberfläche und enthalten 97 % des Wassers der Erde. Sie liegen in riesigen Becken, die ständig ihre Form verändern.

„Planet Wasser"

Unser Planet Erde müsste eigentlich „Planet Wasser" heißen, da das Wasser den größten Teil seiner Oberfläche bedeckt. Er ist der einzige Planet unseres Sonnensystems, der Meere besitzt. Wir wissen auch von keinem anderen, auf dem es Lebewesen gibt. Das ist kein Zufall, da Wasser für das Leben wichtig ist. Vermutlich ist es in den Weltmeeren entstanden.

Diese Ansicht der Erde zeigt den Pazifischen Ozean.

BLAUER PLANET

Betrachtet man die Erde aus dem Weltall, so sieht man, dass sie zum größten Teil von Wasser bedeckt ist. Weniger als ein Drittel der Oberfläche besteht aus Festland. Die Meere enthalten etwa 1330 Millionen Kubikkilometer Wasser. Das ist mehr als das Tausendfache des Volumens der Landmasse über dem Meeresspiegel. Verschiedene Arten von Fischen und anderen Meerestieren leben überall in den Wassermassen und machen sie zum größten Lebensraum der Erde.

Alle Meere zusammen ergäben einen Planeten, der zwei Drittel der Erdgröße aufwiese.

Ein Planet aus den Landflächen der Erde hätte dagegen nur ein Drittel ihrer Größe.

DER RICHTIGE ABSTAND

Die Erde hat den richtigen Abstand zur Sonne, um warm genug zu sein und Meere flüssigen Wassers zu besitzen. Wäre der Abstand kleiner, würden die Meere verdunsten. Wäre er größer, würde das Wasser gefrieren. Unsere Atmosphäre wirkt dabei wie eine warme Decke. Die Erde ist daher wärmer als der Mond, auf dem es keine Luft gibt.

Der Pazifische Ozean umfasst mehr als die Hälfte des gesamten Meerwassers.

WASSER DES LEBENS

Das Leben hängt vom flüssigen Wasser ab. In ihm können sich die Stoffe lösen, aus denen Eiweiße und andere für Lebewesen wichtige Stoffe aufgebaut sind. Besonders Meerwasser enthält diese Stoffe und vermutlich entstand das Leben vor über 3,5 Milliarden Jahren in den Meeren. Die Meere enthalten auch heute noch Lebensräume, in denen die verschiedensten Lebensformen gedeihen.

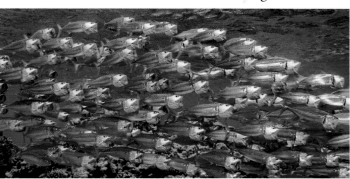

Ein Schwarm Großmaul-Makrelen

RIESIGE VIELFALT

Die Weltmeere enthalten viele verschiedene Lebensräume, von eisigen polaren Gewässern bis zu warmen Korallenriffen und von sonnendurchfluteten Oberflächen bis zu dunklen, kalten Tiefen. Die Eigenschaften eines jeden Lebensraums haben die Natur ihrer Bewohner beeinflusst und so eine wundervolle Lebensvielfalt geschaffen.

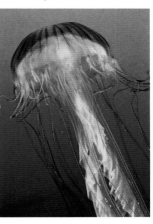

Kompassqualle

GRENZBEREICHE

Jahrhundertelang dienten die Meere als Handelswege und als reiche Quelle von Nahrung und Rohstoffen. Doch sie bergen auch Gefahren. Das ist ein Grund, warum die Tiefsee immer noch weitgehend unbekannt ist. Wir wissen mehr über die Mondoberfläche als über den Grund der Tiefsee.

Wie Meere entstehen

Ein Meer ist nicht nur ein mit Salzwasser gefülltes Loch. Sein Boden besteht aus Gestein, das an den Stellen gebildet wird, an denen die Erdkruste durch Kräfte innerhalb des Planeten auseinanderdriftet. Dieses Gestein ist die dünne Schale, die den heißen Erdmantel bedeckt. Die Kontinente schwimmen als dickere Scheiben leichteren Gesteins darauf.

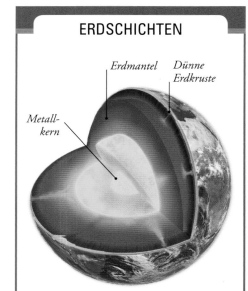

ERDSCHICHTEN

Erdmantel *Dünne Erdkruste*

Metall-kern

Die Erde entstand vor etwa 4,6 Milliarden Jahren aus Staub und Gesteinsbrocken, die um die Sonne kreisten. Als sie an Masse zunahm, zog sie Eisen enthaltende Meteoriten an, die auf ihre Oberfläche schlugen und dabei schmolzen. Durch die Hitze schmolz die gesamte Masse aus Gesteinen und Metallen. Die schwereren Metalle wie das Eisen sanken ab und bildeten einen metallischen Kern, der vom Erdmantel und der Kruste umgeben ist.

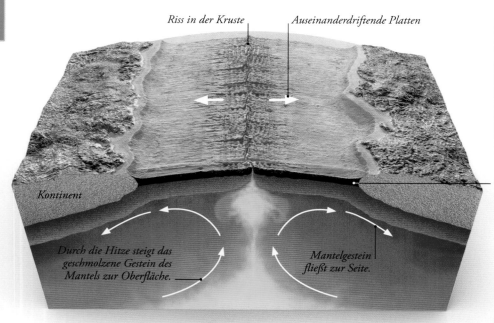

Riss in der Kruste   *Auseinanderdriftende Platten*

Kontinent

Durch die Hitze steigt das geschmolzene Gestein des Mantels zur Oberfläche.

Mantelgestein fließt zur Seite.

Die Kruste verschiebt sich seitwärts und neue Kruste bildet sich in den Rissen.

Peridotit

Basalt

Granit

DRIFT DER PLATTEN

Durch Kernenergie tief in der Erde bleibt der aus Gestein bestehende Erdmantel heiß. Der hohe Druck verhindert das Schmelzen, doch durch die Hitze entstehen sehr langsame Strömungen, durch die das Material aufsteigt, sich zur Seite bewegt und wieder sinkt. Bei der seitlichen Bewegung wird die Erdkruste mitgenommen und aufgebrochen. So entstehen verschiedene Platten, die die Kontinente tragen. Neuer Meeresboden bildet sich an den Bruchstellen.

SCHWIMMENDES GESTEIN

Der Mantel der Erde besteht zum größten Teil aus Peridotit, einem schweren Gestein. Der etwas leichtere Basalt bildet die Erdkruste, aus der auch der Meeresboden besteht. Die Kontinente bestehen aus Granit und ähnlichen Gesteinen, die noch leichter als Basalt sind. So können sie auf dem schwereren Erdmantel schwimmen. Das ist auch einer der Gründe dafür, dass sie sich über den Meeresboden erheben.

WASSERDAMPF

Das meiste Wasser wurde vermutlich von riesigen Vulkanen zu Beginn der Erdgeschichte ausgestoßen. Auch heute produzieren Vulkane noch Wasserdampf und andere Gase. Aus einer ähnlichen Mischung bestand wohl die erste Erdatmosphäre. Das Wasser bildete Wolken, die sich über der nackten Erdoberfläche abregneten und diese überspülten, sodass die ersten Meere entstanden.

AHA!

Ein Teil des Meerwassers kann in Form gefrorener Kometen auf die Erde gekommen sein, die in der Atmosphäre schmolzen.

EIN GLOBALES MEER

Vor 4 Milliarden Jahren gab es keine Kontinente und die Erdoberfläche bestand aus dem Basalt des Meeresgrunds. Der erste Ozean bedeckte wohl die ganze Erde. Mit der Zeit produzierten Vulkane das leichtere Gestein, das die ersten Kontinente bildete. Während die Landmassen zunahmen, zog sich das Wasser in die tiefer gelegenen Becken zurück und bildete Meere.

NEUES LAND

Geschmolzenes Gestein fließt an den Küsten Hawaiis in den Pazifischen Ozean. Die Hawaii-Inseln sind aus Vulkanen entstanden. Inseln wie diese bildeten das erste Festland, das sich über die Wellen des weltweiten Ozeans erhob. Im Verlauf von Millionen von Jahren verschmolzen sie miteinander und bildeten die ersten Kontinente.

Der Meeresgrund

Der Meeresgrund ist nicht nur eine flache Ebene. Das tiefe blaue Wasser verbirgt eine aus flachen Küstenbereichen, Felsenriffen, schlammigen Ebenen, unglaublich tiefen Abgründen und riesigen Vulkanen bestehende Landschaft. Tausende von Kilometern lange Bergketten erstrecken sich über den Meeresboden und bilden die längsten Gebirge der Welt. Bis vor kurzer Zeit wussten wir kaum etwas über ihre Existenz oder die Gründe ihres Entstehens.

AHA!

Die tiefsten Gräben der Meere reichen so weit hinab, dass einige der höchsten Berge der Erde hineinpassen würden.

UNTERWASSERWELT

Da die Messmethoden immer besser geworden sind, können Wissenschaftler immer mehr auf dem Meeresgrund entdecken. Dieser Schnitt durch ein typisches Meer zeigt die wichtigsten Formationen. Die Bilder darüber wurden mit der neuesten Technologie aufgenommen. Die Farbe zeigt die Tiefe an und enthüllt die verborgene Welt unter den Wellen.

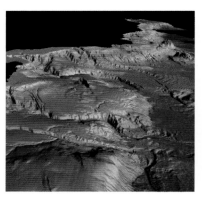

▲ KONTINENTALSCHELF
Den flachen Bereich am Rand eines Meers nennt man Kontinentalschelf. Am Rand des Schelfs fällt der Kontinentalhang in die Tiefsee ab. Hier sind der flache Schelf rot und die Tiefsee blau abgebildet.

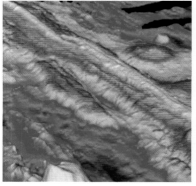

▲ OZEANISCHER RÜCKEN
Mithilfe von Echoortung ist dieses Bild eines Gebirges entstanden, das sich über den Meeresgrund schlängelt. Diese mittelozeanischen Rücken können bis zu 1000 m hoch sein und bilden ein weltweites Netzwerk.

Das Festland ist vom flachen Kontinentalschelf umgeben.

Seamount

▲ WEICHE SEDIMENTE
Große Bereiche des Meeresgrunds sind mit dicken weichen Schlammschichten bedeckt und bilden weite Ebenen. Manche dieser weichen Sedimente sind die Reste winziger Meerestiere. Andere werden als Staub von Sandstürmen über das Meer geweht, wie im abgebildeten Sturm über der Sahara.

ENTDECKUNG DES MEERESBODENS

Die erste vollständige Karte des Meeresbodens wurde in der Mitte des 20. Jahrhunderts von den amerikanischen Geologen Bruce Heezen und Marie Tharp mithilfe gesammelter Tiefendaten aus der ganzen Welt erstellt. Als die Karte ihre Form annahm, konnte man auf ihr bisher unbekannte Strukturen erkennen. Das regte die beiden Kartografen sowie andere Wissenschaftler an, mehr über diese Strukturen herauszufinden.

▶ HEEZEN-THARP-KARTE
Diese Darstellung des Mittelatlantischen Rückens auf dem Boden des Atlantischen Ozeans ist ein Teil der Karte, die die Welt erstaunte.

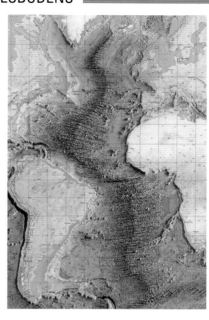

▲ SEAMOUNT
Der Meeresgrund ist von Bergen übersät, die man mit dem englischen Begriff „Seamount" bezeichnet. Fast alle sind erloschene Vulkane, doch manche brechen noch aus. Zu Tausenden gibt es sie im Pazifik.

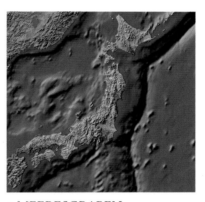

▲ MEERESGRABEN
Die meisten Gräben findet man an den Rändern des Pazifischen und im Nordosten des Indischen Ozeans. Manche sind mehr als doppelt so tief wie der übrige Meeresboden. Dieses Bild zeigt die Gräben vor Japan (dunkelblau).

Vulkaninsel

Magma unter einem aktiven Vulkan

Mittelozeanische Rücken

Das Gestein unterhalb der Erdkruste ist heiß wie geschmolzene Lava, behält aber durch hohen Druck eine feste Form. Wenn die Platten des Meeresbodens auseinandergezogen werden, entstehen Risse und der Druck nimmt ab. Hier kann flüssiges Gestein hinaufschießen und es entsteht eine Kette von Vulkanen. Diese mittelozeanischen Rücken zählen zu den größten geologischen Strukturen der Erde.

DER BLAUE PLANET

GRABENBRUCH

Wo die Platten der Erdkruste durch die Strömungen im darunterliegenden Erdmantel auseinandergezogen werden, bildet sich ein Grabenbruch. Der Boden des Zentralgrabens ist voller Risse, durch die geschmolzenes Gestein aufsteigen und neuen Meeresboden bilden kann. Die Hitze lässt die Seiten des Grabens zu einem doppelten Rücken aufsteigen.

KISSENLAVA

Das durch die Spalten im Meeresgrund aufsteigende Gestein ist geschmolzener Basalt wie die hier abgebildete Lava auf Hawaii. Wenn sie auf kaltes Wasser trifft, erstarrt sie auf der Außenseite, doch das flüssige Innere dringt durch die harte Hülle nach außen und bildet Formen, die man als Kissenlava bezeichnet.

▼ RÜCKEN UND TÄLER
Dieser Schnitt durch einen mittelozeanischen Rücken zeigt, wie ein Grabenbruch einen Zentralgraben mit Gebirgszügen auf seinen Seiten bildet.

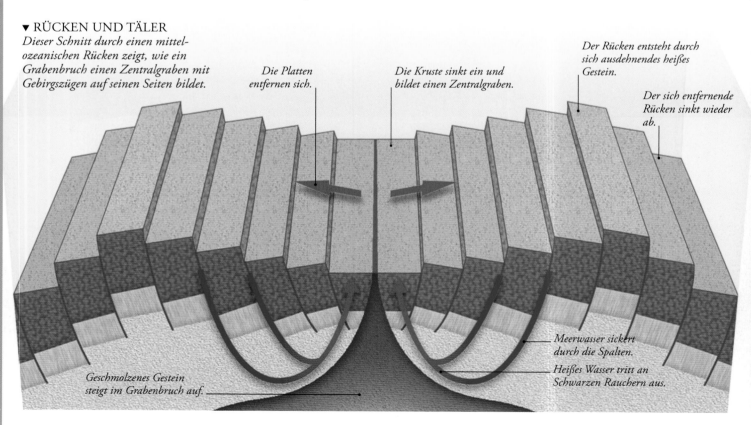

Die Platten entfernen sich.

Die Kruste sinkt ein und bildet einen Zentralgraben.

Der Rücken entsteht durch sich ausdehnendes heißes Gestein.

Der sich entfernende Rücken sinkt wieder ab.

Meerwasser sickert durch die Spalten.

Heißes Wasser tritt an Schwarzen Rauchern aus.

Geschmolzenes Gestein steigt im Grabenbruch auf.

SCHWARZE RAUCHER

Das in den Grabenbruch ein-
sickernde Wasser wird durch den
Kontakt mit dem heißen Gestein
erhitzt, doch der hohe Druck
verhindert, dass es kocht. Es erreicht
bis zu 400 °C, das Vierfache des
normalen Siedepunkts. Das extrem
heiße Wasser löst Chemikalien aus
dem Gestein und tritt am Meeresgrund aus. Wenn es nun auf das
kalte Meerwasser trifft, werden die
Chemikalien als dunkle Teilchen
ausgefällt. Das wirkt wie schwarzer
Rauch, der aus dem Boden quillt.
Man nennt diese Quellen daher
„Schwarze Raucher".

EIN NETZ AUS RÜCKEN

Die mittelozeanischen Rücken bilden zusammen mit den Schwarzen Rauchern und
den Seamounts ein Netzwerk, das sich über
alle Weltmeere erstreckt. An divergieren-
den Plattengrenzen bewegen sich die
Platten der Erdkruste auseinander, an
konvergierenden stoßen sie zusammen, an
konservativen gleiten sie aneinander vorbei.

NORD-
AMERIKA   EUROPA   ASIEN

SÜD-
AMERIKA   AFRIKA   AUSTRALIEN

ANTARKTIKA

Legende ■ Divergierende Plattengrenze
■ Konvergierende Plattengrenze
■ Konservative Plattengrenze

 ### IM BLICKPUNKT

Wenn die chemischen Stoffe aus den
Schwarzen Rauchern ausgefällt und
damit fest werden, bilden sie um die
Quelle schornsteinähnliche Strukturen,
die bis zu 30 m hoch werden können.

*Ein „Schornstein"
kann pro Tag etwa
30 cm wachsen.*

*Der „Rauch" ist oft
schwarz, kann aber
auch weiß sein.*

Heißes Gestein   *Extrem heißes
Wasser*

WIE SICH GRÄBEN BILDEN

Tiefseegräben liegen über Subduktionszonen, an denen sich eine Platte der Erdkruste absenkt und unter die andere schiebt. Die steilsten Hänge werden dabei von den Rändern der oberen Platte gebildet.

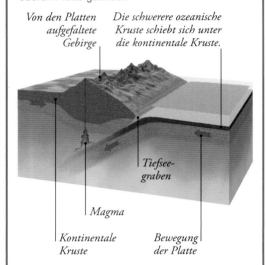

Von den Platten aufgefaltete Gebirge

Die schwerere ozeanische Kruste schiebt sich unter die kontinentale Kruste.

Tiefsee- graben

Magma

Kontinentale Kruste

Bewegung der Platte

▲ HINUNTERGESCHOBEN

Die schwere ozeanische Kruste schiebt sich immer unter die dickere, leichtere kontinentale Kruste. Sind beide Platten ozeanisch, schiebt sich die ältere und schwerere unter die jüngere.

Die tiefsten Abgründe

In manchen Teilen des Meeresbodens ziehen gewaltige Kräfte die Platten der Erdkruste aus- einander. An anderen Stellen pressen diese Kräfte die Platten zusammen. Hier schiebt sich der Rand einer Platte unter die andere, sodass er langsam in den heißen Erdmantel darunter eintaucht. Die meisten dieser Stellen sind als tiefe Gräben im Meeresboden zu erkennen, die die Plattengrenzen kennzeichnen. Diese Gräben können mehr als doppelt so tief wie der durchschnittliche Meeresgrund liegen.

MARIANENGRABEN

Obwohl die Meeresgräben zum Teil mit Sand und schlammigen Sedimenten gefüllt sind, können sie dreimal so tief wie der sie umgebende Meeresgrund sein. Der tiefste Punkt des pazifischen Marianengrabens liegt bei 10 924 m unter dem Meeres- spiegel. Das ist der tiefste Punkt der Erde. Wenn der höchste Berg, der Mount Everest im Himalaja, in dem Graben stünde, befände sich sein Gipfel immer noch über 2000 m unter der Wasserober- fläche. Der Subduktionsprozess hat nicht nur den Graben, sondern auch eine Reihe vulkanischer Inseln geschaffen.

► HALBMONDFÖRMIG

Die Abbildung des westlichen Pazifiks zeigt den Marianengraben als dunkle, sich um die Marianeninseln krümmende Linie. Er ist mit weiteren Gräben verbunden, die an Japan vorbeiführen.

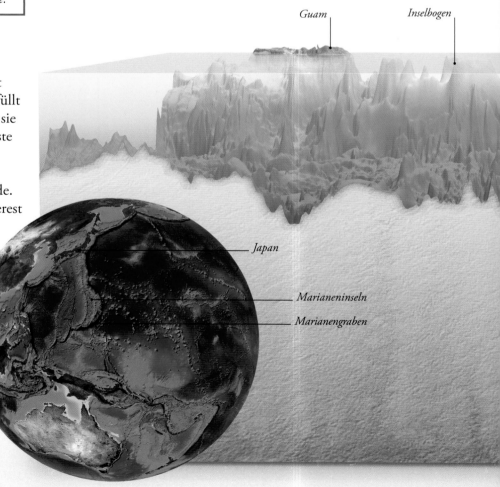

Guam

Inselbogen

Japan

Marianeninseln

Marianengraben

PAZIFISCHE TIEFSEEGRÄBEN

Alle Meere der Welt weisen durch den Subduktionsprozess entstandene
Tiefseegräben auf, doch die tiefsten findet man im Pazifik und in den
angrenzenden Gewässern. Das Diagramm zeigt, wie tief sie hinabreichen.
Sogar der im Norden Japans gelegene Kurilengraben ist tiefer, als der
Mount Everest hoch ist, der 8848 m über den Meeresspiegel ragt.

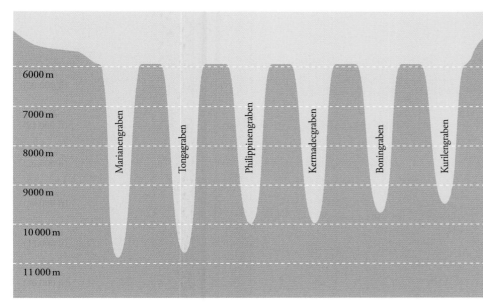

Die tiefsten Gräben der Erde

TIEFTAUCHGANG

Im Jahr 1960 tauchten Jacques Piccard und
Don Walsh mit der *Trieste* zum Grund des
Marianengrabens. Die Kapsel der Besatzung
wurde von einem großen, benzingefüllten
Auftriebskörper getragen. Als Ballast
dienten Eisenkugeln. Der Tauchgang dauerte
4 Stunden und 48 Minuten und ist bis heute
der tiefste, den Menschen je unternahmen.

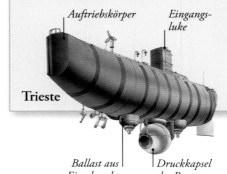

Auftriebskörper

Eingangs-
luke

Trieste

Ballast aus
Eisenkugeln

Druckkapsel
der Besatzung

*Der Graben ist
etwa 6900 m breit.*

◄CHALLENGERTIEF
*Diese Abbildung zeigt einen
Abschnitt des Marianengrabens.
Der tiefste Teil des Grabens wird
als „Challengertief" bezeichnet.*

*Das Challengertief befindet
sich in der Nähe des süd-
lichen Endes des Grabens.*

Riesige Platten

Der Prozess, der die Tiefseegräben entstehen lässt, führt auch zur Bildung von Ketten vulkanischer Inseln. Er faltet Gebirgsketten am Rand benachbarter Kontinente auf und verursacht Erdbeben und Tsunamis. Subduktionszonen liegen vor allem am Rand des Pazifischen Ozeans. Dieser Bereich wird auch als „Pazifischer Feuerring" bezeichnet.

INSELBÖGEN

Viele der am Plattenrand gelegenen Vulkane ragen über den Wasserspiegel hinaus. Sie bilden eine Kette vulkanischer Inseln am Rand einer Platte, die man als Inselbogen bezeichnet. Im Lauf der Zeit tauchen mehr Inseln auf und der Bogen schließt sich. Ein Inselbogen wie die Aleuten im Nordpazifik kann schließlich zu einer größeren Insel werden, wie etwa Java im Sundabogen.

▶ ALEUTEN
Die hier aus dem Weltall fotografierten Aleuten bestehen aus etwa 70 Vulkaninseln.

▲ AUSBRUCH
Der Vulkan Krakatau in der Nähe von Java liegt auf einer der aktivsten Subduktionszonen.

ABSCHMELZEN

In einer Subduktionszone taucht eine ozeanische Platte unter eine andere Platte und in den heißen Erdmantel hinab. Dabei schmilzt ein Teil des Gesteins in der großen Hitze, da das mit hinabtransportierte Meerwasser den Schmelzpunkt herabsetzt. Das geschmolzene Magma steigt in Blasen durch den Rand der oberen Platte auf und führt zum Ausbruch von Vulkanen.

Der Fitz Roy in den südlichen Anden

GEFALTETE KONTINENTE

Wo der Meeresboden unter einen Kontinent geschoben wird, wird der Rand der kontinentalen Platte zu Gebirgen aufgefaltet. Die Anden im Westen Südamerikas sind so entstanden. Sie sind von Vulkanen übersät, die aus dem Bereich geschmolzenen Gesteins tief unter dem Kontinent hervorgegangen sind.

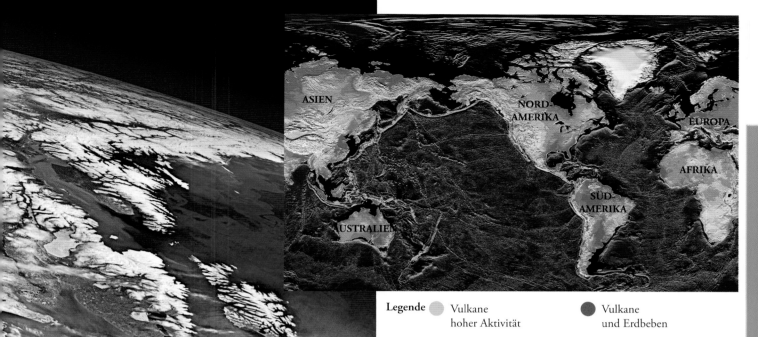

Legende Vulkane
hoher Aktivität

Vulkane
und Erdbeben

RING DES FEUERS

Die meisten Subduktionszonen liegen an den Rändern des
Pazifischen Ozeans. Durch sie ist ein Ring tiefer Gräben
um den Pazifik herum entstanden, der von einer Kette von
über 450 Vulkanen gesäumt wird – dem Pazifischen Ring
des Feuers. Die Bewegung der Platten zerstört ständig die
Ränder der ozeanischen Platte, sodass der Pazifik in jedem
Jahr um etwa 2,5 km² schrumpft. Die Plattenbewegung ist
auch für bis zu 90 % aller Erdbeben verantwortlich.

GEFAHRENZONEN

Die Subduktionszonen, wo sich die Platten der
Erdkruste aneinander reiben, sind für ihre Erdbeben
berüchtigt. Japan liegt in einem dieser Bereiche.
Daher zittert die Erde hier über tausendmal pro Jahr
und alle paar Jahre verursacht ein heftiges Erdbeben
große Zerstörungen und fordert viele Todesopfer.

35

ENTSTEHEN UND VERGEHEN

Neuer Meeresboden entsteht in den mittelozeanischen Rücken und alter wird in den Subduktionszonen vernichtet. Diese Vorgänge laufen in den verschiedenen Meeren unterschiedlich schnell ab, sodass sie ständig wachsen und schrumpfen.

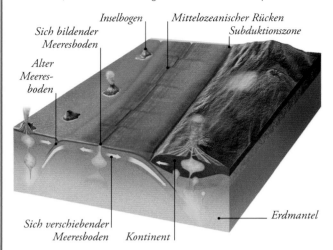

Inselbogen
Mittelozeanischer Rücken
Subduktionszone
Sich bildender Meeresboden
Alter Meeresboden
Sich verschiebender Meeresboden
Kontinent
Erdmantel

▲ STÄNDIGER PROZESS
Die Abbildung zeigt, wie sich der Meeresboden am mittelozeanischen Rücken bildet, sich von ihm wegbewegt und schließlich wieder unter die Erdkruste in den Erdmantel sinkt.

Entwicklung der Meere

So schnell neuer Meeresboden in manchen Teilen der Erde entsteht, so schnell wird er in anderen wieder zerstört. Diese Prozesse sind im Gleichgewicht, sodass der Planet weder kleiner noch größer wird. Viele Millionen Jahre lang sind die Kontinente auf diese Weise um den Globus geschoben worden. Manchmal wurden sie zerrissen, sodass neue Meere entstanden sind, oder sie wurden zusammengeschoben und löschten ältere Meere dabei aus.

VERÄNDERLICHE MEERE

Hunderte Millionen Jahre lang schrumpfte der Pazifische Ozean, weil sein Boden in den Subduktionszonen des Pazifischen Feuerrings zerstört wurde. In der Zwischenzeit ist der Atlantische Ozean, der nur wenige Subduktionszonen besitzt, ständig gewachsen.

KONTINENTALDRIFT

Während die Meere sich ausdehnen oder schrumpfen, werden die Kontinente auseinandergezogen oder zusammengeschoben. In den 4,5 Milliarden Jahren, die die Erde bereits existiert, hat sich ihr Aussehen daher oft verändert. Noch vor 100 Millionen Jahren hätten wir unsere heutigen Kontinente nicht erkannt. Erst zum Ende des Mesozoikums vor etwa 66 Millionen Jahren entstand die Welt, wie wir sie heute kennen.

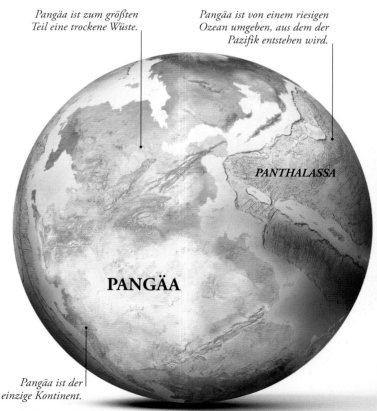

Pangäa ist zum größten Teil eine trockene Wüste.

Pangäa ist von einem riesigen Ozean umgeben, aus dem der Pazifik entstehen wird.

PANTHALASSA

PANGÄA

Pangäa ist der einzige Kontinent.

▲ VOR 250 MILLIONEN JAHREN
Zu Beginn der Herrschaft der Dinosaurier vor 250 Millionen Jahren bestand das Festland aus einem riesigen Kontinent.

NORD-
AMERIKA

EUROPA ASIEN

AFRIKA

SÜD-
AMERIKA

AUSTRALIEN

Legend
Alter des Meeres-
bodens in Mio. Jahren

144	89	54,8	24	1,8		Undatiert
154	127	65	33,5	5	0	

GESTEINSRECYCLING

Wissenschaftler haben Proben des Meeresbodens
auf sein Alter hin untersucht. Es zeigt sich, dass die
jüngsten Gesteine die der mittelozeanischen Rücken
sind (rot) und dass das Gestein mit zunehmender Entfernung älter wird. Das beweist, dass die Gesteine sich
an den Rücken bilden und sich von ihnen fortbewegen.
Einige der ältesten Gesteine des Meeresbodens werden
bereits in die Gräben der Subduktionszonen gezogen,
wo sie geschmolzen und recycelt werden.

ERDBEBENZONEN

Die unablässigen Bewegungen der Erdkruste, die die Meere formen
und die Kontinente verschieben, lösen auch zahllose Erdbeben aus.
Viele bemerkt man auch an Land und manche haben katastrophale
Folgen. Doch eine viel größere Zahl von Erdbeben findet in den
Meeren statt, vor allem dort, wo der Meeresboden entsteht,
und dort, wo er zerstört wird – an den mittelozeanischen Rücken
und an den Subduktionszonen.

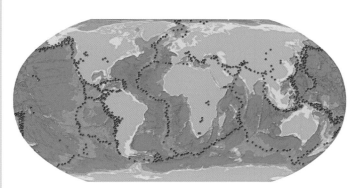

▲ ZITTERNDE ERDE
*Die roten Punkte zeigen die Orte der in den letzten 50 Jahren
registrierten Erdbeben. Die in der Mitte der Meere auftretenden
Beben markieren auch das Vorkommen der jüngsten Gesteine.*

DER BLAUE PLANET

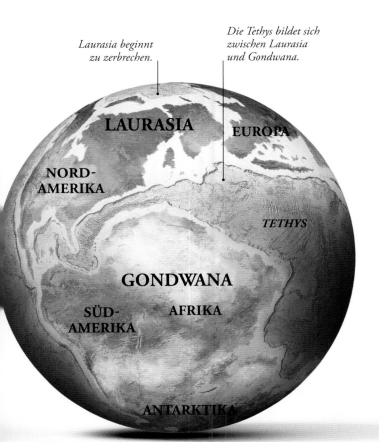

*Laurasia beginnt
zu zerbrechen.*

*Die Tethys bildet sich
zwischen Laurasia
und Gondwana.*

LAURASIA

EUROPA

NORD-
AMERIKA

TETHYS

GONDWANA

SÜD-
AMERIKA

AFRIKA

ANTARKTIKA

▲ VOR 180 MILLIONEN JAHREN
*Während des Jura zerbricht der Superkontinent Pangäa und
der Umriss Nordamerikas ist allmählich zu erkennen.*

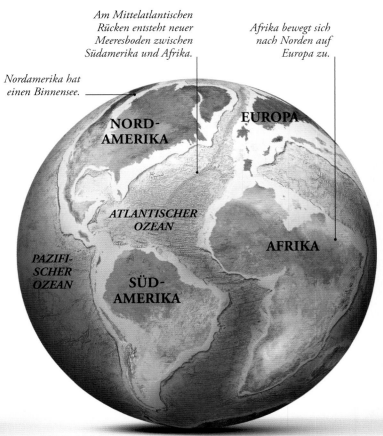

*Am Mittelatlantischen
Rücken entsteht neuer
Meeresboden zwischen
Südamerika und Afrika.*

*Afrika bewegt sich
nach Norden auf
Europa zu.*

*Nordamerika hat
einen Binnensee.*

NORD-
AMERIKA

EUROPA

ATLANTISCHER
OZEAN

AFRIKA

PAZIFI-
SCHER
OZEAN

SÜD-
AMERIKA

▲ VOR 66 MILLIONEN JAHREN
*Zum Ende des Zeitalters der Dinosaurier hat sich der Atlantische
Ozean gebildet und Amerika entfernt sich von Europa und Afrika.*

37

WARUM TSUNAMIS ENTSTEHEN

Die größten Tsunamis der letzten Zeit sind an Stellen entstanden, an denen sich eine ozeanische Platte unter die andere schiebt. Die Platten verhakten sich und lösten sich plötzlich wieder. Dabei entstanden Meeresbeben. Aber auch ein Vulkanausbruch, ein Landrutsch an der Küste oder ein kalbender Gletscher können einen Tsunami auslösen.

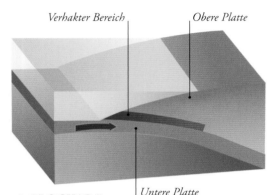

Verhakter Bereich   *Obere Platte*

Untere Platte

▲ 1. BLOCKADE
Während sich die untere Platte unter die obere schiebt, verhakt sich ein Bereich am Rand der Platten.

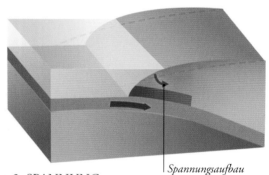

Spannungsaufbau

▲ 2. SPANNUNG
Schließlich biegt die sich bewegende untere Platte die obere Platte nach unten, sodass sich Spannung aufbaut.

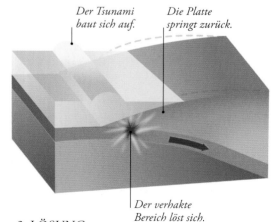

Der Tsunami baut sich auf.   *Die Platte springt zurück.*

Der verhakte Bereich löst sich.

▲ 3. LÖSUNG
Wenn sich die aufgebaute Spannung löst, springt der Rand der oberen Platte nach oben und schiebt dabei das Wasser vor sich her, sodass ein Tsunami entsteht.

Tsunamis

Immer wieder bewegen Erdbeben auf dem Meeresgrund große Gesteinsmassen. Diese Bewegung überträgt sich auf das Wasser, sodass riesige Wellen – Tsunamis – entstehen. Auf dem offenen Meer sind sie nicht hoch und erstrecken sich über eine große Fläche. Doch wenn ein Tsunami das flache Wasser erreicht, türmt sich die Welle auf und überspült das Land in wenigen Minuten. Tsunamis sind sehr zerstörerisch und tödlich.

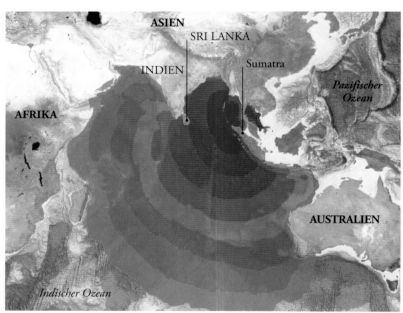

ASIEN

SRI LANKA

INDIEN   Sumatra

Pazifischer Ozean

AFRIKA

AUSTRALIEN

Indischer Ozean

RASENDE WELLEN

Tsunamis bewegen sich mit unglaublich hoher Geschwindigkeit über das Meer. Im Dezember 2004 löste ein Erdbeben an der Nordspitze Sumatras einen katastrophalen Tsunami aus, der sich über den Indischen Ozean ausbreitete. Er traf zwei Stunden später auf Indien und Sri Lanka, erreichte also etwa 800 km/h.

▲ TSUNAMI IM JAHR 2004
Die verschiedenen Farbbänder auf dieser Karte des Indischen Ozeans zeigen jeweils die Entfernung, die der Tsunami in einer Stunde zurückgelegt hat. Die Wellen haben sogar die Küste Antarktikas erreicht, waren zu diesem Zeitpunkt allerdings nur noch 1 m hoch.

AHA!

Der Tsunami von 2011 ließ den Meeresspiegel bei Miyako im Nordosten Japans um 9 m steigen und drang 10 km weit ins Inland vor.

LANDFALL

Wenn ein Tsunami auf flacheres Wasser trifft, werden die Wellen kürzer und höher. So entsteht eine sehr hohe, aber breite Welle mit einem entsprechend tiefen Wellental. Das Wellental erreicht die Küste meist zuerst, sodass sich das Meer wie bei einer ausgeprägten Ebbe zurückzieht. Darauf folgt bald die Welle, die das Land überspült.

▲ WASSERKRAFT
Bei dem Tsunami im Jahr 2011 überspülte das gestiegene Wasser die Uferbefestigung der Stadt Miyako.

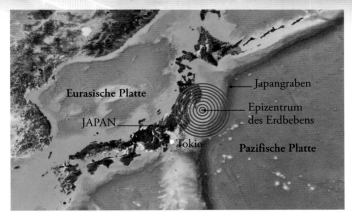

Eurasische Platte

JAPAN

Tokio

Japangraben

Epizentrum des Erdbebens

Pazifische Platte

ZERSTÖRUNG

Wenn der Tsunami das Land überspült, wirkt er wie ein gewaltiger Bulldozer, der alles in seinem Weg zerstört. Das Wasser ist bald voller Trümmer, darunter oft auch Schiffe, die manchmal inmitten einer verwüsteten Küstenstadt stranden.

FOLGEN DES ERDBEBENS

Während des Erdbebens, das im Jahr 2011 den japanischen Tsunami auslöste, verschob sich der Boden des Pazifiks um über 20 m nach Westen in den Japangraben. Die japanische Hauptinsel Honshū verschob sich um 2,4 m nach Osten. Ein langer Abschnitt ihrer Ostküste sank um 60 cm ab, sodass der Tsunami einen noch größeren Teil des Lands überspülen konnte. Manche der aufs Meer hinausgetriebenen Trümmerteile erreichten sogar die USA.

Hotspots

Manchmal schieben sich die Platten der Erdkruste über besonders heiße Stellen des Erdmantels – die Hotspots. Jeder Hotspot erzeugt in der Erdkruste einen Vulkan. Entfernt sich der Vulkan vom Hotspot, so erlischt er und ein neuer entsteht an seiner Stelle. Im Verlauf von Millionen Jahren kann so eine Inselkette entstehen.

Island
Sich verbreiternder Grabenbruch

Lage Nordatlantik
Höchster Punkt 2110 m
Letzter Ausbruch Ständig aktiv

Island besteht aus Basaltlava, die aus einem Hotspot unter dem Mittelatlantischen Rücken stammt. Die Platten der Erdkruste entfernen sich hier voneinander, sodass viele Vulkane und Geysire aktiv sind. Da sich der Hotspot nicht unter einer Platte befindet, ist keine Inselkette entstanden.

Hawaii
Die längste Inselkette

Lage Zentralpazifik
Höchster Punkt 4205 m
Letzter Ausbruch Ständig aktiv

Die Hawaii-Inseln sind durch einen Hotspot in der Mitte der Pazifischen Platte entstanden. Sie bewegt sich mit einer Geschwindigkeit von 9 cm pro Jahr in nordwestlicher Richtung über ihn hinweg. Seit über 80 Millionen Jahren sind durch die Hitze Vulkane in der Platte entstanden. So hat sich eine Kette von vielen Inseln und Seamounts gebildet, die sich etwa 6000 km weit über den Pazifik erstreckt.

▶ FEUERSPUCKER
Der Hawaii-Hotspot liegt nun unter der südlichsten der Hawaii-Inseln, auf der der aktivste Vulkan der Erde, der Kilauea, seit 1983 fast ständig ausbricht.

Réunion
Tropischer Hotspot

Lage Westlicher Indischer Ozean
Höchster Punkt 3070 m
Letzter Ausbruch Ständig aktiv

Réunion befindet sich am Südende einer Kette vulkanischer Inseln, zu der auch Mauritius gehört. Die Kette erstreckt sich weiter nach Norden und bildet auch die Basis der Koralleninseln der Malediven. Der Hotspot liegt heute unter der Südostspitze von Réunion und verursacht die regelmäßigen Ausbrüche des Piton de la Fournaise.

KETTEN VON VULKANEN

Ein Hotspot erhitzt das Gestein, sodass es sich ausdehnt und aufsteigt. Ein Teil schmilzt und bricht als Basaltlava aus, sodass eine Vulkaninsel entsteht. Wenn die Plattenbewegung den Vulkan vom Hotspot weg- bewegt, bricht er nicht mehr aus. Wenn das Gestein sich nun abkühlt und zusammenzieht, sinkt die Insel ab und wird zu einem Seamount. Manche Hotspots haben Hunderte Inseln und Seamounts geschaffen.

▲ 1. AUSBRECHEN
Ein Hotspot brennt ein Loch in die sich be-wegende Erdkruste. So entsteht ein Vulkan (A), der ausbricht und eine Insel bildet.

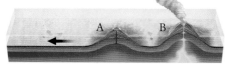

▲ 2. VERLÖSCHEN
Im Verlauf von Millionen Jahren entfernt sich die Insel vom Hotspot und versinkt, während ein neuer Vulkan (B) ausbricht.

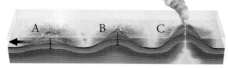

▲ 3. ABSINKEN
Während die erste Insel in den Wellen ver-sinkt, entfernt sich die zweite vom Hotspot und ein dritter Vulkan (C) bricht aus.

Ascension
Schlafender Vulkan

Lage Südatlantik
Höchster Punkt 859 m
Letzter Ausbruch Vor 700 Jahren

Ascension liegt auf einem Hotspot in der Nähe des Mittelatlantischen Rückens zwischen Brasilien und Westafrika. Die Insel ist 5 Millionen Jahre alt – also erdgeschichtlich jung – und gehört zu keiner Inselkette. Vielleicht wird das in Zukunft der Fall sein. Die Oberfläche der Insel ist mit Vulkanen übersät, die jedoch nicht aktiv sind.

Osterinsel
Dreifacher Gipfel

Lage Südostpazifik
Höchster Punkt 507 m
Letzter Ausbruch Vor 10 000 Jahren

Die Osterinsel entstand aus drei Vulkanen und liegt am Westende einer Kette von Seamounts, die sich 4000 km weit bis nach Südamerika erstreckt. Die Kette formte sich, weil der Meeresboden sich nach Westen über einen Hotspot in der Nähe der Osterinsel bewegte, doch die Vulkane sind mittlerweile erloschen.

▲ STEINSKULPTUREN
Die Osterinsel ist wegen der Steinskulpturen berühmt, die vor Jahrhunderten aus dem Gestein eines Vulkanhangs gemeißelt wurden.

Galápagos
Bewegliche Inseln

Lage Ostpazifik
Höchster Punkt 1707 m
Letzter Ausbruch 2009

Die Galápagos-Inselgruppe liegt auf dem Äquator vor der südamerikanischen Pazifikküste und besteht aus 21 größeren Vulkaninseln sowie kleinen Inselchen, die sich über einem Hotspot gebildet haben. Sie entfernen sich mit einer Geschwindigkeit von 6,4 cm pro Jahr in östlicher Richtung vom Hotspot. Die östlichsten Vulkane sind erloschen und sinken ab. Die jüngsten auf den Inseln Fernandina und Isabela sind noch aktiv und erzeugen dunkle Basaltlava-Landschaften. Die Inseln sind für ihre Tierwelt bekannt.

▼ GEFLUTETER KRATER
Das Inselchen Rocas Baimbridgen vor der Ostküste der Galápagos-Insel San Salvador ist der Gipfel eines abgesunkenen Vulkans.

FLIESSENDE LAVA

Die Lava, die sich aus einem Vulkan ergießt,
der über einem Hotspot liegt, besteht aus bis zu
1000 °C heißem, geschmolzenem Basalt. Sie fließt
schnell wie ein Fluss hinab. Wenn sie abkühlt,
bildet sich eine Kruste schwarzen Basalts, aus der
aber immer wieder geschmolzenes Gestein heraus-
quillt, wie hier am Hang des Kilauea auf Hawaii.

Der Kontinentalschelf

Die Kontinente sind von Schelfmeeren umgeben, die viel seichter als die Hochsee sind. Das liegt daran, dass ihr Grund nicht aus Meeresboden, sondern aus dem Rand der Kontinente besteht. Dieser Rand wurde von den Wellen abgetragen, sodass ein flaches Schelfmeer entstanden ist. Den überfluteten Rand bezeichnet man als Schelf oder Kontinentalsockel. An seiner Außenkante fällt der Kontinentalhang bis auf die Tiefe des Meeresgrunds ab.

VERWITTERUNG DER KÜSTE

Die Ränder der Kontinente werden ständig von den Wellen abgetragen, sodass massiver Fels zu Kies und Sand wird und so die Strände bedeckt. Diese Erosion erzeugt den flachen Kontinentalschelf. Er besteht aus dem gleichen Grundgestein wie das Land, ist aber von Sedimenten bedeckt.

AHA!

In der Arktis erstreckt sich der Kontinentalschelf der Skandinavischen Halbinsel fast bis zum Nordpol.

SCHELF, HANG UND FUSS

Im Durchschnitt erstreckt sich der Schelf etwa 80 km weit in das Meer hinein. An seinem Ende befindet sich die Schelfkante und dahinter fällt der Kontinentalhang in die Tiefe ab. Am Kontinentalfuß befindet sich eine Schicht lockeren Schutts, die den Übergang vom kontinentalen Gestein zum Basalt des Meeresbodens verbirgt.

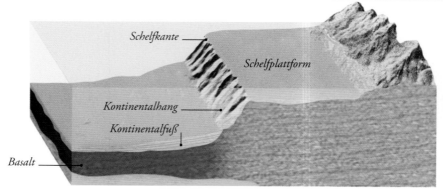

Schelfkante

Schelfplattform

Kontinentalhang

Kontinentalfuß

Basalt

GERINGE TIEFE

Der Grund hat im Bereich des Schelfs eine durchschnittliche Tiefe von 150 m. Der tiefste Punkt, die Schelfkante, liegt meist etwa 200 m unter dem Meeresspiegel. Die Schelfplattform hat eine sehr geringe Neigung und ist zum großen Teil mit Sand und Schlick bedeckt. Dieses Material entsteht bei der Erosion der Küste und wird zum Teil von Flüssen ins Meer getragen. Es vermischt sich mit den Überresten marinen Planktons.

RIFFE UND SANDBÄNKE

Der weiche Grund des Schelfs ist mit Felsenriffen übersät und an manchen Stellen lagern die Strömungen Untiefen aus Sand und Kies an. Diese versteckten Gefahren haben schon immer Schiffe gefährdet, besonders als es noch keine genaue Tiefenmessung gab. Daher finden sich auf dem Kontinentalschelf auch viele Schiffswracks.

SCHUTTSTRÖME UND CANYONS

Große Mengen von Sand, Silt und Schlamm werden von den Flüssen in das Meer getragen und auf dem Grund abgelagert. Sie fließen in Rutschungen und Schuttströmen über den Kontinentalschelf und schneiden dabei Canyons in die Plattform und den Hang. Manche der Canyons sind bis zu 800 m tief.

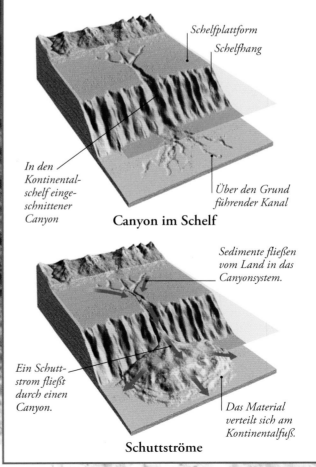

Schelfplattform

Schelfhang

In den Kontinental-schelf einge-schnittener Canyon

Über den Grund führender Kanal

Canyon im Schelf

Sedimente fließen vom Land in das Canyonsystem.

Ein Schutt-strom fließt durch einen Canyon.

Das Material verteilt sich am Kontinentalfuß.

Schuttströme

Veränderung der Meeresspiegel

Der Meeresspiegel steigt und fällt, oft in Abhängigkeit von Veränderungen des Klimas. An vielen Stellen hat sich der Meeresgrund gehoben oder das Festland ist in den Wellen versunken. Daher findet man oft Sediment-gesteine mit fossilen Fischen und Muscheln an Land. Was einmal Land war, kann heute ein flaches Meer sein.

Gesteinsschichten in den Hängen des Grand Canyon

AUFSTEIGENDER STEIN

Ein großer Teil der Gesteine, die heute das Festland bilden, waren einmal Sedimente wie Sand und Schlick auf dem Meeresgrund. Sie sind in Gesteine verwandelt worden – Sandstein, Schiefer und Kalkstein. Im Grand Canyon (USA) kann man viele Schichten dieser Gesteine sehen, die von den Kräften der Erdkruste zu Bergen aufgetürmt wurden. Vor langer Zeit befanden sie sich auf dem Meeresgrund.

IM BLICKPUNKT

Wir wissen, dass sich viele Gesteine früher auf dem Meeres-grund befanden, weil sie fossile Muscheln und Fischskelette enthalten. Solche Fossilien findet man im Kalkstein des Mount Everest, 8600 m über dem Meeresspiegel. Die Fossilien verraten, dass sich das Gestein auf dem Grund eines flachen tropischen Meers vor 400 Millionen Jahren gebildet hat.

▲ AMMONITEN-FOSSILIEN
Diese Schalen sind die Reste von Tieren, die mit den Tinten-fischen verwandt sind. Man findet sie oft in Sedimenten.

ABSINKENDES MEER

Während der letzten Eiszeit, die vor etwa 10 000 Jahren endete, verwandelte sich so viel Wasser in Schnee und Eis, dass sich der Meeresspiegel weltweit um etwa 120 m senkte. So fielen große Teile des Schelfs trocken und wurden von Menschen und Land-tieren besiedelt. Heute liegen ihre Überreste im Meer begraben.

▶ MAMMUTZAHN
Fossile Mammutzähne sind von Fischern vor der Atlantikküste gefunden worden.

New York
Washington
NORD-AMERIKA
Atlantischer Ozean
Miami

◀ FESTLAND
Die gepunkteten roten Linien markieren die Atlantikküste vor 22 000 Jahren während der Eiszeit. Damals lebten Mammuts auf dem heutigen Schelf. Der hellblaue Bereich ist heute flaches Meer.

ABSINKEN UND AUFSTEIGEN

Als ein großer Teil der nördlichen Kontinente unter Eis begraben war, drückte sein Gewicht auf die Erdkruste, sodass das weichere Material des Erdmantels hinuntergedrückt wurde. Als das Eis schmolz, hob sich die Kruste wieder langsam. Ehemalige Strände liegen heute über dem Meeresspiegel und heben sich noch.

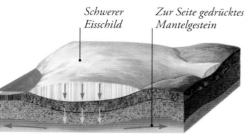

Schwerer Eisschild   *Zur Seite gedrücktes Mantelgestein*

Das Eis drückt das Land hinab.

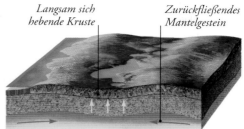

Langsam sich hebende Kruste   *Zurückfließendes Mantelgestein*

Das Eis schmilzt und das Land hebt sich.

ÜBERFLUTETE TÄLER

Als zum Ende der Eiszeit das Eis schmolz, floss das Schmelzwasser ins Meer, sodass der Meeresspiegel weltweit stieg. Vor 6000 Jahren hatte er den heutigen Stand erreicht und viele während der Eiszeit entstandene Landschaften waren im Wasser verschwunden. Dabei wurden die tiefen, von eiszeitlichen Gletschern geschaffenen Täler zu steilwandigen Fjorden.

▼ GEIRANGERFJORD
Während der Eiszeit lag dieser Fjord der norwegischen Küste hoch über dem Meeresspiegel.

AHA!

Viele Küsten heben sich um 1 m pro Jahrhundert. Von den Wikingern vor 1000 Jahren genutzte Häfen liegen heute in 10 m Höhe.

Das Meerwasser

Was ist Wasser? Wir denken kaum darüber nach, doch Wasser ist eine bemerkenswerte Substanz mit besonderen Eigenschaften. Lebewesen sind von Wasser abhängig, und insbesondere Meerwasser enthält die meisten Chemikalien, die sie für Wachstum und Vermehrung benötigen.

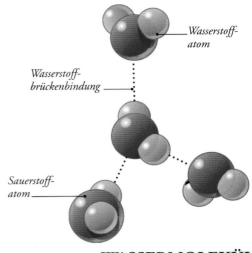

Wasserstoff-
atom

Wasserstoff-
brückenbindung

Sauerstoff-
atom

WASSERMOLEKÜL

Wasser wird auch als H_2O bezeichnet. Das ist die chemische Formel für ein Wassermolekül, das aus zwei an ein Sauerstoffatom (O) gebundenen Wasserstoffatomen (H) besteht. Die Wassermoleküle sind wiederum über eine Wasserstoffbrückenbindung locker verbunden, die für die besonderen Eigenschaften des Wassers verantwortlich ist.

Wolken werden über
das Land geweht.

Regen fällt
als Schnee.

Der Schnee
schmilzt oft
im Sommer.

Regenwasser
sammelt sich
in Seen.

Die Tröpfchen
werden schwerer
und zu Regen.

Der Wasserdampf
kühlt ab und bildet
aus kleinen Tröpfchen
bestehende Wolken.

Ein Teil des Wassers
verdunstet und
steigt auf.

Ein Teil des Wassers
versickert und fließt
zum Meer.

Flüsse befördern Wasser
und Mineralien ins Meer.

DER WASSERKREISLAUF

Wenn es von der Sonne erwärmt wird, verwandelt sich das Meerwasser in Wasserdampf und steigt in die Luft auf. Hier kühlt der Dampf ab und bildet Wolken, die sich oft über dem Festland abregnen. Das Regenwasser wird von den Flüssen wieder ins Meer zurückbefördert.

SALZIGE MEERE

Wasser kann sehr gut Mineralien auflösen, darunter auch die in Gesteinen vorkommenden. Das Wasser der Flüsse enthält diese Mineralien in Form von Salzen, aber auch Sand und Schlamm. Das alles wird von den Flüssen ins Meer transportiert, wo es sich über Milliarden von Jahren konzentriert. Das meiste Salz ist Natriumchlorid, das wir Kochsalz nennen. Das ist der Grund, warum Meerwasser salzig schmeckt.

▲ SALZIGE SEEN
In heißen Gegenden kann das Wasser an Land verdunsten und Salzkristalle zurücklassen, wie hier am Rand eines Salzsees. Im Meer ist das gelöste Salz unsichtbar.

FEST, FLÜSSIG UND GASFÖRMIG

Bei niedrigen Temperaturen wird aus flüssigem Wasser festes Eis. Bei hohen Temperaturen trennen sich die Moleküle voneinander und es entsteht Wasserdampf. Der Temperaturunterschied zwischen Gefrieren und Verdunsten ist so klein, dass Wasser an einem Ort zur gleichen Zeit als Eis, Wasser und Wasserdampf vorliegen kann. Das ist eine einzigartige Eigenschaft des Wassers.

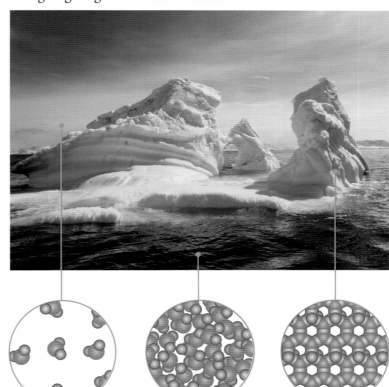

▲ GASFÖRMIG
Wenn Wasser zu Wasserdampf wird, trennen sich die Moleküle und schweben durch die Luft.

▲ FLÜSSIG
In flüssigem Wasser sind die Moleküle verbunden, können sich aber bewegen. Daher kann Wasser fließen.

▲ FEST
Wenn Wasser gefriert, nehmen die Moleküle eine dreidimensionale Struktur an, sodass sich Eis bildet.

CHEMIE DES LEBENS

Meerwasser enthält nicht nur Salze, sondern auch andere Stoffe wie Kohlenstoff, Sauerstoff, Stickstoff, Phosphor, Kalzium und Eisen. Das sind wichtige Bestandteile von komplexen Molekülen wie den Eiweißen, die für alles Leben von Bedeutung sind. Daher ist das Meerwasser ein idealer Lebensraum – Fossilien deuten darauf hin, dass das erste Leben auf der Erde in den Meeren entstanden ist. Auch heute gibt es in den Meeren eine verblüffende Artenvielfalt.

BLAUES WASSER

Sogar im seichten Meerwasser sieht alles blaugrün aus. Das liegt daran, dass alle anderen Farben vom Wasser absorbiert werden. Das Rot verschwindet zuerst, dann folgen Gelb, Grün und Violett, bis nur Blau übrig ist. Das durch das Wasser reflektierte Licht hat ebenfalls die entsprechenden Farben verloren. Daher sieht alles blau aus.

▲ NATÜRLICHES LICHT
Das Foto zeigt ein Korallenriff, das vom natürlichen blaugrünen Licht beschienen wird.

▼ BLITZLICHT
Das weiße Licht des Blitzlichts enthüllt die echten Farben des Korallenriffs.

Schall, Licht und Wärme

Wasser absorbiert Licht und Wärme. Das bedeutet, dass beide im Wasser nicht weit kommen – anders als Schall, der sich im Wasser gut fortsetzt. Meerwasser wärmt sich langsam auf und kühlt sich langsam ab. Das wirkt sich auf das Klima der Küsten aus und erlaubt es den Meeresströmungen, Wärme zu anderen Erdteilen zu bringen.

MEERESTEMPERATUREN

Die Sonne erwärmt das Oberflächenwasser tropischer Meere auf bis zu 30 °C. Doch in den Polarregionen steht die Sonne niedriger am Himmel und ist nicht so kräftig, auch nicht im Sommer. Im Winter gibt es so wenig warmes Sonnenlicht, dass das Meer gefriert. Doch die zu den Polen fließenden warmen Ströme verhindern, dass es noch kälter wird, und das aus den Polarmeeren abfließende kalte Wasser hilft die Tropen zu kühlen.

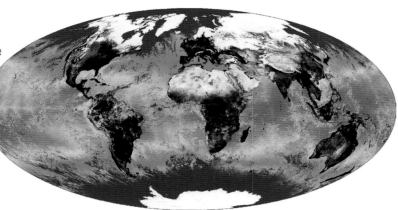

LEGENDE

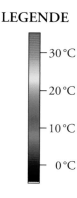

30 °C

20 °C

10 °C

0 °C

OZEANE UND KONTINENTE

Meerwasser wird nie so kalt oder so heiß wie das Festland, da es Wärme nur langsam aufnimmt oder abgibt. Das beeinflusst das Klima von Inseln oder Küstenregionen, das milder ist als das Klima im Inneren eines Kontinents. Sogar im Sommer wird es Inselbewohnern nie so heiß wie den Menschen in der Mitte eines benachbarten Kontinents. Im Winter wird es auch nicht so kalt.

▼ MARITIMES KLIMA
Der sie umgebende Pazifische Ozean verleiht den Inseln Neuseelands ihr mildes, feuchtes Klima.

▲ BUCKELWAL
Diese Wale treten über ihren „Gesang" in Kontakt. Er besteht aus den verschiedensten Lauten und kann Stunden dauern.

SCHNELLER SCHALL

Unter Wasser setzt sich der Schall mehr als viermal so schnell wie an der Luft fort. So können Meerestiere wie die Wale über große Entfernungen Kontakt zueinander aufnehmen. In manchen Teilen der Meere funktioniert das so gut, dass ein auf einer Seite des Ozeans abgegebener Ruf auf der anderen Seite in einer Entfernung von bis zu 25 000 km gehört werden kann.

AHA!

Der Schall setzt sich unter Wasser viel schneller als an der Luft fort. Je größer die Tiefe ist, desto schneller ist der Schall.

TÖDLICHER KNALL

Die gute Übertragung des Schalls im Wasser erlaubt es diesem kleinen Knallkrebs, ihn als Waffe zu benutzen. Dieser Krebs hat eine spezielle Schere, die er geöffnet verriegeln kann. Kommt Beute in die Nähe, schließt er sie mit gewaltiger Kraft, sodass ein Wasserstrahl und ein Knall erzeugt werden. Die Beute wird dadurch betäubt.

Die abgesunkene Luft fließt in den gemäßigten Zonen zu den Polen.

In den Tropen fließt die Luft zum Äquator.

Die aufsteigende und die absinkende Luft bilden Zirkulationszellen.

ZIRKULIERENDE LUFT

In den Tropen fließt aufsteigende warme Luft nach Norden oder Süden, wird kühler, sinkt ab und fließt zum Äquator zurück. In gemäßigten Regionen steigt Luft auf und fließt zum Äquator, bevor sie absinkt und abfließt. An den Polen sinkt kühle Luft ab und fließt zu den gemäßigten Zonen.

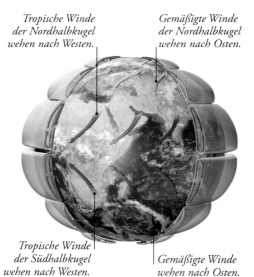

Tropische Winde der Nordhalbkugel wehen nach Westen.

Gemäßigte Winde der Nordhalbkugel wehen nach Osten.

Tropische Winde der Südhalbkugel wehen nach Westen.

Gemäßigte Winde wehen nach Osten.

ERDDREHUNG

Die Drehung der Erde lenkt die sich bewegende Luft von ihrem Kurs ab, im Norden des Äquators nach rechts, im Süden nach links. Daher weht die Luft, die in geringer Höhe zum Äquator strebt, nach Westen. Die vom Äquator wegstrebende Luft in den gemäßigten Zonen fließt nach Osten. So entstehen die vorherrschenden Windrichtungen.

Meereswinde

Die Sonne erwärmt die Atmosphäre und erzeugt dabei globale Luftströme, deren Richtung von der Drehung der Erde im All abhängig ist. Die Luft bewegt sich in meist vorhersagbaren Mustern über die Meere, sodass die Winde meist aus einer Richtung wehen. Zu ihnen gehören die tropischen Passate und die stärkeren Westwinde der kühleren Meere.

PASSATWINDE

Die Erddrehung führt dazu, dass der Wind über den tropischen Meeren in der Nähe des Äquators überwiegend aus dem Osten kommt. Man nennt diese Winde Passatwinde. Vor der Erfindung der Dampfschiffe nutzten die Segelschiffe sie, um die weiten Entfernungen zwischen den Kontinenten zu überwinden und nach Westen zu segeln. Passate sind eher sanfte Brisen als starke Winde.

STARKE WESTWINDE

Über den kälteren Meeren der gemäßigten Zonen wehen die vorherrschenden Winde von West nach Ost. Da man den Wind nach seiner Herkunftsrichtung benennt, sind dies die Westwinde. In den Polarregionen sind sie stärker, vor allem im Südpolarmeer um Antarktika herum.

▶ SÜDPOLARMEER
Weit im Süden behindern keine Kontinente die Winde. Man nennt die Westwinde nach den Breitengraden „Roaring Forties" (brüllende Vierziger).

POLARE OSTWINDE

Über den eisigen Meeren am Nord- und am Südpol fließt die Luft westwärts von den Polen in die gemäßigten Zonen. Die vorherrschenden Winde der Polarmeere blasen also von Osten nach Westen. Sie treiben auch das Packeis nach Westen, vor allem im Nordpolarmeer und im antarktischen Weddell- und Rossmeer.

▲ ANTARKTISCHER BLIZZARD
Der kalte Ostwind schleudert losen Schnee gegen diese Zelte, die auf dem Meereis in der Nähe der Küste von Antarktika stehen.

ROSSBREITEN

Zwischen den Passatwinden und dem Gürtel der Westwinde liegen die Rossbreiten, in denen es weitgehend windstill ist. Eine ähnliche Region, die Kalmen, gibt es in der Nähe des Äquators. Diese windstillen Gebiete waren zur Zeit der Segelschiffe problematisch. Sie konnten hier wochenlang festgehalten werden, sodass Wasser und Nahrung knapp wurden.

Stürme

Obwohl der Wind auf dem offenen Meer meist aus nur einer Richtung weht, können örtliche Wetterverhältnisse diese Muster verändern und heftigen Regen bringen. Die Ursache ist die warme, feuchte Luft, die von den Meeren aufsteigt. Sie bildet Wirbel sich drehender Luftströme, die man als Zyklone bezeichnet und die verheerende Stürme auslösen können.

GEWITTERWOLKEN

Wenn warme Luft vom durch die Sonne erwärmten Meer aufsteigt, enthält sie viel unsichtbaren Wasserdampf. Beim Abkühlen der Luft kondensiert der Dampf zu winzigen Tröpfchen, sodass Wolken entstehen. Wenn viel warme, feuchte Luft aufsteigt, können sich Gewitterwolken bilden, die sehr viel Wasser enthalten. Schließlich wird das Wasser in Form von heftigem Regen abgegeben.

SICH DREHENDE ZYKLONE

Wenn warme Luft aufsteigt, verringert sich der Luftdruck auf Höhe des Meeresspiegels. Die umgebende Luft strömt in diesen Bereich und ersetzt die aufgestiegene. Je schneller die warme Luft aufsteigt und je geringer der Luftdruck wird, desto mehr Luft strömt herbei und löst starke Winde aus. Diese Wettersysteme nennt man Zyklone. Sie drehen sich auf der Nordhalbkugel gegen und auf der Südhalbkugel mit dem Uhrzeigersinn.

Luft strömt in die Tiefdruckzone.

Die aufsteigende Luft verringert den Druck.

Niedriger Druck

HEFTIGE STÜRME

In den gemäßigten Regionen nördlich und südlich der Tropen wird die warme tropische Luft von der kalten Polarluft an der Polarfront, einer unsichtbaren Grenze, hochgedrückt. Das fördert die Bildung von Zyklonen über kühleren Meeren wie dem Nordatlantik. Sie werden von Westwinden nach Osten gebracht und führen oft zu extremem Wetter wie hier an der englischen Atlantikküste.

HURRIKANE

Große Zyklone bilden sich über tropischen Meeren, wo die große Wärme zur Bildung von riesigen Wolken um eine Zone sehr geringen Luftdrucks führt. Durch die in diese Zone einströmende Luft beginnen sich die Wolken zu drehen und ein tropischer Hurrikan entsteht. Diese Stürme werden auch als tropische Zyklone oder Taifune bezeichnet.

▲ SICH DREHENDE WOLKEN
Dieses Satellitenbild zeigt einen Hurrikan über Florida (USA). Der Wind kann in der Nähe des Zentrums Geschwindigkeiten von 350 km/h erreichen und große Zerstörungen hervorrufen.

FLUTWELLEN

Der extrem niedrige Luftdruck im Zentrum eines Hurrikans kann dazu führen, dass sich das Meer wie bei einem Tsunami auftürmt und eine Flutwelle entsteht. Wenn der Sturm sich über das Land bewegt, kommt es zur Sturmflut, die katastrophale Schäden hervorrufen kann.

▲ ÜBERFLUTETE STADT
Diese Häuser in New Orleans (USA) wurden durch den Hurrikan Katrina im August 2005 überflutet.

55

Wellen

Wenn der Wind über das Meer weht, erzeugt er an seiner Oberfläche Wellen. Je stärker er ist und je länger er bläst, desto größer werden die Wellen. Ihre Größe nimmt auch mit der zurückgelegten Strecke zu. Die größten Wellen entstehen also auf dem offenen Meer, insbesondere auf dem Pazifik. Sie können große Zerstörungen verursachen, wenn sie auf die Küste treffen. Auf hoher See sind sie weniger gefährlich, obwohl besonders große Wellen Schiffe gefährden können.

IM BLICKPUNKT

Das Wasser kräuselt sich, wenn der Wind über die zuvor glatte Wasseroberfläche weht. Bläst der Wind weiter, entsteht eine Windsee aus unregelmäßigen Kabbelwellen, die verschiedene Größen haben und unterschiedlich ausgerichtet sein können. Nach und nach ordnen sich die Wellen zu regelmäßigen Mustern an. So entsteht eine gleichmäßige Dünung aus großen Wellen, die auf dem Meer erhebliche Entfernungen zurücklegen können.

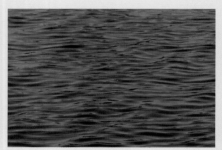

▲ GEKRÄUSELTE OBERFLÄCHE
Die Wasseroberfläche kräuselt sich durch den Wind. Kleine Wellen entstehen, die weniger als 25 mm hoch sind.

▲ KABBELWELLEN
Aus den kleinen Wellen können bis zu einen halben Meter hohe Kabbelwellen entstehen, die ungeordnet sind.

▲ DÜNUNG
Mit der Zeit bewegen sich die Wellen als regelmäßige Dünung über das Meer, wobei die Wellenkämme oft hoch aufragen.

AUF UND AB
Wellen werden durch den Wind auf der Meeresoberfläche erzeugt. Der Wind schiebt die Welle vorwärts, doch das Wasser, aus dem sie besteht, bleibt an der Stelle. Tatsächlich beschreibt jeder Wassertropfen eine Kreisbewegung. Daher bleiben auch diese Enten an ihrer Stelle, während sich die Welle unter ihnen hindurchbewegt.

WELLENHÖHE

Je weiter sich eine Welle fortbewegt, desto größer wird sie. Bläst ein starker Wind über einen See, entstehen nur kleine Wellen. Ein Wind gleicher Stärke kann auf dem Meer jedoch über 10 m hohe Wellen erzeugen. Die größten Wellen entstehen durch die Westwinde im Südpolarmeer, da sie hier um Antarktika herum freie Bahn haben.

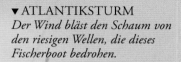

▼ ATLANTIKSTURM
Der Wind bläst den Schaum von den riesigen Wellen, die dieses Fischerboot bedrohen.

HARVESTER

MONSTERWELLEN

Auf dem Meer ist auch eine hohe, regelmäßige Dünung meistens nicht gefährlich. Doch aus der Kombination unterschiedlicher Wellen können über 20 m hohe Monsterwellen oder Kaventsmänner entstehen. Sie können sich auch bilden, wenn durch Sturm erzeugte Wellen auf eine starke Gegenströmung treffen. Diese Wellen können große Schiffe überspülen und sogar versenken.

AHA!

Im Jahr 1995 wurde das Transatlantikschiff *Queen Elizabeth 2* während eines Hurrikans von einer rund 30 m hohen Monsterwelle getroffen.

BRECHER

Wenn Wellen sich der Küste nähern und in flaches Wasser geraten, werden sie kürzer und steiler. Das führt dazu, dass sie kopflastig werden und schließlich in einer schäumenden Wassermasse, die man Brecher nennt, nach vorn stürzen. Je steiler die Küste aus dem Tiefwasserbereich aufsteigt, desto dramatischer brechen sich die Wellen.

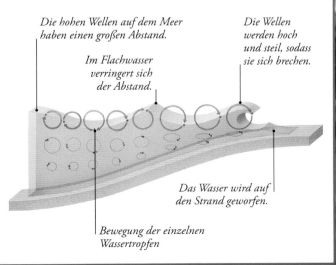

Die hohen Wellen auf dem Meer haben einen großen Abstand.

Die Wellen werden hoch und steil, sodass sie sich brechen.

Im Flachwasser verringert sich der Abstand.

Das Wasser wird auf den Strand geworfen.

Bewegung der einzelnen Wassertropfen

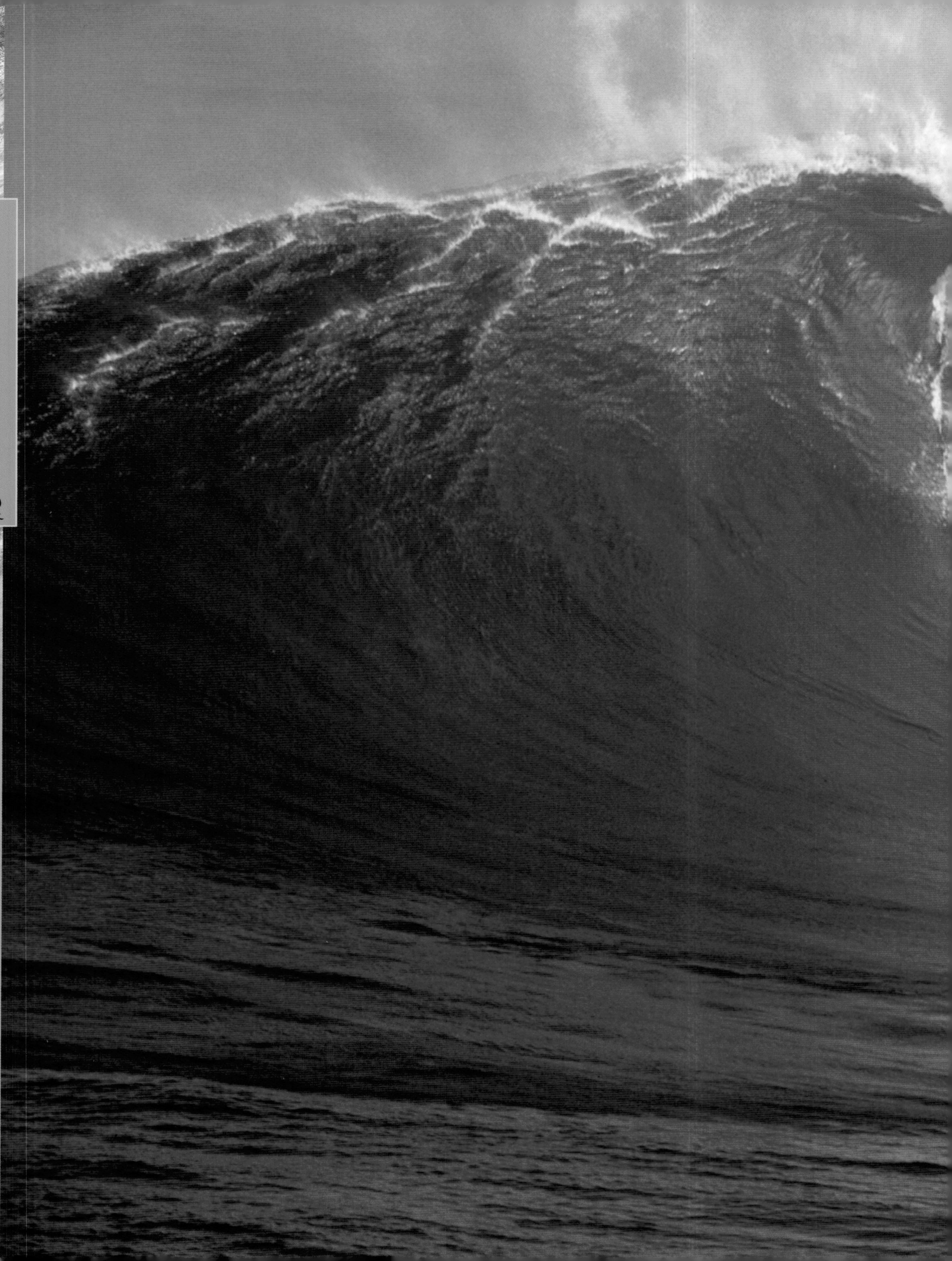

SICH BRECHENDE WELLEN
Die riesigen Wellen, die aus dem Pazifischen
Ozean heranrollen, überschlagen sich an den
Stränden von Hawaii (USA) in spektakulären
Brechern. Diese Welle hat vielleicht 4000 km
zurückgelegt und ist dabei immer größer
geworden, bis sie auf flaches Wasser traf und
sich in einem dramatischen Höhepunkt brach.

Strömungen

Der Wind ist nicht nur für die Wellen, sondern auch für starke Strömungen verantwortlich. Auch hier sind die wichtigsten Antriebskräfte die von der Erddrehung beeinflussten vorherrschenden Winde. Die Erddrehung wirkt sich auch auf die Strömungen selbst aus und lenkt sie nach links oder rechts. Im Ergebnis enstehen riesige kreisförmige Strömungen, die kaltes Wasser in die Tropen und warmes Wasser zu den Polen leiten.

AHA!

Der nordatlantische Golfstrom transportiert Wasser mit einer Geschwindigkeit von bis zu 150 Millionen Kubikmeter pro Sekunde.

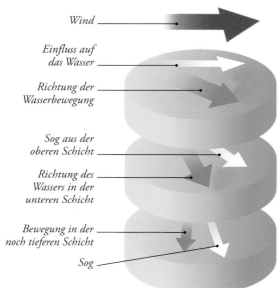

Wind

Einfluss auf das Wasser

Richtung der Wasserbewegung

Sog aus der oberen Schicht

Richtung des Wassers in der unteren Schicht

Bewegung in der noch tieferen Schicht

Sog

SELTSAME EFFEKTE

Die Erddrehung lenkt nicht nur die Winde, sondern auch die Strömungen ab. Sie richten sich auf der Nordhalbkugel nach rechts und auf der Südhalbkugel nach links. Das sich bewegende Wasser der oberen Schichten hat auch einen Einfluss auf die unteren Schichten, deren Wasser nun noch weiter nach links oder rechts abgelenkt wird. Daher ändert sich die Richtung der Strömung mit der Tiefe, ein Effekt, den man Ekman-Transport nennt.

IMMER IM KREIS

Die Passatwinde wehen im tropischen Atlantik nördlich des Äquators nach Südwesten, doch der Ekman-Transport bewegt das Wasser nach Westen. Die Strömung wird nach rechts abgelenkt, wenn sie auf Nordamerika trifft, und wird zum Golfstrom. Dieser fließt von den nach Nordosten wehenden Winden angetrieben nach Osten und dann als Kanarenstrom nach Süden. Das Ergebnis dieser Zirkulation ist der Nordatlantische Wirbel. Ähnliche Wirbel gibt es auch in den anderen Meeren.

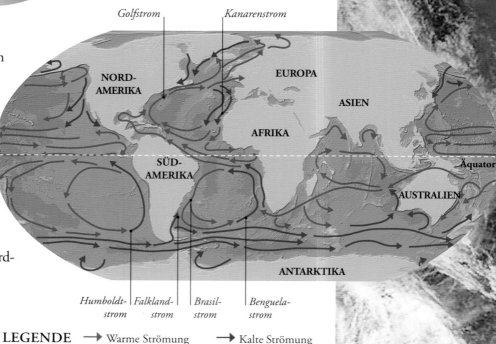

Golfstrom

Kanarenstrom

NORD-AMERIKA

EUROPA

ASIEN

AFRIKA

SÜD-AMERIKA

Äquator

AUSTRALIEN

ANTARKTIKA

Humboldt-strom

Falkland-strom

Brasil-strom

Benguela-strom

LEGENDE → Warme Strömung → Kalte Strömung

WÄRMEPUMPEN

Alle Strömungen in Äquatornähe fließen nach Westen und wenden sich dann an der Westgrenze nach Norden und Süden, wie der Golf- und der Brasilstrom. Sie bringen warmes Wasser in kühlere Regionen und machen ihre Winter milder. Die im Osten begrenzten Ströme wie der Humboldt- und der Benguelastrom bringen stattdessen kühles, polares Wasser in die Tropen.

▲ TROPISCHE GÄRTEN
Der Golfstrom verleiht den Scilly-Inseln im Nordatlantik ein überraschend warmes Klima.

SICHTBARE STRÖMUNGEN

Wo sich warme und kalte Strömungen treffen, schiebt sich das kalte Wasser unter das warme und nimmt dabei Mineralien vom Meeresgrund auf, die für die Schwebealgen des Planktons wichtig sind, die ihrerseits Meerestiere als Nahrung dienen. Dieser Effekt ist vor allem in den flachen Bereichen des Kontinentalschelfs zu bemerken, da der Meeresgrund hier nicht so tief liegt. Manchmal kann man die Strömungen an den unterschiedlich gefärbten Algenblüten erkennen.

◄ FARBUNTERSCHIEDE
Aus dem Weltall betrachtet kann man an den Planktonblüten den warmen Brasilstrom (blau) und den kühleren Falklandstrom (grün) erkennen.

61

Sargassosee

Fast im Zentrum des Nordatlantiks befindet sich ein Gebiet warmen, ruhigen Wassers, das man „Sargassosee" nennt. Es liegt in der Mitte der Strömungen, die sich im Atlantik nördlich des Äquators im Uhrzeigersinn drehen. Diese Ströme befördern Algen in die Sargassosee, die die Grundlage eines einzigartigen Ökosystems bilden.

ZIRKULIERENDE STRÖME

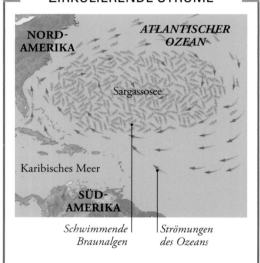

NORD-AMERIKA

ATLANTISCHER OZEAN

Sargassosee

Karibisches Meer

SÜD-AMERIKA

Schwimmende Braunalgen · Strömungen des Ozeans

Die starken Strömungen der großen Meereskreisel umrunden einen Wasserkörper, der sich kaum bewegt. Da das Oberflächenwasser die tieferen Wasserschichten zur Seite drückt, treiben die Strömungen auch Wasser in die Mitte des Kreisels. Im Nordatlantik ist auf diese Weise die Sargassosee entstanden.

SCHWIMMENDER GARTEN

Die Tange, die eine Besonderheit der Sargassosee darstellen, sind nicht an Felsen befestigt, sondern treiben an der Wasseroberfläche. Es handelt sich um Braunalgen der Gattung *Sargassum*, die im warmen Wasser direkt unter den Wellen schwimmende Gärten bilden. Einige Arten besitzen gasgefüllte Blasen, mit denen sie schwimmen können. Die Schicht schwimmender Tange ist nur wenige Zentimeter dick, stellt aber einen Lebensraum für viele spezialisierte Arten dar, die es sonst nirgendwo auf der Erde gibt.

KINDERSTUBE DER AALE

Die Sargassosee ist der Laichplatz der Aale, die in europäischen Flüssen leben. Erwachsene Aale schwimmen die Flüsse hinab und durch das Meer zur Sargassosee. Hier laichen sie und hier schlüpfen die weidenblattähnlichen Larven, die mit dem Golfstrom wieder nach Osten treiben. Wenn sie Europa erreichen, haben sie sich bereits in transparente Glasaale verwandelt.

IM BLICKPUNKT

Leider wird nicht nur Tang in die Sargassosee getrieben. Die Strömung nimmt auch Abfälle auf, die von Schiffen entsorgt oder die Flüsse hinuntergetrieben wurden. Dieser Müll wird in der Mitte der Sargassosee zusammengetragen, wo sich eine schwimmende Müllkippe gebildet hat.

LAUERJÄGER

Der Sargassum-Anglerfisch ist ein Meister der Tarnung. Mit seinen Hautfetzen sieht er wie ein Stück Tang aus, sodass er sich zwischen den Algen verstecken und auf seine Beute lauern kann. Mit seinem großen Maul kann er Fische verschlucken, die fast so groß sind wie er selbst – auch Artgenossen.

SARGASSUM-KRABBE

Die meisten Krabben leben auf dem Meeresgrund, doch diese Schwimmkrabbe ist an das Leben zwischen den Tangen der Sargassosee angepasst. Durch ihre gute Tarnung ist sie kaum zu entdecken, sodass sie unvorsichtige Garnelen, Würmer, Nacktschnecken und andere kleine Tiere erbeuten kann.

JUNGE SCHILDKRÖTEN

Wenn die nordatlantischen Unechten Karettschildkröten an tropischen Stränden geschlüpft sind, steuern sie die Sargassosee an, wo sie zwischen den schwimmenden Tangen vor Feinden geschützt sind. Sie fressen hier kleine Tiere, bis sie etwa 45 cm lang sind, und suchen dann flache Küstenmeere auf.

NAHRUNGSFÜLLE

Das vom Meeresgrund aufsteigende Wasser enthält gelöste Mineralien, die als Dünger der im Plankton enthaltenen Algen – des Phytoplanktons – dienen. Die Algen dienen wiederum Unmengen winziger Tiere als Nahrung. Von ihnen leben Schwärme kleiner Fische wie die Sardellen, von denen sich dann größere Fische, Haie, Delfine und andere Jäger des Meers ernähren.

▲ AUF DER JAGD
Der Nahrungsreichtum der Auftriebsgebiete lockt Hunderte hungriger Jäger an, darunter diese Hammerhaie.

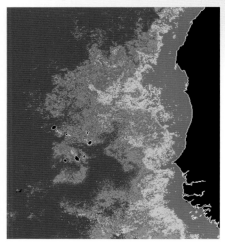

▲ PLANKTONWACHSTUM
Dieses Satellitenbild eines Auftriebsgebiets vor der Westküste Afrikas zeigt in Gelb und Rot Gebiete intensiven Planktonwachstums.

Auftriebsgebiete

In manchen Teilen der Erde treiben die vorherrschenden Winde das Oberflächenwasser von der Küste weg. Hier kann Wasser aus der Tiefe aufsteigen und seinen Platz einnehmen. Das Wasser enthält Mineralien, die den Planktonwuchs fördern und so den Fischen Nahrung verschaffen. Ähnliche Effekte führen zu nährstoffreichen Zonen über untergetauchten Seamounts und in Nähe des Äquators. Doch es gibt auch Gebiete, in denen das Wasser absinkt und der gegenteilige Effekt eintritt.

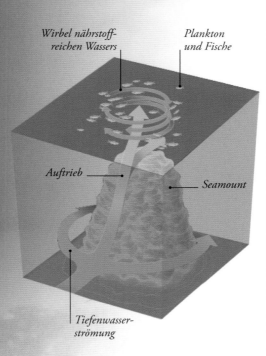

SEAMOUNTS

Die als Seamounts bezeichneten erloschenen Vulkane unterhalb des Wasserspiegels sind mit nährstoffreichen Sedimenten bedeckt. Die Strömungen, die über sie hinwegfließen, erzeugen lokale Auftriebszonen. Diese isolierten Orte besitzen oft ihre eigenen Lebensgemeinschaften.

Wirbel nährstoffreichen Wassers

Plankton und Fische

Auftrieb

Seamount

Tiefenwasserströmung

EL NIÑO

Wenn der Auftrieb des Wassers unterbrochen wird, hat das große Auswirkungen auf das Leben im Meer. Manchmal werden die Passate über dem Pazifik schwächer, sodass warmes Wasser nach Osten fließt und ein Auftriebsgebiet vor Südamerika stört. Dieser El-Niño-Effekt stoppt das Planktonwachstum und die Fische verschwinden – eine Katastrophe für Vögel wie diese Blaufußtölpel.

SO FUNKTIONIERT ES

Durch den Ekman-Transport können starke, die Küste entlangwehende Winde Wasser vom Land wegziehen und ein Auftriebsgebiet erzeugen. In entgegengesetzter Richtung wehende Winde drücken das Wasser nach unten. Auf der Nordhalbkugel kehrt sich das Muster um. Der Ekman-Transport führt auch Oberflächenwasser vom Äquator weg, sodass kühles, nährstoffreiches Wasser aufsteigt.

Von der Küste weggezogenes Wasser

Westküste auf der Südhalbkugel

Wind von Süden

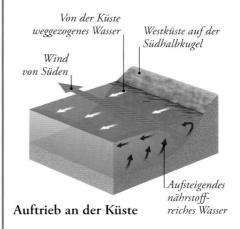

Aufsteigendes nährstoffreiches Wasser

Auftrieb an der Küste

Wind von Norden

Westküste auf der Südhalbkugel

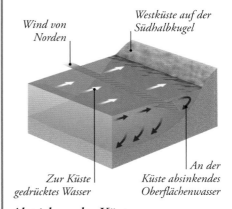

Zur Küste gedrücktes Wasser

An der Küste absinkendes Oberflächenwasser

Abtrieb an der Küste

Durch den Ekman-Transport vom Äquator weggezogenes Wasser

Passat

Aufsteigendes kühles Wasser

Äquator

Auftrieb am Äquator

Tiefen-strömungen

Die in den Weltmeeren kreisenden Ober-flächenströmungen sind mit einem Netz von Tiefenströmungen verbunden. Sie werden vom kühlen, salzigen Wasser angetrieben, das auf den Grund absinkt und unter dem wärmeren Oberflächenwasser fließt, bis es wieder nach oben kommt. Zusammen können die Oberflächen- und Tiefenströmungen Wasser um die ganze Erde transportieren.

ABSINKENDES WASSER

In den Polarregionen kühlen die kalte Luft und das treibende Eis das Wasser darunter stark ab. Die Wassermoleküle rücken näher zusammen, sodass das Wasser dichter und damit bei gleichem Volumen schwerer wird. Das vom Meereis abgegebene Salz macht das Wasser noch schwerer, sodass es auf den Meeresgrund sinkt.

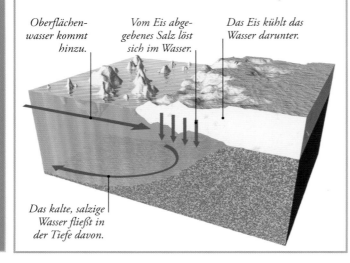

Oberflächen-wasser kommt hinzu.

Vom Eis abge-gebenes Salz löst sich im Wasser.

Das Eis kühlt das Wasser darunter.

Das kalte, salzige Wasser fließt in der Tiefe davon.

KALTES TIEFENWASSER

Der kälteste Tiefenwasserstrom wird vom antarktischen Bodenwasser gebildet, das unter dem Eis des Weddellmeers fließt. Ein ähnlicher Strom kommt aus dem Rossmeer auf der anderen Seite Antarktikas. Im Norden entsteht aus dem in der Nähe von Grönland absinkenden Wasser das Nordatlantische Tiefenwasser, das einen globalen Tiefenwasserstrom antreibt.

▼ ANTARKTIS-EIS
Das sich auf dem Weddell- und dem Rossmeer bildende Eis macht das Meer noch kälter und salziger. Es verursacht starke Tiefenwasserströmungen.

AHA!

Der Ursprung und die Geschichte eines jeden Meerwassertropfens können durch chemische Analyse untersucht werden.

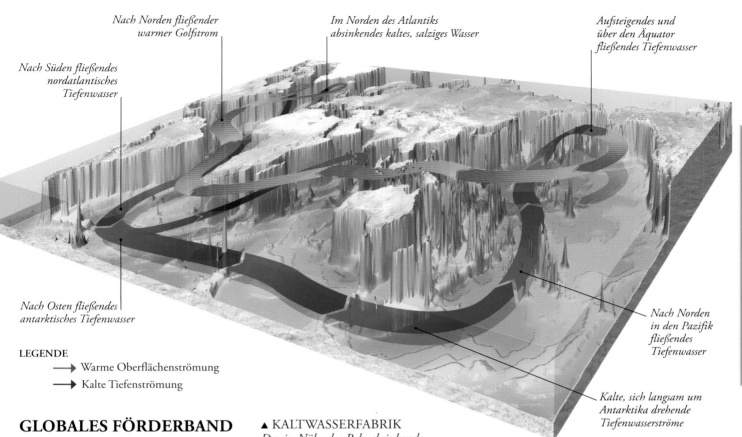

Nach Süden fließendes
nordatlantisches
Tiefenwasser

Nach Norden fließender
warmer Golfstrom

Im Norden des Atlantiks
absinkendes kaltes, salziges Wasser

Aufsteigendes und
über den Äquator
fließendes Tiefenwasser

Nach Osten fließendes
antarktisches Tiefenwasser

Nach Norden
in den Pazifik
fließendes
Tiefenwasser

Kalte, sich langsam um
Antarktika drehende
Tiefenwasserströme

LEGENDE

→ Warme Oberflächenströmung

→ Kalte Tiefenströmung

GLOBALES FÖRDERBAND

Kaltes Tiefenwasser fließt durch das
Südpolarmeer in den Indischen und
Pazifischen Ozean. Hier steigt ein
Teil des Wassers auf und treibt die
Oberflächenströme an. Diese sind mit
dem warmen atlantischen Golfstrom
verbunden, der schließlich im Norden
abkühlt und absinkt. Dieses Netzwerk
von Strömen wird auch als Globales
Förderband bezeichnet, da es Wasser
um die ganze Welt transportiert.

▲ KALTWASSERFABRIK
*Das in Nähe der Pole absinkende
kalte Wasser ist die hauptsächliche
treibende Kraft hinter dieser nie
endenden Zirkulation.*

FAKTEN

■ Wissenschaftler beschreiben das
Förderband als thermohaline Zirkulation
(*thermos* = Wärme und *halin* = salzig).

■ Ein Tropfen Meerwasser benötigt
1000 Jahre, um im Globalen Förderband
um die Erde zu reisen.

■ Das Tiefenwasser fließt im engeren
Bereich zwischen Kontinenten schneller.

LEBENSGRUNDLAGEN

Das Globale Förderband transportiert
mit dem Wasser auch gelösten Sauerstoff und Nährstoffe, die eine Voraussetzung für das Leben im Meer sind.
Viele der Nährstoffe sind von Tiefenströmungen vom Meeresgrund zur
sonnendurchfluteten Wasseroberfläche
transportiert worden. Hier lebt das
Plankton von ihnen, das seinerseits
Nahrung für die Buckelwale darstellt.

ABKÜHLUNG

Die Veränderung des Weltklimas kann
das Globale Förderband beeinflussen.
Durch die Erwärmung schmilzt das
arktische Eis, sodass das Wasser des
Nordatlantiks weniger salzig wird und
daher schlechter absinkt. So fördert es
die Tiefenströmungen weniger und der
Golfstrom wird nicht mehr so stark
angetrieben. Das kann zur Abkühlung
des europäischen Klimas führen.

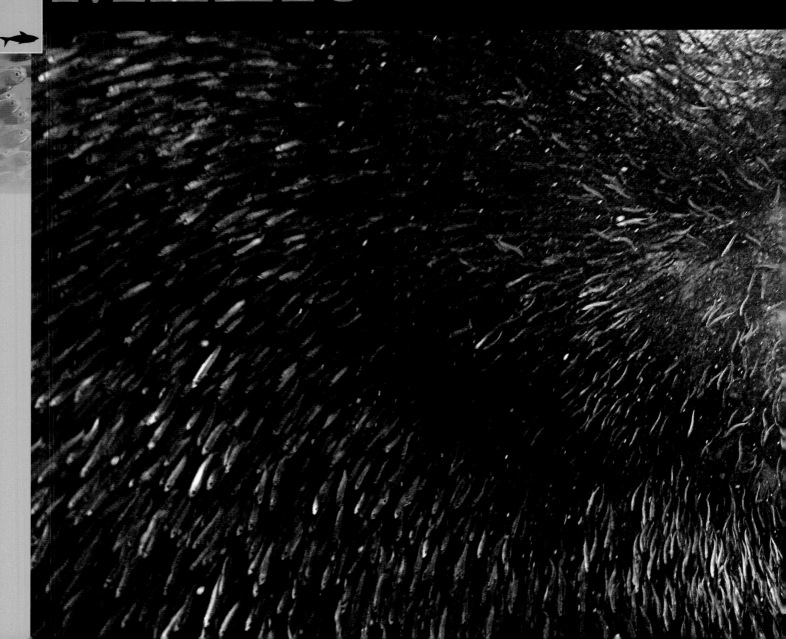

DAS OFFENE MEER

Die Lebensräume der
Meere sind viel größer
und vielfältiger als die des
Festlands. Die meisten
Lebewesen gibt es an der
Oberfläche, doch auch
die Tiefe ist nicht tot.

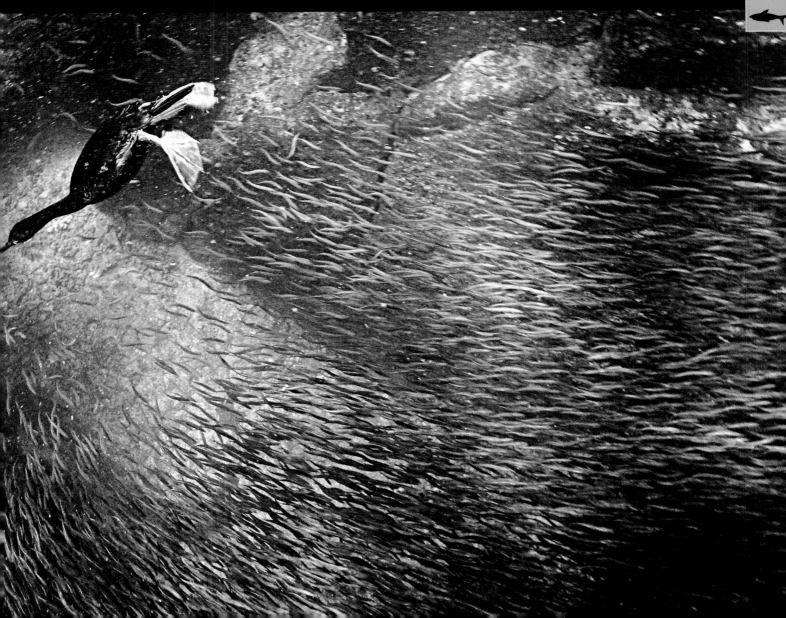

Die Tiefenzonen

Die Weltmeere sind durchschnittlich fast 4000 m tief. Doch schon wenige Meter unter der Oberfläche verändert sich ihre Natur sehr, da das Licht mit der Tiefe verschwindet. Von der sonnendurchfluteten Oberfläche bis zur dauerhaft dunklen Tiefsee beeinflusst das verblassende Licht Sichtbarkeit, Farbe, Temperatur und die Verfügbarkeit von Nahrung.

EPIPELAGIAL

Als Pelagial bezeichnet man den Freiwasserbereich. In seinen ersten 200 m, dem Epipelagial, gibt es noch Sonnenlicht – genug, um die Algen des Phytoplanktons wachsen zu lassen. Da sie in den Meeren die Basis der Nahrungsketten darstellen, leben hier die meisten Tiere.

MESOPELAGIAL

In über 200 m Tiefe ist es bereits zu dunkel für Organismen, die Licht zur Energiegewinnung benötigen. Hierhin dringt nur noch ein schwacher blauer Schimmer, sodass in diesem Bereich ewige Dämmerung herrscht. Hier leben zwar Tiere, doch deutlich weniger als im Epipelagial.

BATHY-, ABYSSO- UND HADOPELAGIAL

In über 1000 m Tiefe gibt es außer dem Leuchten, das manche Tiere produzieren, überhaupt kein Licht mehr. Da die Meere im Durchschnitt 4000 m (bis hierhin reicht das Bathypelagial) tief sind, liegt ihr größter Teil in ewiger Dunkelheit.

Fliegender Fisch

Plankton

Epipelagial
0–200 m

Roter Thun

Mesopelagial
200–1000 m

Laternenfisch

Bathy-, Abysso-,
Hadopelagial
Unter 1000 m

Viperfisch

THERMOKLINE

An der Oberfläche sind die Meere mit bis zu 30 °C recht warm. Im Mesopelagial ist die Temperatur schon auf 4 °C gefallen und in den größeren Tiefen erreicht sie nahezu den Gefrierpunkt. In den Tropen mischt sich das warme Oberflächenwasser selten mit dem kälteren darunter. Die Grenze bezeichnet man als Thermokline.

LEGENDE

- 30 °C
- 20 °C
- 10 °C
- 0 °C

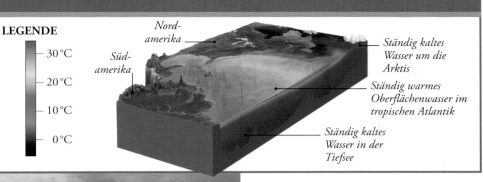

Nord-amerika

Süd-amerika

Ständig kaltes Wasser um die Arktis

Ständig warmes Oberflächenwasser im tropischen Atlantik

Ständig kaltes Wasser in der Tiefsee

Dunkler Sturmtaucher

Sardellen

Gemeiner Delfin

Blauhai

Rippenqualle

Beilfisch

Vampir-tintenfisch

Riesenkalmar

Anglerfisch

Tiefseegarnelen

▲ KLARES, BLAUES WASSER
In tropischen Meeren verhindert die Thermokline meist, dass gelöste Mineralien das sonnendurchflutete Wasser der Oberfläche erreichen und dort das Planktonwachstum anregen. Daher gibt es in den meisten tropischen Meeren nur sehr wenig Plankton und das Wasser ist kristallklar. In kühleren Meeren verschwindet die Thermokline im Winter, sodass aufsteigende Nährstoffe das Wachstum des Planktons beschleunigen.

▲ GUT ANGEPASST
Meerwasser enthält viel Sauerstoff, der für das Leben der Tiere wichtig ist. Je kälter das Wasser ist, desto mehr Sauerstoff kann es aufnehmen. Doch in der Tiefe gibt es Bereiche, in denen der Sauerstoff von den Bakterien verbraucht wird, die das von oben absinkende tote Plankton verarbeiten. Hier können nur speziell angepasste Tiere wie dieser Vampirtintenfisch überleben.

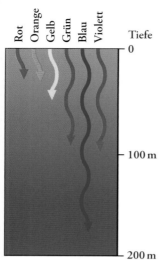

Rot Orange Gelb Grün Blau Violett

Tiefe

0

100 m

200 m

TIEFES BLAU

Sonnenlicht besteht aus allen Farben des Regenbogens. Diese Farben ergänzen sich zu reinem Weiß, doch je tiefer das Licht in das Meerwasser eindringt, desto mehr Farben werden herausgefiltert. Rot, Orange und Gelb verschwinden zuerst, sodass nur Grün, Blau und Violett übrig bleiben. Zum Schluss gibt es nur noch blaues Licht, doch auch das kann noch bis zur Tiefe von 200 m Algenwachstum ermöglichen.

LICHT DES LEBENS

Die im Epipelagial lebenden Algen und Bakterien nutzen das Sonnenlicht, um damit Zucker herzustellen und ihn als Nährstoff für ihr Gewebe einzusetzen, das wiederum von Tieren gefressen wird. Die meisten dieser fotosynthetisch aktiven Algen sind mikroskopisch klein und driften als Phytoplankton durch die Meere, doch es gibt auch größere wie die Tange. Die meisten von ihnen und auch die Seegräser wachsen im flachen Wasser der Küsten.

▶ GRÜNER SCHEIN
Das durch diese Tange scheinende Licht liefert die Energie, die diese Algen zum Wachstum benötigen.

Zone des Lichts

Die meisten Tiere leben im hellen Epipelagial nahe der Wasseroberfläche. Der Grund dafür ist, dass letztendlich alle Meerestiere von der Nahrungsproduktion durch Tange und mikroskopisch kleine, zum Phytoplankton gehörende Algen abhängen. Diese Organismen können ähnlich wie Landpflanzen nicht ohne Licht überleben. Daher müssen sie sich in den oberen 200 m des Meers aufhalten, wo es so viel Licht gibt, dass sie wachsen und sich vermehren können.

AHA!

Durch die Fotosynthese in den Meeren entsteht nicht nur Nahrung. Sie erzeugt auch 90 % des Sauerstoffs, den wir atmen.

FOTOSYNTHESE

Seegräser, Tange und Phytoplankton erzeugen Nahrung, indem sie Kohlendioxid und Wasser in Zucker und Sauerstoff umwandeln. Diesen Vorgang nennt man Fotosynthese. Er findet in kleinen Körperchen statt, die man als Chloroplasten bezeichnet. Sie enthalten das grüne Chlorophyll, das Sonnenenergie aufnehmen kann. Diese Energie ermöglicht die Fotosynthese, die bei Lichtmangel nicht stattfindet.

▲ ZUCKERFABRIKEN

Die blattähnlichen Strukturen bestehen aus Millionen winziger Zellen, die wie Ziegel in einer Mauer angeordnet sind. Jede Zelle enthält die grünen Chloroplasten, die für die Zuckerproduktion nötig sind.

TREIBEN IM SONNENLICHT

Wie die Tange können auch die kleinen Organismen des Phytoplanktons nur im oberen, sonnendurchfluteten Bereich des Meers leben, wo sie genug Licht zur Zuckerproduktion bekommen können. Anders als die Tange bestehen sie aber nur aus einer Zelle. Unter ihnen sind Bakterien, aber auch einzellige Algen wie die Kieselalgen, Dinoflagellaten und Kalkalgen. Kieselalgen haben eine glasartige Hülle aus Siliziumdioxid. Auf dem Bild sehen sie unter dem Mikroskop wie Juwelen aus. Kalkalgen besitzen dagegen eine Hülle aus Kalkschuppen.

BLÜHENDE MEERE

Obwohl die einzelnen Organismen des Phytoplanktons mikroskopisch klein sind, können sie unter der Wasseroberfläche Algenblüten bilden, die sogar vom Weltall aus zu sehen sind. Sie entwickeln sich besonders dort, wo das Meer reich an Mineralien ist, die von den Meeresströmungen aus größeren Tiefen heraufgebracht werden. Die Kieselalgen und andere Organismen nehmen sie auf, um daraus ihre Hüllen zu bauen. Sie können aus ihnen auch weitere Stoffe erzeugen, die wichtig für ihr Überleben sind.

LEBENDES LICHT

Da das Phytoplankton zu klein ist, um es ohne Mikroskop zu sehen, nehmen wir es meist nur als Wolken im Wasser wahr. Je nährstoffreicher das Wasser ist, desto mehr Phytoplankton kann es ernähren und desto trüber ist es. Doch einige der winzigen Organismen, etwa bestimmte Dinoflagellaten, strahlen ein blaugrünes Licht aus, wenn sie gestört werden. Das kann bei Nacht beeindruckende Effekte hervorrufen, wie hier an dieser tropischen Küste.

Das Zooplankton

Die Organismen, aus denen das Phytoplankton besteht, werden von winzigen Tieren gefressen, die nicht zur Fotosynthese in der Lage sind. Diese Organismen des Zooplanktons werden ebenfalls von den Strömungen verdriftet, können aber in begrenztem Rahmen schwimmen. So können sie sich tagsüber in der dunklen Tiefe verstecken und nachts zum Fressen an die Oberfläche aufsteigen.

EINZELLER

Die kleinsten Organismen des Zooplanktons bestehen nur aus einer einzigen Zelle. Doch sie ernähren sich ebenso wie vielzellige Tiere von anderen Organismen. Zu den Einzellern gehören die hier abgebildeten Strahlentierchen. Ihre Fortsätze bestehen aus Zellplasma, das von Siliziumdioxid-Stacheln gestützt wird und der Nahrungsaufnahme dient.

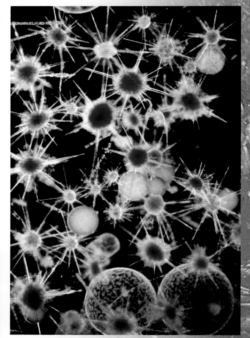

RUDERFUSSKREBSE

Zum Zooplankton gehören auch Tiere, die aus vielen Zellen bestehen, aber immer noch recht klein sind. Die am weitesten verbreiteten sind die Ruderfußkrebse, die mit den Garnelen und Krabben verwandt sind. Sie schweben mithilfe langer Antennen, die wie Fallschirme wirken, im Wasser. Sie fressen kleine Organismen des Phyto- und des Zooplanktons.

AHA!

Im Südpolarmeer lebt so viel Krill, dass sein Gesamtgewicht das Gewicht aller Menschen auf der Erde übersteigt.

◄ KRILLMASSEN
*Dieser Krillschwarm
vor der kalifornischen
Pazifikküste hat viele
Fische angelockt.*

▲ KRILL
*Der Krill erinnert an
Garnelen und wird
bis zu 6 cm groß.*

KRILLSCHWÄRME

Der garnelenartige Krill ist viel größer
als die Ruderfußkrebse. Er lebt in allen
Meeren, ist jedoch im kalten Südpolarmeer am häufigsten. Hier färben die
riesigen Schwärme das Meer oft rot.
Wie die Ruderfußkrebse ernährt sich
der Krill von winzigen Organismen.
Er selbst wird von Walen, Pinguinen
und vielen Fischen gefressen.

AUF UND AB

Ruderfußkrebse und viele andere
Organismen des Zooplanktons sinken
tagsüber ins Mesopelagial ab, um vor
jagenden Fischen sicher zu sein. In der
Nacht schwimmen sie wieder nach
oben, um Phytoplankton zu fressen.
Manche Fische wie diese Heringe
können Ruderfußkrebse auch im
Dunkeln erbeuten. Daher versammeln
sich nachts große Schwärme von ihnen
zum Fressen an der Oberfläche.

EIER UND LARVEN

Viele Meerestiere wie Fische, Krebse
und Muscheln erzeugen Eier, die mit
dem Plankton verdriftet werden. Aus
ihnen schlüpfen winzige Larven, die
sich vom Phytoplankton ernähren.
Wenn die Larven erwachsen werden,
lassen sie sich oft auf dem Meeresgrund nieder und bewegen sich nicht
mehr weit fort. Durch den Lebens-
abschnitt im Plankton können sich
die Arten weit verbreiten.

75

Fragiles Treibgut

Die meisten Tiere des Zooplanktons sind winzig. Doch manche sind größer, etwa die Quallen oder ungewöhnliche Lebewesen wie die Rippenquallen und Salpen. Obwohl sie schwimmen können, sind sie von der Strömung abhängig und gehören daher zum Plankton. Sie ernähren sich von anderen Planktonorganismen oder sogar von Fischen.

Schirmförmiger, geleeartiger Körper

NESSELNDE TENTAKEL

Die meisten Quallen leben im Plankton. Sie schwimmen, indem sie den schirmförmigen Körper zusammenziehen und den Rückstoß des Wassers nutzen. Sie besitzen lange, kaum sichtbare Tentakel, die Nesselzellen tragen, mit denen sie andere Tiere fangen und betäuben können, um sie dann heranzuziehen und zu fressen. Manche sind mit einem Schirmdurchmesser von über 1,8 m wahre Riesen.

SCHWIMMENDER KILLER

Die überaus giftige Portugiesische Galeere ähnelt einer normalen Qualle, besteht aber aus einer ganzen Kolonie von Organismen. Jeder von ihnen hat eine eigene Aufgabe: Einer ist das Segel, mit dem die Portugiesische Galeere sich treiben lässt, andere dienen der Ernährung, der Vermehrung oder der Verteidigung.

▶ GELBE HAARQUALLE
Die Gelbe Haarqualle gehört zu den größten Quallen und kann bis zu 30 m lange Tentakel hinter sich herziehen.

SCHWIMMENDE SCHNECKE

Trotz ihrer Nesselzellen hat die Portugiesische Galeere einen Fressfeind, der auch im Plankton lebt – die Blaue Ozeanschnecke. Anders als die meisten Meeresschnecken schwimmt sie im offenen Wasser, wo sie andere Tiere angreift. Sie kann sogar die Nesselzellen ihrer Beute in ihre Hautfortsätze einlagern und zur eigenen Verteidigung benutzen.

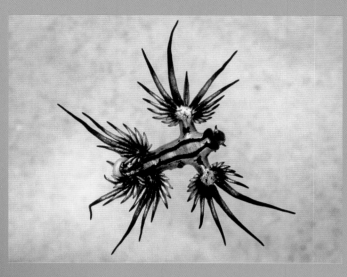

Jeder Tentakel trägt Hunderte von Nesselzellen.

GLITZERNDE RIPPENQUALLEN

Obwohl sie Quallen ähneln, gehören Rippenquallen zu einer ganz anderen Tiergruppe. Ihr Name bezieht sich auf die Reihen von Rippenplättchen, die hin und her schlagen und damit für den Antrieb sorgen. Manche haben auch Tentakel, die sie zum Beutefang einsetzen.

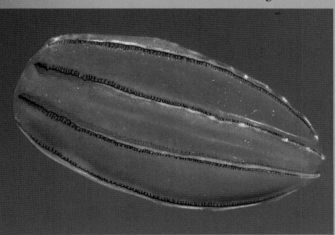

TREIBENDE KETTE

Noch außergewöhnlicher als Rippenquallen sind die Salpen, die durch das Wasser treiben und sich von Zooplankton ernähren. Sie sind Verwandte der Seescheiden, die sich jedoch nicht von ihrem Platz auf einem Felsen wegbewegen. Salpen vollziehen einen Generationswechsel: Sich nicht sexuell fortpflanzende Einzeltiere bilden durch Teilung Ketten von Klonen, deren Mitglieder sich sexuell fortpflanzen und wieder Einzeltiere erzeugen.

77

Die Nahrungskette

Im Meer basiert der größte Teil des Lebens auf der von Tangen und dem mikroskopisch kleinen Phytoplankton bereitgestellten Nahrung. Hier dient die Sonnenenergie zum Aufbau lebenden Gewebes. Kleine Tiere fressen es, um ihren eigenen Organismus aufzubauen. Die meisten dieser Tiere werden wiederum von anderen gefressen. Diese Kette lässt sich immer weiter fortführen, bis man bei den Top-Räubern wie den Haien ankommt.

KONSUMENTEN

Die Tange und das Phytoplankton produzieren lebendes Gewebe aus einfachen Stoffen – sie sind Nahrungsproduzenten. Tiere können selbst keine Nahrung herstellen. Sie fressen lebendes oder totes Gewebe, sind also Konsumenten. Tiere, die sich von Algen ernähren, sind Primärkonsumenten, während die Tiere, die sie fressen, Sekundärkonsumenten sind. Sie werden von größeren Jägern gefressen, die den Top-Räubern zum Opfer fallen.

▲ PRODUZENT
Der Tang verwandelt mithilfe von Sonnenenergie Wasser und Kohlendioxid in Zucker und produziert damit lebendes Gewebe.

▲ PRIMÄRKONSUMENT
Die Napfschnecke frisst den Tang und verdaut ihn im Magen, um seine Bestandteile für den eigenen Körper zu verwenden.

▲ SEKUNDÄRKONSUMENT
Krabben fressen keinen Tang, aber dafür Napfschnecken, die das Gewebe des Tangs in tierisches Gewebe verwandelt haben.

FAKTEN

- Die kältesten Meere sind oft besonders reich an Leben, da kaltes, sturmgepeitschtes Wasser mehr Sauerstoff und Nährstoffe und damit mehr Plankton enthält.
- Im offenen tropischen Meer gibt es weniger Tiere, weil das klare, fast sterile Wasser arm an Plankton ist.
- In tropischen Riffen wird fast die gesamte Nahrung von den in den Korallen lebenden winzigen Algen produziert.
- In der Tiefsee erzeugen Bakterien Nahrung, indem sie Chemikalien nutzen, die von heißen Quellen ausgestoßen werden.

NAHRUNGSPYRAMIDE

Die Pyramide zeigt, dass es viel Plankton an der Basis der Nahrungskette geben muss, um einen Top-Räuber wie den Eisbären zu ernähren. Das liegt daran, dass viel Nahrungsenergie verbraucht wird, bevor Energie an die nächste Ebene der Nahrungskette weitergegeben werden kann.

Der Eisbär frisst Dutzende von Robben.

Robben fressen Tausende von Fischen.

Fische ernähren sich vom Zooplankton.

Das Zooplankton frisst das Phytoplankton.

Das Phytoplankton erzeugt Nahrung.

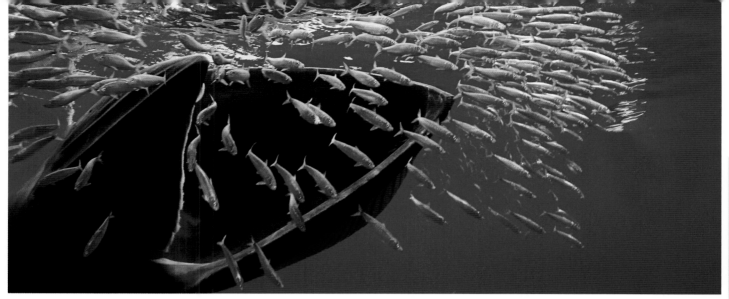

▲ EIN MAULVOLL
Ein Schwarm kleiner Fische versucht dem Maul des Brydewals zu entkommen. Er könnte leicht den gesamten Schwarm auf einmal verschlingen.

ABKÜRZUNGEN

Manche der großen Meerestiere kürzen die Nahrungskette ab und ernähren sich von sehr kleinen Tieren. Dazu gehören die Bartenwale, die kleine Fische und Krill fressen, anstatt größere Beute wie Thunfische zu jagen. Die Wale bekommen so mehr zu fressen, da die kleineren Tiere unten in der Nahrungskette erheblich zahlreicher und leichter als Thunfische zu erbeuten sind. Das ist ein Grund, warum die Wale und andere Filtrierer wie die Mantarochen so groß werden.

▲ JÄGER
Eine Krabbe ist für den Kraken eine gute Nahrung, da er ihr Fleisch nutzen kann. Aber er selbst kann auch gefressen werden.

▲ TOP-RÄUBER
Ein großer Hai kann einen Kraken fressen. Er selbst hat keine ernsthaften Feinde, steht also an der Spitze der Nahrungskette.

EIN NAHRUNGSNETZ

Einfache Nahrungsketten wie die oben gezeigte sind ungewöhnlich, da viele Tiere unterschiedliche Nahrung aus verschiedenen Ebenen der Kette fressen. Auch Top-Räuber werden nach ihrem Tod von anderen Tieren gefressen, etwa von Würmern und Schnecken. Daher handelt es sich eher um ein Nahrungsnetz als eine Nahrungskette. Dieses Diagramm zeigt ein vereinfachtes Netz für das Nordpolarmeer, vom Phytoplankton bis zum Eisbären und Schwertwal. Die Pfeile zeigen jeweils von der Beute zum Jäger.

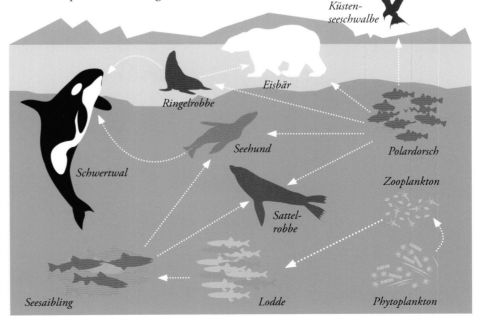

Küstenseeschwalbe

Eisbär

Ringelrobbe

Seehund

Schwertwal

Sattelrobbe

Polardorsch

Zooplankton

Seesaibling

Lodde

Phytoplankton

79

Schwärme

Die kleinen Tiere, aus denen sich das Zooplankton zusammensetzt, werden von Sardinen, Sardellen und Heringen gefressen. Diese Fische schwimmen in Schwärmen von Tausenden Tieren und bewegen sich dabei wie ein einziges, riesiges Wesen. Das erleichtert es, die winzige Beute zu fangen und den eigenen Fressfeinden zu entgehen.

FILTRIERER

Ein Fisch atmet, indem er sauerstoffreiches Wasser durch die Kiemen an der Seite seines Kopfs strömen lässt. Plankton fressende Fische nutzen die sogenannten Kiemenrechen, um die Nahrung aus dem Wasser zu filtern, das durch ihre Kiemen strömt, wenn sie mit weit geöffnetem Maul umherschwimmen. Die Nahrung sammelt sich im hinteren Bereich des Mauls und gelangt von dort in den Magen.

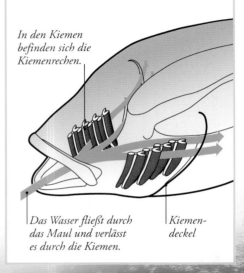

In den Kiemen befinden sich die Kiemenrechen.

Das Wasser fließt durch das Maul und verlässt es durch die Kiemen.

Kiemendeckel

SICHER IM SCHWARM

Die im offenen Meer in Nähe der Wasseroberfläche lebenden Fische finden genug Nahrung, können aber leicht selbst gefressen werden. Große Fische gehen das Risiko ein, doch kleinere wie diese Heringe bilden Schwärme. Ein umherwirbelnder Schwarm ist für einen Angreifer ein verwirrendes Ziel. In ihm kann er einen einzelnen Fisch viel schlechter isolieren und fangen.

GROSSMÄULER

Zu den Makrelen gehören viele Arten, die andere Fische jagen und erbeuten. Die abgebildeten Großmaul-Makrelen stellen jedoch eine Ausnahme innerhalb dieser Gruppe dar. Die Schwarmfische schwimmen mit weit geöffnetem Maul umher und filtern auf diese Weise winzige Planktonorganismen aus dem Wasser (siehe auch den Kasten oben auf dieser Seite).

SCHWARMVERHALTEN

Viele Fische leben in Schwärmen. Sie orientieren sich dabei, indem sie einander beobachten und sich an leuchtenden Farben und Zeichnungsmustern orientieren. Sie können auch die Druckwellen wahrnehmen, die ihre Nachbarn im Wasser erzeugen. So behält der Schwarm seine perfekte Ordnung, auch wenn er plötzlich die Richtung ändern muss.

RIESENTIER

Schwarmfische bewegen sich oft so koordiniert, dass sie wie ein einziges Riesentier wirken. Das Schwimmen in dichter Formation lässt der Beute nur wenig Chancen zu entkommen.

▼ FARBMUSTER
Die leuchtend gelben Schwänze dieser Füsiliere dienen dem Rest des Schwarms als Signale, um sich bei Richtungsänderungen zu orientieren.

THUNFISCHE

Thunfische leben in Schwärmen und unternehmen abgestimmte Angriffe auf kleinere Schwarmfische. Sie sind schnelle Jäger, die 75 km/h erreichen können. Manche Arten werden recht groß – der Rote Thun kann 4,5 m Länge erreichen. Wie andere Thunfischarten ist er jedoch durch Überfischung bedroht.

Jäger der Meere

Schwarmfische werden von größeren Fischen gejagt, die zum Teil selbst in Schwärmen leben. Zu ihnen zählen die Thunfische. Schwert- und Fächerfische jagen dagegen allein. Sie sind sogar schneller als ein starkes Motorboot. Das verdanken sie ihrem stromlinienförmigen Körper, den starken Muskeln und einer effektiven Methode, Energie umzusetzen. Diese Fische gehören zu den am höchsten spezialisierten Jägern der Erde.

AHA!

Der Fächerfisch ist der schnellste Meeresfisch. Man hat bei einem Tier schon eine Geschwindigkeit von 110 km/h gemessen.

🔍 IM BLICKPUNKT

Thunfische sind wegen einer Kombination spezieller Anpassungen unglaublich schnell. Sie sind stromlinienförmig und ihre Muskulatur treibt den halbmondförmigen Schwanz so schnell an, dass er fast wie die Schraube eines Motorboots wirkt. Je schneller die Tiere sind, desto schneller fließt das Wasser durch ihre Kiemen, sodass der zusätzliche Sauerstoff den Stoffwechsel beschleunigt. Die Fische können sogar ihre Körpertemperatur über die des Wassers anheben, sodass ihre Muskulatur noch effektiver arbeitet.

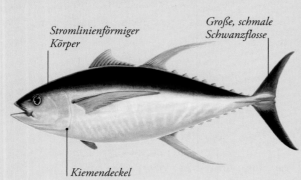

Stromlinienförmiger Körper

Große, schmale Schwanzflosse

Kiemendeckel

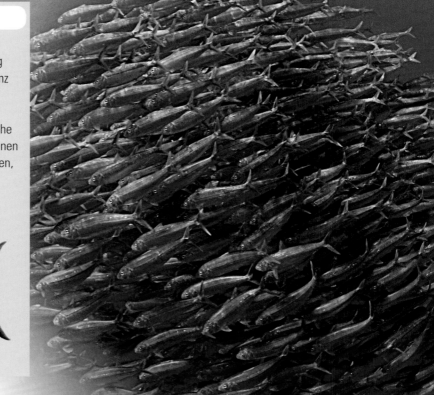

EXTREME GESCHWINDIGKEIT

Während Thunfische im Schwarm jagen, sind Schwert-, Speer- und Fächerfische Einzelgänger. Alle besitzen lang ausgezogene, spitze Oberkiefer. Manche dieser Arten sind noch deutlich schneller als die Thunfische. Bei hoher Geschwindigkeit legt der Fächerfisch seine Rückenflosse an. Auf der Suche nach Beute bewältigt er große Entfernungen.

◄ FÄCHERFISCH
Diese Fische jagen vor allem in Nähe der Wasseroberfläche, erbeuten aber neben Fischen auch Kalmare und Kraken.

SCHNITTIGE RÄUBER

Der Schwertfisch kann sehr gut sehen und hat unter seinen Verwandten das längste Schwert. Wie sie setzt er seine starken Muskeln ein, um auf der Jagd nach Fischen und Kalmaren hohe Geschwindigkeiten zu erreichen. Mit dem Schwert schlägt er auch nach seiner Beute, um sie zu betäuben oder zu verletzen, sodass sie leichter zu fangen ist.

▼ SCHWERTFISCH
Der spitze Oberkiefer des Schwertfischs wird von ihm bei der Jagd eingesetzt, doch seine wichtigste Funktion ist es, den Fisch perfekt stromlinienförmig zu machen.

Der schwertartige Oberkiefer verstärkt die Stromlinienform.

Die schuppenlose Haut verringert den Wasserwiderstand.

GEDECKTER TISCH

Wenn einer dieser Jäger einen Fischschwarm entdeckt, beschleunigt er stark, sodass die Beute nicht entkommen kann. Thunfische greifen im Schwarm an und schnappen nach allem, was sich bewegt. Beutefische verstecken sich oft hintereinander und bilden eine wirbelnde Menge. Sie versuchen manchmal sogar zu entkommen, indem sie aus dem Wasser springen.

◄ HERINGSMAHL
Die von einem Thunfischschwarm zusammengetriebenen Heringe versuchen sich durch Sprünge zu retten.

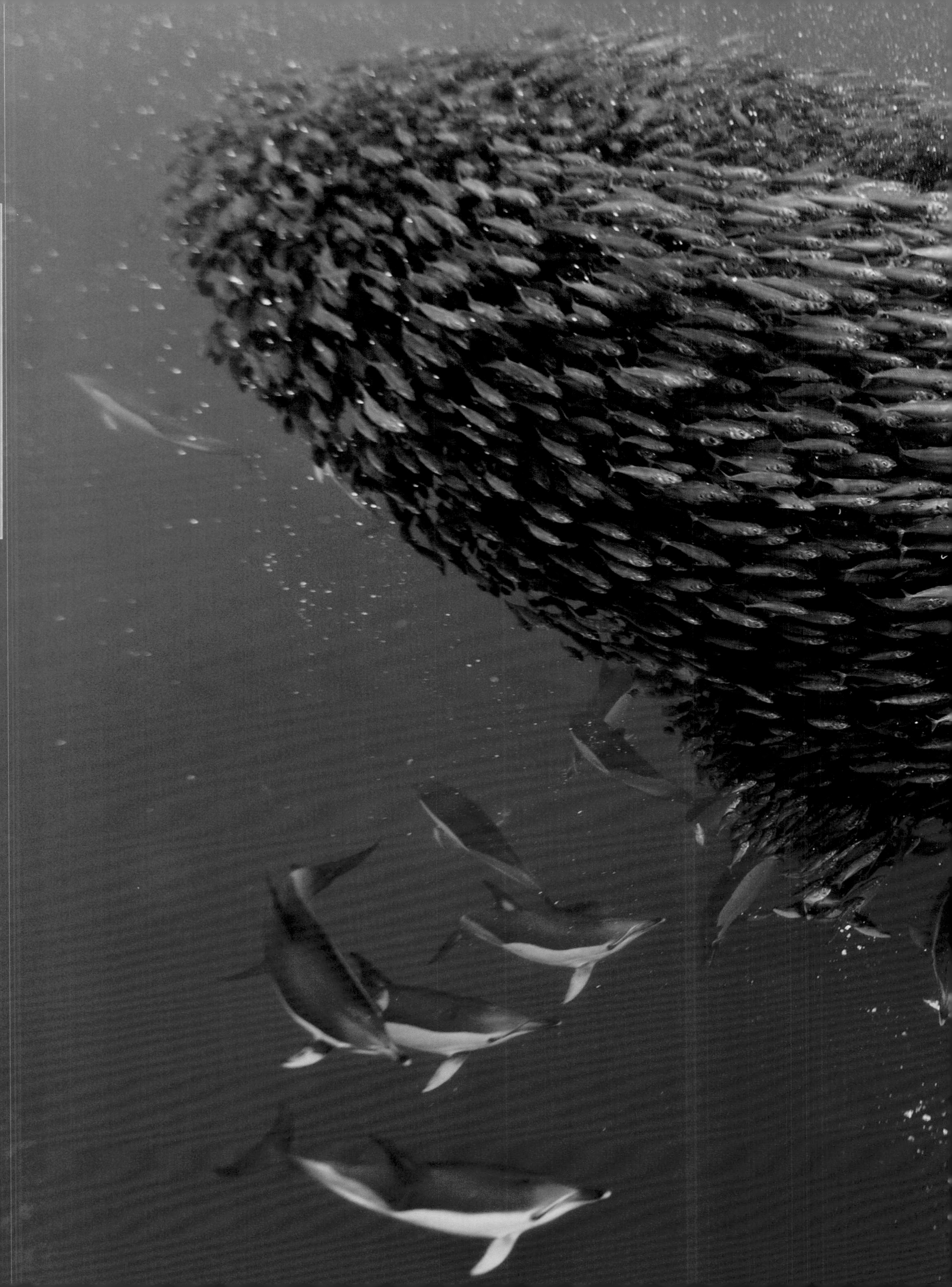

SICHERHEIT IM SCHWARM

Ein Schwarm Blauer Bastardmakrelen ist von einer Schule Gemeiner Delfine zusammen-getrieben worden und bildet einen Ball aus silbrig glitzernden Fischen. So versuchen die Makrelen, ihre Fressfeinde zu verwirren und den Fang einzelner Fische zu verhindern. Allerdings lassen sich die Delfine nicht leicht ablenken.

IN ALLEN FORMEN UND GRÖSSEN

Haie gibt es bereits seit über 400 Millionen Jahren in den Weltmeeren. Heute kennt man über 470 verschiedene Arten. Viele von ihnen sind stromlinienförmige Jäger des offenen Wassers, andere sind an das Leben auf dem Meeresgrund oder in der kalten, dunklen Tiefsee angepasst.

▲ SÄGEHAI
Die einer Säge ähnelnde Schnauze dieses Hais ist mit scharfen Zähnen besetzt.

▲ FUCHSHAI
Der obere Schwanzflossenlappen ist so lang wie der Körper. Der Hai benutzt ihn wie eine Peitsche.

▲ TEPPICHHAI
Dieser Lauerjäger liegt auf dem Grund. Seine Tarnung verbirgt ihn vor der Beute.

▲ KRAGENHAI
Der Kragenhai ist ein lebendes Fossil, das an die Vorfahren der Haie erinnert.

Haie

Die bekanntesten Jäger der Meere sind die Haie. Allerdings sind nicht alle Haiarten bedrohlich. Es gibt Haie, die sich nur von Muscheln oder sehr kleinen Tieren ernähren. Doch manche Arten besitzen nicht nur tödliche Zähne, sondern auch leistungsfähige Sinnesorgane und sind sehr schnell. Außer noch größeren Haien haben sie kaum Feinde.

Die dreieckige Rückenflosse stabilisiert den Hai beim Schwimmen.

Halbmondförmige Schwanzflosse für hohe Geschwindigkeiten

Starker, stromlinienförmiger Körper

AHA!

Ein Weißer Hai besitzt 300 Zähne. Da sie ständig ersetzt werden, kann er im Lauf seines Lebens bis zu 30 000 Zähne bekommen.

▲ WEISSER HAI
Der Weiße Hai kann bis zu 7 m lang werden. Er kommt in allen tropischen und gemäßigten Meeren vor, besonders in Küstennähe.

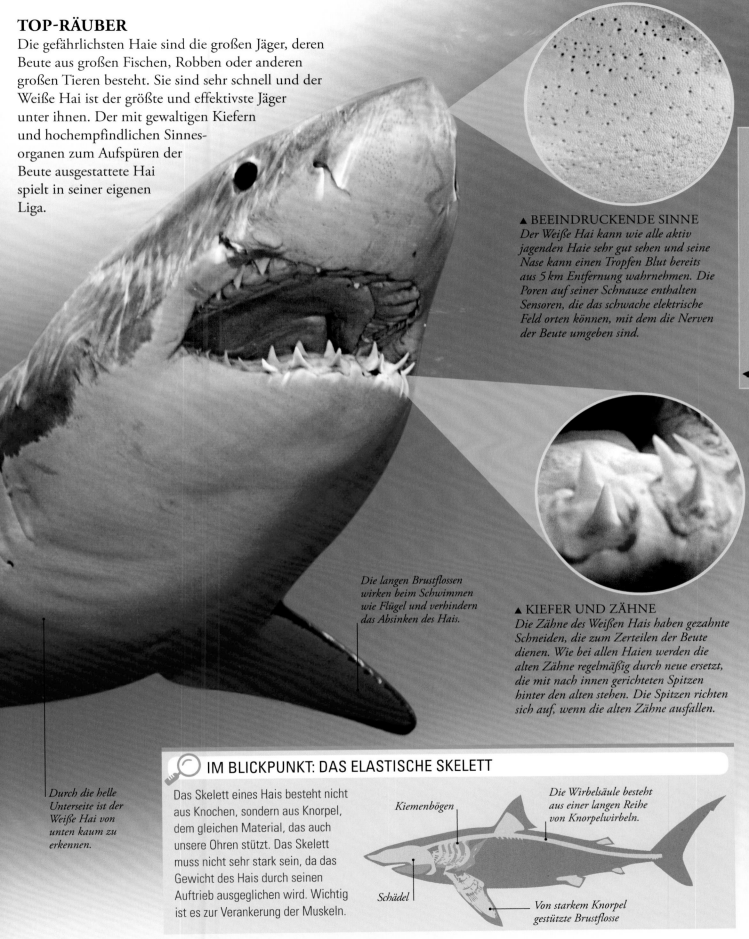

TOP-RÄUBER

Die gefährlichsten Haie sind die großen Jäger, deren
Beute aus großen Fischen, Robben oder anderen
großen Tieren besteht. Sie sind sehr schnell und der
Weiße Hai ist der größte und effektivste Jäger
unter ihnen. Der mit gewaltigen Kiefern
und hochempfindlichen Sinnesorganen zum Aufspüren der
Beute ausgestattete Hai
spielt in seiner eigenen
Liga.

▲ BEEINDRUCKENDE SINNE
*Der Weiße Hai kann wie alle aktiv
jagenden Haie sehr gut sehen und seine
Nase kann einen Tropfen Blut bereits
aus 5 km Entfernung wahrnehmen. Die
Poren auf seiner Schnauze enthalten
Sensoren, die das schwache elektrische
Feld orten können, mit dem die Nerven
der Beute umgeben sind.*

*Die langen Brustflossen
wirken beim Schwimmen
wie Flügel und verhindern
das Absinken des Hais.*

▲ KIEFER UND ZÄHNE
*Die Zähne des Weißen Hais haben gezahnte
Schneiden, die zum Zerteilen der Beute
dienen. Wie bei allen Haien werden die
alten Zähne regelmäßig durch neue ersetzt,
die mit nach innen gerichteten Spitzen
hinter den alten stehen. Die Spitzen richten
sich auf, wenn die alten Zähne ausfallen.*

*Durch die helle
Unterseite ist der
Weiße Hai von
unten kaum zu
erkennen.*

IM BLICKPUNKT: DAS ELASTISCHE SKELETT

Das Skelett eines Hais besteht nicht
aus Knochen, sondern aus Knorpel,
dem gleichen Material, das auch
unsere Ohren stützt. Das Skelett
muss nicht sehr stark sein, da das
Gewicht des Hais durch seinen
Auftrieb ausgeglichen wird. Wichtig
ist es zur Verankerung der Muskeln.

Kiemenbögen

*Die Wirbelsäule besteht
aus einer langen Reihe
von Knorpelwirbeln.*

Schädel

*Von starkem Knorpel
gestützte Brustflosse*

Filtrierende Riesen

Der größte Fisch im Meer ist kein Jäger mit scharfen Zähnen, sondern ein ruhiges Tier, das sich von Plankton ernährt, das es aus dem Wasser filtert. Dabei benutzt der Walhai die gleiche Technik wie die Heringe und Sardellen. Er presst das mit dem Maul aufgenommene Wasser durch die Kiemen, wo die Nahrung an den Kiemenrechen hängen bleibt.

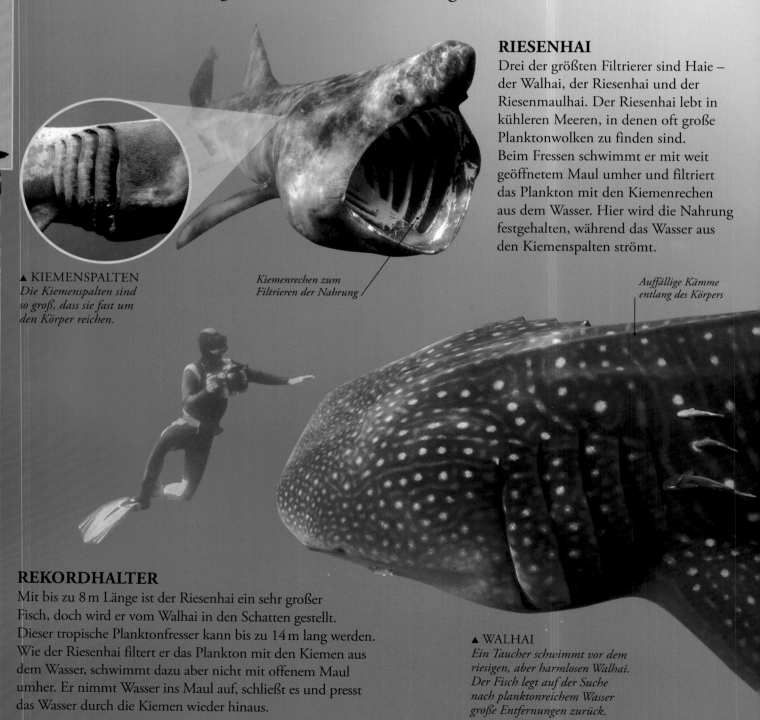

RIESENHAI

Drei der größten Filtrierer sind Haie – der Walhai, der Riesenhai und der Riesenmaulhai. Der Riesenhai lebt in kühleren Meeren, in denen oft große Planktonwolken zu finden sind. Beim Fressen schwimmt er mit weit geöffnetem Maul umher und filtriert das Plankton mit den Kiemenrechen aus dem Wasser. Hier wird die Nahrung festgehalten, während das Wasser aus den Kiemenspalten strömt.

▲ KIEMENSPALTEN
Die Kiemenspalten sind so groß, dass sie fast um den Körper reichen.

Kiemenrechen zum Filtrieren der Nahrung

Auffällige Kämme entlang des Körpers

REKORDHALTER

Mit bis zu 8 m Länge ist der Riesenhai ein sehr großer Fisch, doch wird er vom Walhai in den Schatten gestellt. Dieser tropische Planktonfresser kann bis zu 14 m lang werden. Wie der Riesenhai filtert er das Plankton mit den Kiemen aus dem Wasser, schwimmt dazu aber nicht mit offenem Maul umher. Er nimmt Wasser ins Maul auf, schließt es und presst das Wasser durch die Kiemen wieder hinaus.

▲ WALHAI
Ein Taucher schwimmt vor dem riesigen, aber harmlosen Walhai. Der Fisch legt auf der Suche nach planktonreichem Wasser große Entfernungen zurück.

Großes Maul zum Verschlingen kleiner Nahrung

AHA!

Einige Walhaie können ein Gewicht von bis zu 30 t erreichen – mehr als ein voll besetzter Schulbus.

Jedes Tier kann man an seinem einzigartigen Muster aus Punkten und Streifen erkennen.

MYSTERIÖSER HAI

Riesen- und Walhaie sind schon seit Jahrhunderten bekannt, doch der Riesenmaulhai ist erst 1976 entdeckt worden. Er war unbekannt, da er den Tag in der Tiefe der Meere verbringt und nur nachts an die Wasseroberfläche kommt. Er folgt der Bewegung des winzigen Zooplanktons, das ebenfalls nachts an die Wasseroberfläche kommt und tagsüber in die Tiefe sinkt. Leuchtorgane am Maul des Hais dienen vielleicht dazu, seine Beute in der Dunkelheit anzulocken.

Die flügelartigen Brustflossen schlagen auf und ab.

Zwei Kopfflossen helfen den Tieren, die Nahrung ins Maul zu leiten.

Der Walhai ist der größte Fisch der Meere.

Kiemenschlitze

RIESIGER ROCHEN

Wegen der flügelartigen Brust- und der hornartigen Kopfflossen wird der Mantarochen auch als Teufelsrochen bezeichnet. Mit bis zu 7 m Spannweite ist er der größte Rochen. Er benutzt die riesigen Flossen, um mit ihnen auf der Suche nach Plankton durch das Wasser zu fliegen. Er frisst wie ein Riesenhai, indem er mit offenem Maul durch das Wasser schwimmt und die Kiemen als Filter benutzt.

▲ FLIEGENDER FILTRIERER
Diese Bauchansicht eines schwimmenden Mantas zeigt, wie die großen Kiemenspalten beim Filtrieren der Nahrung weit offen stehen.

Bartenwale

Die größten Meerestiere sind die Bartenwale. Zu ihnen gehört auch das größte Tier aller Zeiten – der Blauwal. Bartenwale heißen die Tiere, da sie anstelle von Zähnen kammartige Platten aus einem fasrigen Material besitzen: die Barten. Mit ihnen filtern sie kleine Tiere aus dem Wasser, ähnlich wie die filtrierenden Haie und Rochen es mit ihren Kiemenrechen tun. Die verschiedenen Walarten kennen unterschiedliche Methoden, um an ihre Nahrung zu kommen. Wale sind sehr intelligent und manche arbeiten beim Beutefang zusammen. Sie können mit Tönen und Klicklauten kommunizieren.

IM BLICKPUNKT

Die Barten eines Wals bestehen aus Keratin, genau wie unsere Haare und Fingernägel. Sie bilden auf beiden Seiten des Oberkiefers lange Kämme und hängen herab, um bei offenem Maul die Lücke zwischen Ober- und Unterkiefer zu schließen. Beim Fressen setzen die Wale verschiedene Techniken ein, um das Maul mit Wasser zu füllen und es durch die Barten zu pressen. Die Barten halten kleine Tiere wie Ruderfußkrebse, Krill und kleine Fische zurück.

Grönlandwal
Arktis-Spezialist

Länge Bis zu 20 m
Gewicht Bis zu 100 t
Verbreitung Arktis

Der Grönlandwal ist an seinem gebogenen Kiefer zu erkennen. Er ernährt sich im eisigen Wasser des Nordpolarmeers und angrenzender kalter Gewässer von winzigen Ruderfußkrebsen. Anders als andere Bartenwale schwimmt er mit offenem Maul. So wird Wasser hineingedrückt, welches das Maul durch die sehr langen Barten an den Seiten verlässt.

Grauwal
Fressen am Meeresgrund

Länge Bis zu 15 m
Gewicht Bis zu 36 t
Verbreitung Nordpazifikküsten

Der Grauwal frisst Tiere vom Meeresgrund – ungewöhnlich für einen Bartenwal. Dabei schwimmt er auf der Seite und pflügt sich durch den weichen Schlick. Die Mischung nimmt er ins Maul auf und gibt sie über die Barten wieder ab, wobei er seine Beute herausfiltert.

Buckelwal
Dehnbare Kehle

Länge Bis zu 19 m
Gewicht Bis zu 40 t
Verbreitung Weltweit

Der Buckelwal hat besonders lange Flossen und eine Schnauze, die mit Hautverdickungen besetzt ist, die man als Tuberkel bezeichnet. Da er ein Furchenwal ist, kann er die Kehle dehnen, um enorme Mengen an Wasser und Beute aufzunehmen. Buckelwale fressen Krill und kleine Fische, die sie oft mit Vorhängen aus Luftblasen zusammentreiben. Dann schießen sie nach vorn und nehmen einen ganzen Schwarm in ihr Maul.

Zwergwal
Dehnbare Kehle

Länge Bis zu 10 m
Gewicht Bis zu 10 t
Verbreitung Weltweit

Zum Zwergwal werden heute eine nördliche und eine südliche Art sowie mehrere Unterarten gezählt. Die Zwergwale sind die kleinsten Furchenwale. Diese sind nach den Kehlfurchen benannt, die eine erhebliche Vergrößerung des Rachenraums erlauben. Das Wasser wird mit der großen, muskulösen Zunge wieder aus dem Maul gedrückt.

Zwergglattwal
Antarktischer Krilljäger

Länge Bis zu 6,5 m
Gewicht Bis zu 3,5 t
Verbreitung Südpolarmeer

Der Zwergglattwal ist der kleinste Bartenwal, wiegt aber immer noch so viel wie zwei durchschnittliche Autos. Er jagt im Südpolarmeer Krill und andere kleine Tiere. Wenn das Meer um Antarktika im Winter gefriert, kann er nördlich bis nach Australien und Südafrika ziehen.

Blauwal
Stromlinienförmiger Gigant

Länge Bis zu 31 m
Gewicht Bis zu 200 t
Verbreitung Weltweit

Das größte Tier der Erde gehört wie die Zwergwale zu den Furchenwalen und ernährt sich ähnlich. Der Blauwal frisst vor allem den Krill, besonders im Südpolarmeer, wo er im Sommer 40 Millionen dieser garnelenartigen Krebse täglich verzehrt. Im Winter wandert er zur Vermehrung in wärmere Meere.

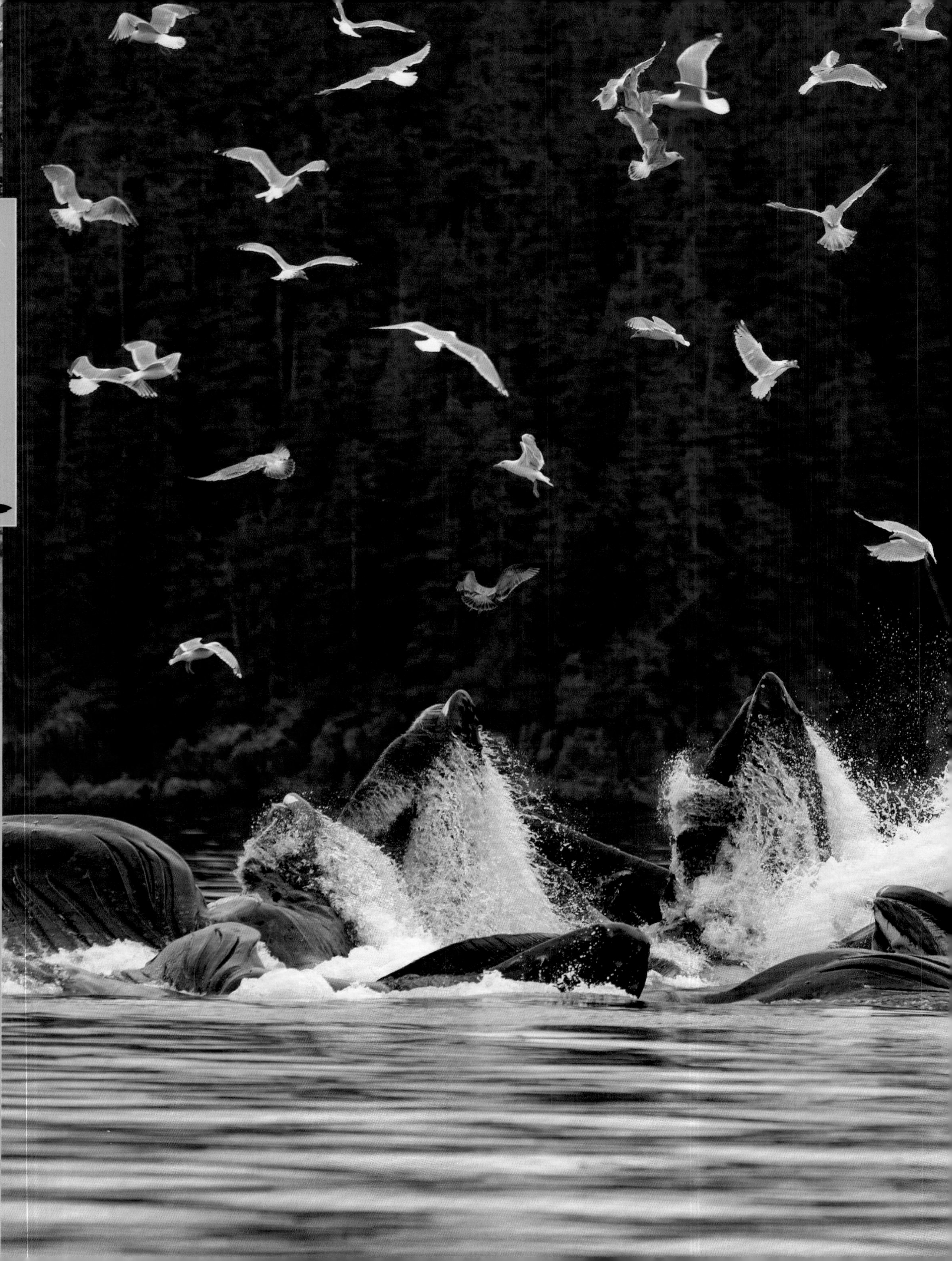

IM TEAM JAGENDE WALE

Diese Schule von Buckelwalen hat es vor der Küste Alaskas geschafft, einen Schwarm kleiner Fische zusammenzudrängen. Nun schießen die Wale mit weit geöffnetem Maul von unten an die Wasseroberfläche. Dabei verschlingen sie Hunderte von Fischen auf einmal, während hungrige Vögel auf die Reste warten.

Zahnwale und Delfine

Die meisten Wale gehören nicht zu den filtrierenden Bartenwalen, sondern zu den fischfressenden Zahnwalen. Von ihnen gibt es über 70 Arten, darunter den riesigen Pottwal, den Narwal, der einen Stoßzahn trägt, und viele Delfinarten. Anders als die Bartenwale jagen die Zahnwale einzelne Tiere, etwa große Fische, Kalmare und sogar Robben und andere Wale.

SCHNELLE JÄGER

Die bekanntesten Zahnwale sind die Delfine. Diese schlanken, extrem schnellen Jäger sind sehr gesellige und intelligente Tiere. Sie leben in großen Schulen und arbeiten bei der Jagd auf Fische und Kalmare zusammen. Delfine sind für die verschiedenen Klick-, Pfeif- und Quietschlaute bekannt, mit denen sie bei der Jagd in Kontakt bleiben. Dabei hat jeder Delfin ein eigenes Pfeifsignal, das als sein Name dient und von anderen Delfinen benutzt wird, um seine Aufmerksamkeit zu erregen.

IM BLICKPUNKT

Anders als die Zähne der meisten Säugetiere sind Walzähne kegelförmig, ähnlich wie Krokodilzähne. Mit ihnen kann das Tier die Beute ergreifen und festhalten, aber nicht kauen. Manche Wale haben über 100 Zähne, andere nur wenige. Die unten abgebildeten Zähne des Pottwals sind die größten Zahnwalzähne. Jeder von ihnen wiegt bis zu 1 kg.

AHA!

Wissenschaftler haben einigen Delfinen eine Art Zeichensprache beigebracht, sodass sie mit ihnen kommunizieren können.

ECHOORTUNG

Delfine und andere Zahnwale stoßen Klicklaute aus, die vom Ziel zurückgeworfen werden. Das Echo erzeugt ein akustisches Bild ihrer Beute. Bei Delfinen werden die Laute in neben dem Blasloch liegenden Nasensäcken erzeugt. Die sogenannte Melone im vorderen Kopfbereich sorgt für die Bündelung des Schalls. Die Echos werden über den Unterkiefer an die Ohren übertragen.

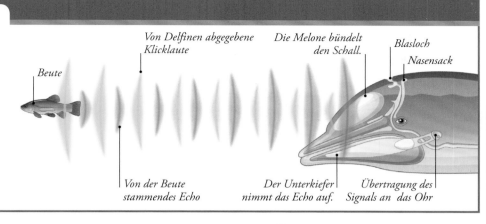

Beute

Von Delfinen abgegebene Klicklaute

Die Melone bündelt den Schall.

Blasloch
Nasensack

Von der Beute stammendes Echo

Der Unterkiefer nimmt das Echo auf.

Übertragung des Signals an das Ohr

GRÖSSTER ZAHNWAL

Die meisten Zahnwale sind kleiner als Bartenwale, doch der Pottwal ist mit bis zu 20 m Länge ein Riese. Sein Kopf ist zum großen Teil mit einer als Walrat bezeichneten Substanz gefüllt. Man nahm an, dass Walrat bei der Regulierung des Auftriebs eine Rolle spielt. Tatsächlich dient er wohl eher der Schallbündelung (siehe oben).

◄ POTTWAL
Ein Pottwal kann bei der Jagd 3 km tief tauchen und dabei über 1 Stunde lang unter Wasser bleiben, bevor er wieder an der Oberfläche Luft holen muss.

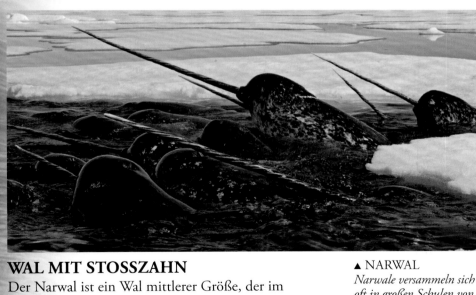

WAL MIT STOSSZAHN

Der Narwal ist ein Wal mittlerer Größe, der im Nordpolarmeer lebt. Er fällt vor allem durch den spiralförmig gedrehten Stoßzahn auf, den die Männchen im Oberkiefer tragen. Man vermutet heute, dass der Zahn eine Rolle als Sinnesorgan spielt. Früher wurde er als Zahn des sagenumwobenen Einhorns angesehen und zu hohen Preisen gehandelt.

▲ NARWAL
Narwale versammeln sich oft in großen Schulen von mehreren Hundert Tieren. Sie leben im Packeis, das genügend Möglichkeit zum Atmen bietet.

Albatrosse
Wanderer der Meere

Spannweite Bis zu 3,6 m
Verbreitung Südliche Meere, Nordpazifik
Jagdtechnik Fischen an der Oberfläche

Die größten und eindrucksvollsten Meeresvögel sind die Albatrosse der südlichen Meere, die extrem lange Flügel besitzen. Sie können tage- oder sogar wochenlang ununterbrochen fliegen. Dabei halten sie nach Fischen oder Kalmaren Ausschau, die an der Oberfläche schwimmen, und erbeuten sie im Flug. Zum Fressen können sie sich auch auf der Wasseroberfläche niederlassen.

Seevögel

Manche Vögel verbringen fast ihr ganzes Leben auf dem offenen Meer. Nur zum Nestbau kehren sie an Land zurück, da sie einen festen Untergrund für ihre Eier benötigen. Auf dem Meer fressen sie Fische, Kalmare, Krill und andere Meerestiere, wobei sie verschiedene Jagdtechniken entwickelt haben. Manche fangen ihre Beute an der Wasseroberfläche, andere sind Sturztaucher oder „fliegen" sogar unter Wasser.

Tölpel
Sturztaucher

Spannweite Bis zu 1,8 m
Verbreitung Tropische Meere, Nordatlantik
Jagdtechnik Sturztauchen

Die dramatischste Jagdtechnik ist von den Tölpeln entwickelt worden, zu denen der abgebildete tropische Blaufußtölpel gehört. Sie peilen einen Fisch aus der Luft an und stürzen sich mit hoher Geschwindigkeit ins Wasser, wobei sie die Flügel nach hinten gefaltet haben. Beim Aufprall werden die inneren Organe durch Luftsäcke unter der Haut geschützt. Die Beute ergreifen sie unter Wasser mit dem langen Schnabel.

Kormorane
Küstenjäger

Spannweite Bis zu 1,5 m
Verbreitung Küstenmeere der ganzen Erde
Jagdtechnik Verfolgung unter Wasser

Diese Fischfresser der Küste sind auf die Jagd unter Wasser spezialisiert, wo sie mithilfe der großen Schwimmhäute an ihren Füßen vorwärtskommen. Die Federn der Kormorane nehmen mehr Wasser auf als das Gefieder der meisten Seevögel. So haben sie weniger Auftrieb, müssen die Federn aber oft mit ausgebreiteten Flügeln trocknen.

Alken
Unterwasserflieger

Spannweite Bis zu 73 cm
Verbreitung Alle nördlichen Meere
Jagdtechnik Verfolgung unter Wasser

Die Alken haben ungewöhnlich kurze, kräftige Flügel, mit denen sie unter Wasser „fliegen" können. Auf diese Weise jagen Lummen, Tordalke und Papageitaucher Fische im Wasser. Die kurzen Flügel sind nicht gut zum echten Fliegen geeignet, sodass die Alken sehr schnell mit ihnen schlagen müssen, um in der Luft zu bleiben.

Pinguine
Flugunfähige Schwimmer

Spannweite Bis zu 1 m
Verbreitung Küstenmeere der Südhalbkugel
Jagdtechnik Verfolgung unter Wasser

Die Entsprechung der Alken auf der Südhalbkugel sind die Pinguine. Diese Vögel sind gut an die Jagd im Wasser angepasst. Ihre Flügel sind so sehr zu Flossen umgewandelt, dass sie gar nicht mehr fliegen können. Dafür sind sie schnelle, elegante Schwimmer und manche der größeren Arten erreichen bei der Jagd große Tiefen. Sie leben überwiegend in den eisigen Gewässern des Südpolarmeers um Antarktika.

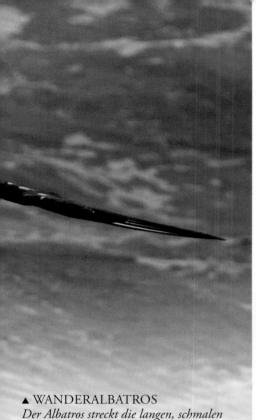

▲ WANDERALBATROS
Der Albatros streckt die langen, schmalen Flügel aus und segelt. Er kann weite Strecken ohne einen Flügelschlag zurücklegen.

Sturmvögel
Klein, aber robust

Spannweite Bis zu 56 cm
Verbreitung Alle Meere außer Nordpolarmeer
Jagdtechnik Fischen an der Oberfläche

Seevögel müssen extremes Wetter ertragen, auch wenn manche klein und zerbrechlich wirken. Dazu gehören die Sturmvögel, die kaum größer als Spatzen sind. Sie verbringen Monate auf See und ernähren sich von kleinen Tieren wie dem Krill. Viele leben im Südpolarmeer und brüten an den Küsten von Antarktika.

▶ FUTTERDIEB
Dieser Fregattvogel jagt der Seeschwalbe den gerade gefangenen Fisch ab.

Fregattvögel
Piraten der Lüfte

Spannweite Bis zu 2,4 m
Verbreitung Fast alle tropischen Meere
Jagdtechnik Diebstahl

Einige Seevögel stehlen lieber die Beute anderer Vögel, als selbst Nahrung zu suchen. Die aufdringlichsten von ihnen sind die langflügligen tropischen Fregattvögel, die andere Vögel in der Luft angreifen und sie dazu bringen, ihre Beute fallen zu lassen. Die Fregattvögel fangen den Fisch dann im Sturzflug auf, bevor er wieder ins Meer fällt.

Im Dämmerlicht

Je tiefer man ins Meer vordringt, desto dunkler wird es. In etwa 200 m Tiefe gibt es nur noch ein schwaches blaues Licht. Es entspricht in etwa dem Licht, das wir in der Nacht sehen. Diese Zone des Dämmerlichts ist das Mesopelagial. Hier ist es für die Algen zu dunkel, von denen ein großer Teil des Lebens abhängt. Daher müssen die hier lebenden Tiere entweder zur Nahrungssuche in die hellen Bereiche aufsteigen oder sich gegenseitig fressen.

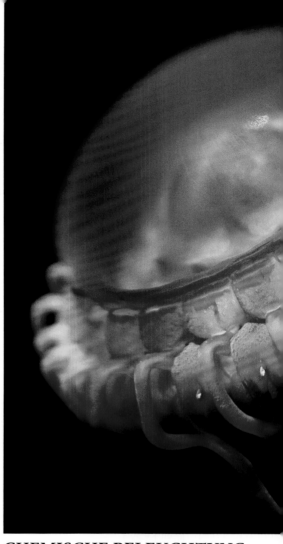

AUS DER TIEFE

Viele Tiere wie die Ruderfußkrebse und die abgebildeten Laternenfische leben tagsüber in der Dämmerlichtzone, steigen aber nachts auf, um Algen und anderes Plankton zu fressen. Bei Tagesanbruch sinken sie wieder ab, um nicht von Heringen und anderen Schwarmfischen gefressen zu werden. Verglichen mit der Größe der Laternenfische sind das enorme Strecken, für die sie jeweils bis zu 3 Stunden pro Weg benötigen. Da dies in den meisten Meeren der Erde stattfindet, kann man die Reise als größte Migration weltweit bezeichnen.

CHEMISCHE BELEUCHTUNG

Die Körper vieler Tiere, die in der Dämmerung leben, sind mit Leuchtorganen übersät. Zu ihnen gehören Kalmare, Fische und Quallen wie die abgebildete Kranz-qualle der Gattung *Atolla*. Diese Art der Lichterzeugung nennt man Biolumineszenz. Das Licht wird dabei durch eine chemische Reaktion erzeugt. Manche Tiere locken mit dem Licht ihre Beute an, während andere versuchen, ihre Feinde zu verwirren.

TÖDLICHES LICHT

Die kleinen Tiere, die tagsüber im Mesopelagial leben, werden von anderen Tieren wie diesem Leuchtkalmar gejagt. Er trägt Hunderte spezieller lichterzeugender Organe. Wahrscheinlich benutzt er sie, um seine Beute in die Reichweite seiner Tentakel zu locken.

RÄUBERISCHE VERFOLGER

Manche Fische des Mesopelagials sind darauf spezialisiert, die zum Fressen zur Wasseroberfläche aufsteigenden Tiere zu erbeuten. Dieser Beilfisch hat große, nach oben gerichtete Augen, mit denen er den Umriss kleiner Fische vor dem schwachen blauen Licht entdecken kann, das von der Wasseroberfläche kommt. Jeden Abend verfolgt der Beilfisch seine Beute bis zur Wasseroberfläche, tagsüber sinkt er wieder ab.

LICHT ALS TARNUNG

Der Beilfisch besitzt Reihen von Leuchtorganen auf seinem Körper. Es ist verblüffend, wie sie ihn vor seinen Feinden verstecken können. Er ahmt nämlich mit ihrem blauen Licht das Licht der Oberfläche nach. So wird der sonst sichtbare dunkle Umriss verdeckt.

▲ VOLL BELEUCHTET
In absoluter Dunkelheit würde der Beilfisch mit seinen Leuchtorganen auffallen.

▲ PASSENDER SCHIMMER
Vor dem von der Wasseroberfläche kommenden blauen Dämmerlicht verbergen die Leuchtorgane den Umriss des Fischs.

KILLER AUS DER TIEFE

Das Mesopelagial ist das Jagdgebiet einiger furchterregend aussehender Jäger. Zu ihnen gehört der pazifische Viperfisch, dessen riesige Kiefer mit langen, nadelartigen Zähnen ausgerüstet sind. Viele Tiefseefische haben ähnliche Zähne, die ihrer Beute die Flucht unmöglich machen. Beute ist in der Dämmerzone so selten, dass sich ein Raubfisch ihren Verlust nicht erlauben kann, da er vielleicht erst nach Wochen neue findet.

▼ LEUCHTKALMAR
Die Leuchtorgane dieses Kalmars leuchten im Dunkeln blau, doch kann er sie abschalten, um sich vor Feinden zu verstecken.

AHA!

Viele der Bewohner des Mesopelagials übermitteln Mitteilungen mit Lichtsignalen. Es ist die einzige Kommunikationsmöglichkeit.

In der Dunkelheit

Etwa 1000 m unterhalb der Wasseroberfläche verblasst auch der schwache blaue Schimmer des Mesopelagials. Hier wird das einzige Licht von Tieren mit Leuchtorganen erzeugt. Viele dieser außergewöhnlich aussehenden Jäger besitzen verschiedenste Eigenschaften, um ihre seltene Beute zu finden, zu fangen und zu fressen.

Der Köder sitzt an einer festen Angel und das blaue Licht in ihm wird von Bakterien erzeugt.

Langer, peitschenartiger Schwanz

TODESFALLE

In der Dunkelheit der Tiefsee lassen sich viele Fische mit Licht anlocken. Dieser Tiefsee-Anglerfisch nutzt das, indem er einen leuchtenden Köder oberhalb seines riesigen Mauls einsetzt. Jeder Fisch, der sich neugierig nähert, riskiert es, im Ganzen verschlungen zu werden.

Wegen des dunklen Körpers ist der Anglerfisch auch im Licht seines Köders kaum zu erkennen.

Die spitzen, gebogenen Zähne hindern die Beute am Entkommen.

Leuchtorgane unter den Augen

SUCHSCHEINWERFER

Manche Raubfische wie dieser Barten-Drachenfisch suchen ihre Beute mit roten „Scheinwerfern". Da die meisten Bewohner der Tiefsee rotes Licht nicht erkennen können, bemerken sie den Jäger nicht. Das rote Licht ist ideal, um rote Tiere zu erkennen, die in dem von den meisten Tiefseebewohnern produzierten blauen Licht

▲ ROTE GARNELE
Um den Barten-Drachen-fisch zu verwirren, gibt die rote Tiefseegarnele eine leuchtende Flüssigkeit ab.

Leuchtende Flüssigkeit

RIESIGER APPETIT

In der Tiefsee ist Beute schwer zu finden, sodass Raubfische fast alles verzehren müssen, was sie finden können. Der Pelikanaal ist eine dieser Arten. Sein riesiges Maul mit den speziellen Kieferknochen erlaubt es, Beute zu verschlucken, die so groß wie der Pelikanaal selbst ist. Natürlich ist auch sein Magen entsprechend dehnbar. Der Rest des Körpers besteht nur noch aus einem langen, dünnen Schwanz.

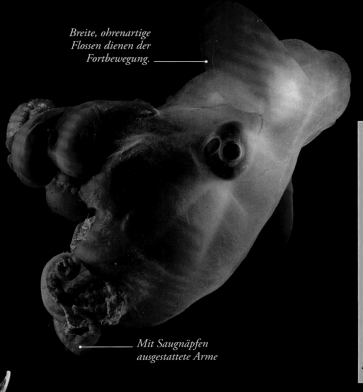

Breite, ohrenartige Flossen dienen der Fortbewegung.

Winzige Augen auf der Schnauze

Mit Saugnäpfen ausgestattete Arme

▲ PELIKANAAL
Da sie in so großen Tiefen leben, hat man nur wenige lebende Pelikanaale beobachtet. Dies ist ein konserviertes Tier.

Die Kiefer haben zwei Gelenke und können sich extrem weit öffnen.

AHA!

Der Kolosskalmar ist noch größer als der Riesenkalmar und hat mit 27 cm Durchmesser die größten Augen unter allen Tieren.

QUALLEN UND KRAKEN

Neben Fischen findet man in der Tiefsee noch andere seltsame Tiere. Zu ihnen gehören leuchtende Quallen, Tiefseekalmare und Verwandte der Kraken, die man als Cirrentragende Kraken bezeichnet. Einer von ihnen, der kleine Dumbo-Oktopus, lebt in einer unglaublichen Tiefe von bis zu 4000 m auf dem Meeresgrund. Mit seinen großen Augen kann er leuchtende Beute sehen.

Der schlanke Körper kommt mit wenig Nahrung aus, sodass der Fisch nur selten fressen muss.

KAMPF DER RIESEN

Die meisten Tiefseetiere sind eher klein, da sie mit wenig Nahrung auskommen müssen. Doch einige wie der bis zu 12 m lange Riesenkalmar und der noch größere Kolosskalmar sind Giganten. Sie werden von dem riesigen Pottwal gejagt und verteidigen sich mit ihren Haken und Saugnäpfen. Viele Pottwale tragen die Spuren dieser Auseinandersetzungen als kreisrunde Narben auf ihrer Haut.

Riesenkalmar
12 m

Pottwal
18 m

Auf dem Meeresgrund

Auf dem Meeresgrund der Tiefsee ist es ständig dunkel und eiskalt. Er wirkt wie eine Wüste, in der weite, strukturlose Ebenen von weichem Schlick bedeckt sind. Dabei handelt es sich zum großen Teil um die Überreste abgestorbenen Planktons. Viele Tiere haben sich darauf spezialisiert, es einzusammeln und zu fressen. Es gibt auch viele Aasfresser, die sich von den toten Tieren ernähren, die auf den Meeresboden abgesunken sind.

WEICHER SCHLICK

Der Untergrund des Meeresbodens besteht aus hartem, dunklem Basalt, der jedoch oft mit dicken Schichten weicher Sedimente bedeckt ist. In der Nähe der Kontinente sind das meist Sand und Schlamm, die durch Flüsse und den Wind ins Meer getragen wurden. Auf dem offenen Meer sind es Reste des Planktons, die aus den oberen Schichten abgesunken sind.

SCHLICKFRESSER

Tiere, die auf das Fressen organischer Überreste spezialisiert sind, nennt man Saprovore. Zu ihnen gehören die Tiefsee-Seegurken, die den Schlick aufnehmen und wie Regenwürmer in der Erde alles Organische verwerten. Diese Tiere können überraschend bunt gefärbt sein. Allerdings wirkt die rote Färbung dieser Seegurke in der Dunkelheit der Tiefsee pechschwarz.

AASFRESSER

Kaum ein Tier der Wasseroberfläche besucht jemals den Grund der Tiefsee. Doch nach dem Tod sinken die Überreste ab und erreichen den Meeresboden, wenn sie nicht vorher gefressen werden. Davon ernähren sich verschiedene Aasfresser, darunter die Grenadierfische und die mit den Haien verwandten Chimären. Der Rest wird von garnelenartigen Flohkrebsen verwertet.

◄ CHIMÄRE
Die auch als Seekatzen bezeichneten Chimären jagen lebende Tiere, fressen aber auch Aas.

DAS WASSER FILTERN

Manche Tiere sitzen unbeweglich auf dem Meeresboden und filtern Nahrung aus dem Wasser.
Zu ihnen gehören Seefedern sowie die mit den
Seesternen verwandten Seelilien und Gorgonenhäupter. Sie verankern sich auf dem Grund und
benutzen ihre verzweigten Arme, um von der
Strömung transportierte Nahrung zu erreichen.

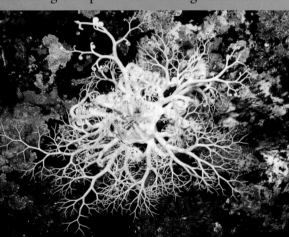

◄ SEEFEDER
*Sie trägt ihren Namen,
weil sie an eine Schreibfeder
früherer Zeiten erinnert.
Die Seefeder filtriert alles
Fressbare aus dem Wasser.*

▲ GORGONENHAUPT
*Wie die Seesterne besitzen
auch die Gorgonenhäupter
Röhrenfüßchen, mit denen
sie Nahrung zum Mund
befördern können.*

HERUMSTEHEN

Der seltsame Dreibeinfisch besitzt drei
verlängerte, steife Flossenstrahlen, mit denen
er auf dem Meeresgrund steht. Gegen die
Strömung ausgerichtet und hoch über dem
Grund kann er jede Nahrung erreichen,
die vorbeigetrieben wird. Obwohl er
schwimmen kann, bekommt er seine
Nahrung, ohne sich zu bewegen.

AHA!

Nur ein kleiner Teil der
auf dem Meeresgrund
lebenden Tiere ist der
Wissenschaft bekannt, da
die Tiefsee so schwer
zu erreichen ist.

Schwarze Raucher

Das aus dem Schwarzen Raucher schießende heiße Wasser enthält viele Chemikalien, die aus dem Gestein unter dem Meeresgrund gelöst wurden. Die Archaeen verbinden einige dieser Chemikalien mit Sauerstoff, sodass sie mit dieser Energie Zucker herstellen können. Mit dem Zucker bauen sie ihre Zellen auf, die den Meerestieren als Nahrung dienen.

Die sich an den mittelozeanischen Rücken befindenden Schwarzen Raucher sind die Tiefsee-Entsprechung zu den Korallenriffen – Hotspots des Lebens in karger Umgebung. An Schwarzen Rauchern können außergewöhnliche Organismen leben, die nicht von Nahrungsquellen abhängig sind, die das Sonnenlicht benötigen. Stattdessen basiert das Ökosystem auf der chemischen Energie, die die bakterienähnlichen Archaeen nutzen. Von ihnen leben wiederum Krabben, Muscheln und Bartwürmer.

▲ NAHRUNGSFABRIK
Dicke Archaeen-Matten bedecken das warme Gestein im Umkreis der Schwarzen Raucher.

KONTRAST

Das extrem heiße Wasser der Quellen ist eine lebenswichtige Energiequelle, doch die heißen Temperaturen können auch tödlich sein. Dennoch können einige Tierarten in unmittelbarer Nähe leben. Dieser Pompeji-Wurm lebt mit dem Kopf in einer Röhre bei etwa 20 °C und steckt den Schwanz in das etwa 70 °C heiße Wasser der Umgebung. Der Temperaturunterschied wäre für die meisten Tiere tödlich

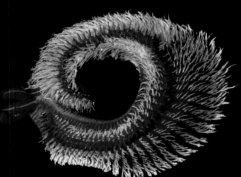

WEISSE GARNELEN

Die in der Umgebung der Schwarzen Raucher lebenden Archaeen werden je nach Standort von verschiedenen Tieren abgegrast. Diese weißen Garnelen leben am Mittelatlantischen Rücken und im Pazifik gibt es entsprechende weiße Krabben. Sowohl die Garnelen als auch die Krabben scheinen blind zu sein, doch es gibt auch Arten mit lichtempfindlichen Organen.

MUSCHELN

Die meisten Tiere fressen die auf dem Gestein lebenden Archaeen, doch andere ernähren sich von den Mikroorganismen in ihren Körpern. Zu ihnen gehören die großen Muscheln im Bereich der Raucher, die mit dem chemikalienhaltigen Wasser die Mikroorganismen ihrer Kiemen ernähren.

◄ RIESENMUSCHELN
Diese Bänke riesiger Muscheln wachsen an einer Quelle in der Nähe des unterseeischen Fifuku-Vulkans im Westpazifik.

FAKTEN

■ Das aus den Schwarzen Rauchern aus-
tretende Wasser kann eine Temperatur
von 350 °C haben, doch es mischt sich mit
Wasser, das nahe am Gefrierpunkt liegt.
■ Der Raucheffekt wird von Chemikalien
erzeugt, die zu festen, dunklen Teilchen
geworden sind. Andere Chemikalien
bleiben gelöst und können von Mikroorganismen und Tieren genutzt werden.
■ Andere Quellen im Meeresboden
geben Methangas ab und werden von
vergleichbaren Lebewesen besiedelt.
Das Gas kann im kalten Wasser zu Eis
gefrieren.

RIESENWÜRMER

Die auffälligsten Bewohner der
Schwarzen Raucher und ähnlicher
Quellen sind die bis zu 1,8 m langen
Bartwürmer. Sie bilden um die Quellen
herum, wo sie die Chemikalien aus
dem Wasser aufnehmen können, dichte
Kolonien. Diese Chemikalien werden
von den Mikroorganismen in ihrem
Körper genutzt und die Würmer
nehmen die von ihnen produzierten
Nährstoffe auf. Dieses System ähnelt
dem der Muscheln. So können die
Würmer verblüffend schnell wachsen
und ihre volle Größe in nur
wenigen Monaten erreichen.

▼ ROTE KIEMEN
*Jeder Wurm lebt in einer dünnwandigen
Röhre. Mit den roten Kiemen nimmt
er Sauerstoff und wichtige Chemikalien
auf.*

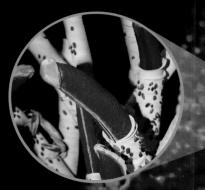

DIE SCHELF-MEERE

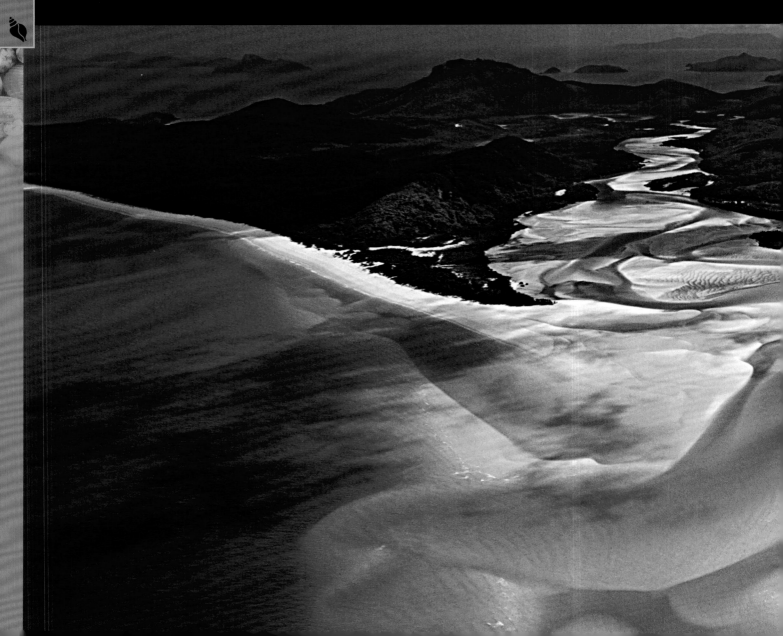

Ob üppige Kelpwälder
oder farbenfreudige
Korallenriffe – die warmen,
sonnendurchfluteten Meere,
die die Kontinente und
Inseln säumen, sind
voller Leben.

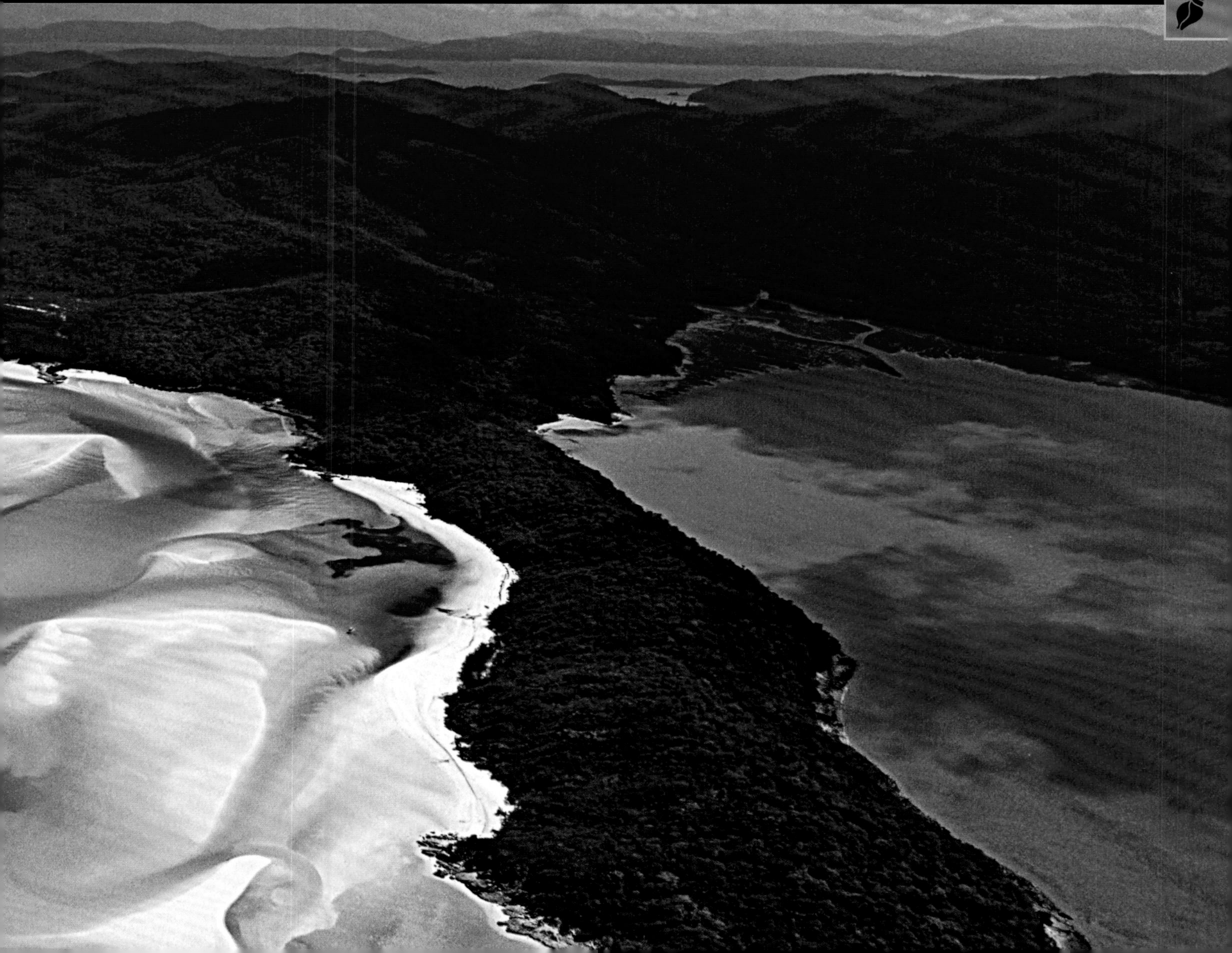

VOM LICHT DURCHFLUTET

Das vom Sonnenlicht versorgte Epipelagial reicht bis in eine Tiefe von 200 m. Da die Schelfmeere im Durchschnitt 150 m tief sind, liegen sie vollständig in diesem Bereich. Hier leben auch die meisten Meerestiere. In der Tiefsee ist das Wasser zu dunkel, als dass Organismen dort leben könnten, die vom Licht abhängig sind. Insgesamt ist sie daher dünner besiedelt.

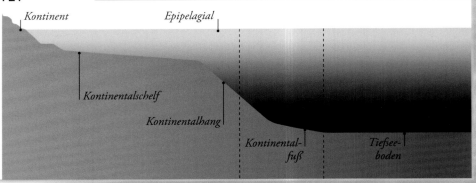

Kontinent *Epipelagial*
Kontinentalschelf
Kontinentalhang
Kontinental-fuß *Tiefsee-boden*

Reich an Leben

Die flachen Schelfmeere sind viel dichter als die Tiefsee besiedelt. Das liegt zum Teil daran, dass das Wasser mehr Nährstoffe für die winzigen Organismen des Phytoplanktons enthält. Das bis in die tieferen Bereiche des Wassers reichende Licht ist ebenfalls eine Grundlage für das Phytoplankton-Wachstum. Diese Organismen bilden die Nahrungsgrundlage für die Tiere aller Tiefen.

AHA!

Nur 7 % der Fläche aller Meere bestehen aus Schelfmeeren, doch der größte Teil aller Lebewesen des Meers lebt in ihnen.

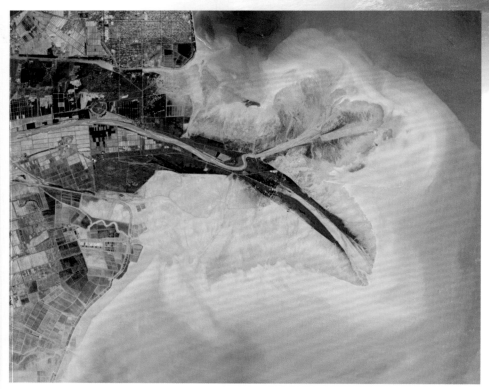

MINERALIENREICHTUM

Die Tange und das Phytoplankton benötigen nicht nur Licht, sondern auch Mineralien, mit deren Hilfe sie ihr Gewebe aufbauen können. Dieses ist die Nahrungsgrundlage für das gesamte Leben im Meer. In Schelfmeeren schaffen die Flüsse Mineralien in großen Mengen herbei. Sie werden von den Wellen auch aus dem Gestein der Küste gelöst.

◀ WICHTIGE MINERALIEN
Ein Bild der Mündung des chinesischen Gelben Flusses zeigt, wie die transportierten Mineralien das Meer färben.

KRAFT DER STÜRME
Die auf dem Grund abgelagerten Mineralien sind nicht weit von der Wasseroberfläche entfernt. Besonders bei Stürmen mischen sie sich mit dem sonnenbeschienenen Oberflächenwasser. Hier profitiert das Phytoplankton von den Nährstoffen und dient seinerseits dem restlichen Leben im Meer als Nahrung.

▲ WALHAI
Der Walhai filtert das Wasser durch seine Kiemenrechen und erbeutet die kleinen Organismen, die das Wasser der Schelfmeere trüben.

WIMMELNDES LEBEN
Das Phytoplankton vermehrt sich in den flachen Schelfmeeren schnell, wo es genug Sonnenlicht und Nährstoffe gibt. Es kann in so großen Mengen vorkommen, dass das Wasser grün und wolkig ist. Das wirkt wie eine Verschmutzung, doch tatsächlich wimmelt das Wasser von Leben.

REICHER FISCHFANG
Vom reichen Leben der Schelfmeere profitieren Schwärme von Heringen, Sardinen und Sardellen. Da diese Fische wichtig für die menschliche Ernährung sind, befinden sich einige der wichtigsten Fanggebiete in den flachen Schelfmeeren. Bis vor Kurzem sprach nichts dafür, in der Tiefsee zu fischen, doch die Überfischung der Küstenbereiche hat dort viele Fische selten werden lassen.

Sand und Riffe

Anders als der Tiefseeboden wird der Grund der
Schelfmeere von der Sonne beschienen und erwärmt.
So gedeihen hier viele Lebensformen, besonders im
flachen Bereich, wo es besonders hell ist. Verschiedene
Formen des Meeresgrunds bieten den Tieren die
unterschiedlichsten Möglichkeiten, um zu überleben.

▲ BLAUPUNKT-ROCHEN
*Das Maul dieses tropischen Rochens
befindet sich auf der Unterseite, sodass er
im Sand vergrabene Beute fressen kann.*

ZERKLÜFTETE FELSEN

An manchen Stellen liegt das harte Grund-
gestein des Meeresbodens frei und bildet
Felsenriffe. Hier gibt es eine Vielfalt von
Leben, darunter Tange, Schwämme,
Seescheiden und viele Muscheln, die auf
dem felsigen Untergrund sitzen. Das
Gestein ist auch voller Löcher, in denen
sich Tiere verstecken können, darunter
Muränen, Krabben, Hummer und Kraken.

TREIBENDER SAND

Oft ist der Meeresgrund von Sand
und anderen Sedimenten bedeckt. Sie
sind oft das Resultat der Erosion der
Küsten, sind aber auch von den Flüssen
abgelagert worden. Obwohl der Sand
leblos aussieht, gibt es hier grabende
Würmer und Muscheln, die von
anderen Tieren erbeutet werden.

SCHIFFSWRACKS

Viele der sich verschiebenden Sandbänke und der
Riffe in den Schelfmeeren liegen knapp unter der
Wasseroberfläche. Vor der Zeit exakter Karten und der
Satellitennavigation waren sie die Ursache vieler Schiffs-
unglücke. In den Schelfmeeren findet man daher häufig
Schiffswracks, von denen manche älter als 1000 Jahre
sind. Diese Wracks bilden heute perfekte Lebensräume.

FEILENMUSCHEL

Ein sandiger Untergrund wird vom
Wasser immer wieder aufgewirbelt,
was das Leben vieler Tiere erschwert.
Doch viele Weichtiere wie diese
Feilenmuschel verankern sich mit
starken Fäden im Sand, den sie so
zu einer Matte verbinden. Diese
erlaubt es auch anderen Tieren,
sich niederzulassen, und so kann
ein Riff entstehen.

SITZENDE SCHÖNHEIT

Weil das Licht bis zum Boden dringt,
können große Mengen mikroskopisch
kleinen Planktons im Wasser leben.
Das kommt Tieren zugute, die sich
nur an einer Stelle aufhalten und ihre
Nahrung aus dem Wasser filtern. Dazu
gehören die verschiedenen Muscheln,
aber auch die blütenartigen Seeanemonen sowie Röhrenwürmer,
die in einer Röhre leben und im
Wasser schwebende Nahrung mit
ihrer Tentakelkrone auffangen.

◄ RÖHRENWURM
*Die Tentakelkrone dieses Röhrenwurms
wirkt wie ein Sieb, das kleine Tiere und
andere Nahrung aus dem Wasser fischt.*

AHA!

In manchen flachen Meeren
hat man alte Schiffe
absichtlich versenkt, um
künstliche Riffe für Fische
und andere Meerestiere
zu schaffen.

▲ GALÁPAGOS-SEELÖWE
*Dieser Seelöwe ist ein guter Jäger und er kann
bis zu 200 m tief tauchen. Er jagt Fische,
aber auch Kalmare und Krabben.*

ROBBENMAHLZEIT

Robben jagen im Meer, müssen jedoch
zum Atmen an die Wasseroberfläche
zurückkehren. Schelfmeere sind ideal
für sie, da sie sich dort auf dem Meeresgrund ihre Beute suchen und wieder an
die Oberfläche zurückkehren können.
In tieferen Gewässern erreichen sie oft
den Grund nicht und müssen zur Jagd
von schnellen Fischen und Kalmaren
mehr Energie aufwenden.

Phylloid

Weiches Cauloid, das das Gewicht des Tangs nicht tragen kann.

Gasblasen als Auftriebskörper

Seetang

Der größte Teil der in den Meeren erzeugten Nahrung wird von dem im Wasser treibenden Phytoplankton erzeugt. Diese winzigen Algen haben größere Verwandte, die im Sonnenlicht des Flachwassers gedeihen. Sie werden als Tange bezeichnet. Obwohl sie so aussehen, sind sie keine echten Pflanzen, da sie anders aufgebaut sind. Sie leben nur im Wasser, doch viele von ihnen sind an die Bedingungen der Gezeitenzone angepasst.

ALGEN DES MEERS

Tange sind vielzellige Verwandte der kleinen einzelligen Algen, aus denen das Phytoplankton zum großen Teil besteht. Sie gehören zu den Braun- und den Grünalgen. Wie Pflanzen können sie die Sonnenenergie nutzen, um aus Wasser und Kohlendioxid Zucker herzustellen. Diesen Vorgang nennt man Fotosynthese.

AUFTRIEB

Da Tange Sonnenlicht benötigen, müssen sie in der Nähe der Wasseroberfläche wachsen. Manche treiben im Wasser, doch die meisten sind auf den Steinen im flachen Wasser verankert. Viele Arten besitzen gasgefüllte Auftriebskörper, die ihr Gewebe so nahe wie möglich an die Wasseroberfläche bringen.

GEZEITEN

Zur Zuckerproduktion benötigen Tange Wasser. Sie nehmen es über ihre gesamte Oberfläche auf, da sie keine echten Wurzeln haben. Das geht nur, wenn sie sich unter Wasser befinden, doch viele Tange sind robust genug, um bei Ebbe einige Stunden auf dem Trockenen zu verbringen. Im Sonnenschein können sie austrocknen, erholen sich aber schnell, wenn die Flut kommt und sie wieder unter Wasser gelangen.

GRASENDE TIERE

Tange dienen vielen Tieren als Nahrung, darunter Krabben, See-igeln, Schnecken und verschiedenen Fischen. Viele tropische Papagei-fische weiden die auf den Korallen-riffen wachsenden Tange ab, indem sie diese mit ihren Zähnen vom Untergrund schaben. So werden die Riffe nicht von Algen überwuchert.

◄ PAPAGEIFISCHE
Papageifisch-Zähne sind zu einem Schnabel verschmolzen, der Korallenkalk abschaben kann, um an die Algen zu kommen.

VERSCHIEDENE ALGEN

Tange können zu drei verschiedenen Gruppen ge-hören: den Braun-, den Grün- und den Rotalgen. Sie unterscheiden sich nicht nur in der Farbe, sondern auch in ihrem Aufbau. Zu den Braunalgen zählen große, kräftige Tange wie der Kelp, während die Grünalgen zarter sind. Zu den Rotalgen gehören Kalkrotalgen, die zum Aufbau der Riffe beitragen.

Braunalge

Grünalge

Rotalge

Kelpwälder

Die flachen Schelfmeere an den Küsten vieler kühler Meere bieten Tangen ideale Lebensgrundlagen. An manchen Orten, etwa Alaska und Kalifornien in den USA, bilden riesige Tange – der Kelp – ganze Wälder, die den verschiedensten Meerestieren Unterschlupf und Nahrung bieten. Manche dieser Tiere fressen den Kelp, doch die meisten jagen andere Kelpbewohner.

KLARE GEWÄSSER

An Küsten mit klarem Wasser, zum Beispiel an der Pazifikküste Nord- und Südamerikas, kann der zu den Braunalgen gehörende Kelp im sonnendurchfluteten Wasser bis zu 40 m hoch werden, so groß wie Bäume an Land. Der im Meeresboden verankerte Kelp reicht bis zur Wasseroberfläche, wo seine Spitzen in den Wellen treiben. Manche dieser Algen werden sogar 50 m hoch.

▶ KELPWALD
Der von gasgefüllten Auftriebskörpern aufrecht gehaltene Kelp wächst vor der kalifornischen Küste dem Sonnenlicht entgegen.

🔍 IM BLICKPUNKT: DIE VERANKERUNG

Der Kelp verankert sich mit einem Haftorgan am Boden, das man Rhizoid nennt. Obwohl das Rhizoid wie eine Wurzel aussieht, kann der Kelp keine Nährstoffe mit ihm aufnehmen. Die Hauptfunktion ist die Verankerung auf dem Meeresgrund, die verhindert, dass er mit der Strömung abgetrieben wird. Die Rhizoide werden oft von Schwämmen, Seepocken, Muscheln und anderen Tieren bewachsen.

AHA!

Wenn die Bedingungen gut sind, kann Kelp bis zu 60 cm täglich an Länge zulegen.

SEEIGEL

Die wichtigsten Fressfeinde des Kelps sind die Seeigel, insbesondere der Purpur-Seeigel. Diese stachligen Verwandten der Seesterne besitzen auf ihrer Unterseite kräftige Zähne, mit denen sie das Kelpgewebe abnagen und verzehren können. Oft versammeln sie sich zum Fressen in Gruppen, und wenn genug Seeigel versammelt sind, können sie leicht ganze Teile eines Kelpwalds zerstören.

◄ STACHLIGES PROBLEM
Diese Gruppe hungriger Seeigel hat schnell das Gewebe des Kelps zerstört.

SEEIGEL-JÄGER

Für die Kelpwälder ist es ein Glück, dass Seeigel die Lieblingsspeise der Seeotter sind. Die Otter tauchen zum Grund und bringen einen Seeigel mit zur Oberfläche. Sie benutzen Steine, um die Seeigel aufzuschlagen, sodass sie an das Innere herankommen, ohne sich an den spitzen Stacheln zu verletzen.

RIESENKRAKE

Eines der größten Tiere des Kelps ist der Pazifische Riesenkrake, dessen Arme über 4 m lang werden können. Er frisst Fische, aber auch Krebstiere und Muscheln. Wie alle Kraken ist er sehr intelligent, hat ein gutes Gedächtnis und hochempfindliche Sinnersorgane.

▼ HAI-IMBISS
Ein toter Hai ist ein gefundenes Fressen für diesen Riesenkraken. Wie viele andere Räuber betätigt sich auch der Krake als Aasfresser.

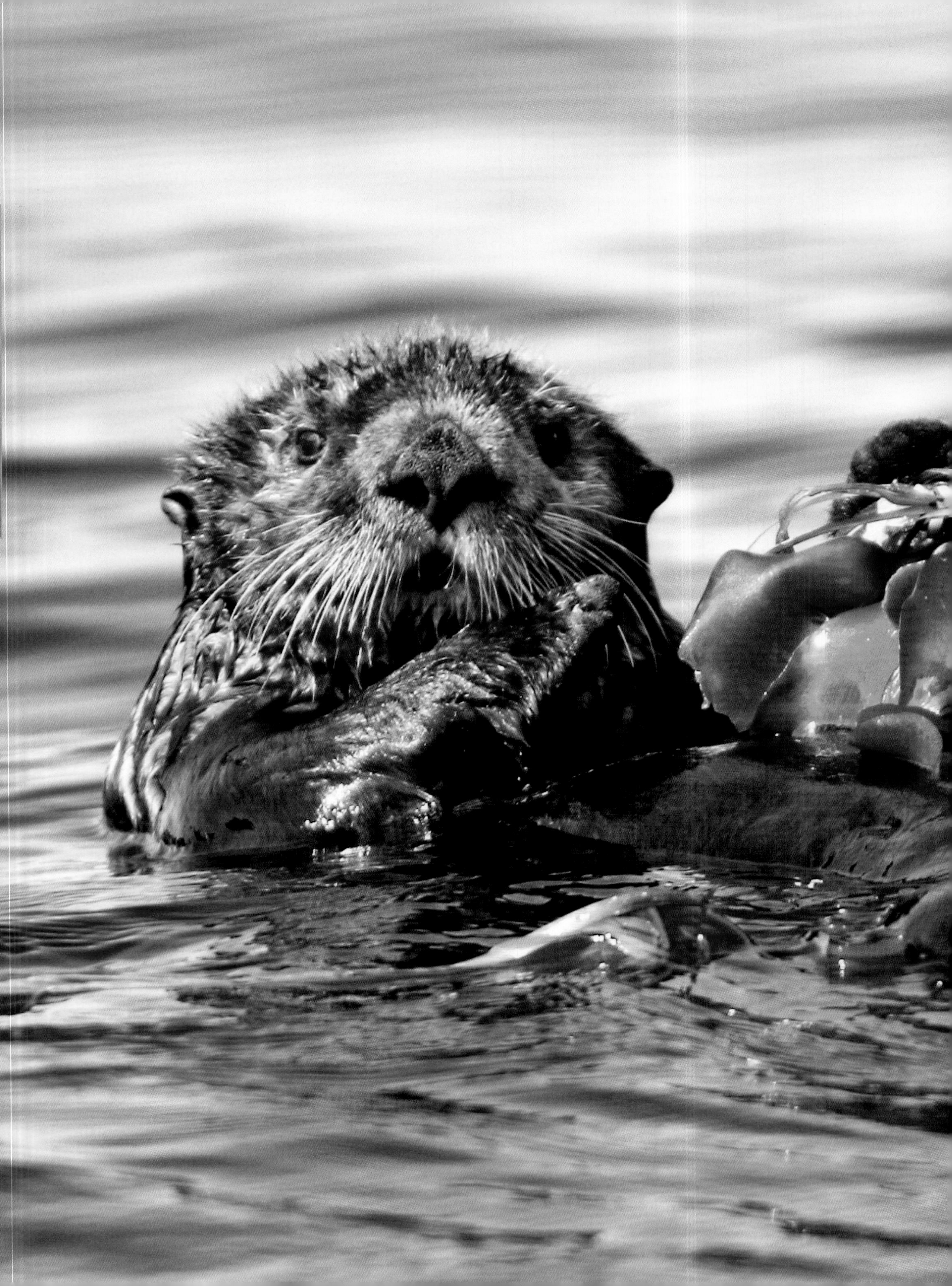

DER SEEOTTER

Im kalten Wasser des nördlichen Pazifiks
schützt das extrem dicke Fell den Seeotter vor
der Kälte. Es enthält viel Luft, sodass der Otter
Auftrieb bekommt und sich ausruhen oder
schlafen kann, wenn er auf dem Rücken liegt.
Er schlingt sogar Kelp um seinen Körper, um
nicht von der Strömung abgetrieben zu werden.

Grundfische

Eine große Vielfalt von Fischen lebt auf oder über dem Boden der Schelfmeere. Viele sind auf dieses Leben spezialisiert und liegen mit ihrem schweren Körper auf dem Grund. Sie sind oft abgeflacht und gut getarnt, sodass sie kaum zu entdecken sind, wenn sie sich nicht bewegen. Manche suchen auf dem Meeresgrund nach Krebstieren oder Muscheln. Andere sind Lauerjäger, die unbeweglich auf ihre Beute warten.

LAUERJÄGER

Manche Raubfische liegen auf dem Meeresgrund und warten, dass ein Fisch nahe genug vorbeischwimmt, um ihn zu packen. Die Augen der Himmelsgucker sitzen oben auf dem Kopf, sodass sie die Entfernung abschätzen können, bevor sie zuschnappen. Anglerfische locken andere Fische mit einem Köder an, der wie ein Wurm über ihrem Maul hängt.

▲ MARMORIERTER HIMMELSGUCKER
Dieser Fisch ist wie alle Himmelsgucker giftig und lauert seiner Beute auf, wobei nur die Augen und das Maul aus dem Sand herausragen.

TASTVERMÖGEN

Der weiche Meeresgrund wird von vielen grabenden Tieren bewohnt, darunter kleine Krebse und Würmer. Obwohl sie nicht zu sehen sind, werden sie von Fischen wie dem Knurrhahn gefunden. Knurrhähne haben Brustflossen mit fingerartig verlängerten Flossenstrahlen, mit denen sie im Sand vergrabene Beute aufspüren können.

▲ SEEKUCKUCK
Der Seekuckuck kann wie alle Knurrhähne mit seinen verlängerten Flossenstrahlen nach Beute tasten.

FELSSPALTEN

Auf felsigen Untergründen verstecken sich viele bodenbewohnende Fische in Spalten oder zwischen Steinen. Hier finden kleine Fische vor ihren Feinden Schutz, doch auch Lauerjäger einen Unterschlupf. Fische wie die Muränen können den größten Teil ihres Lebens in einer Felsspalte verbringen und nur zum Fang von Beute herauskommen.

◀ MURÄNEN
Diese kräftigen Jäger haben spitze Zähne, mit denen sie die schlüpfrige Beute festhalten können.

UNGEWÖHNLICHE PLATTFISCHE

Plattfische wie Schollen oder Flundern sind anfangs normale Fische, verändern aber allmählich ihre Form, sodass sie auf der Seite liegen. Das Auge der Unterseite wandert zum anderen auf die Oberseite und das Maul verdreht sich auch. Die Oberseite ist oft gut getarnt.

▲ SCHOLLE
Die in allen Meeren der Erde zu findenden Plattfische wie diese Scholle tragen beide Augen auf der gleichen Kopfseite.

ROCHEN MIT FLÜGELN

Während Plattfische so geformt sind, dass sie auf der Seite liegen, liegen Rochen auf dem Bauch. Sie sind mit den Haien verwandt und schwimmen, indem sie ihre Brustflossen wie Flügel einsetzen. Die meisten jagen auf dem Meeresgrund und viele können mit ihren breiten Zähnen Krebse und Muscheln zerbeißen.

◄ GEFLECKTER ADLERROCHEN
Diese Adlerrochen gleiten auf der Suche nach Beute über den felsigen Meeresgrund. Sie besitzen wie viele andere Rochen Giftstachel am Schwanz.

AHA!

Der Torpedorochen jagt mit Stromschlägen. Er kann eine Spannung von 200 V erzeugen – genug, um einen kleinen Fisch zu töten.

Schnecken und Muscheln

Der Meeresgrund im Flachwasser wimmelt von Wirbellosen – von Tieren, die keine Wirbelsäule besitzen. Viele davon sind Weichtiere, Verwandte der an Land lebenden Schnecken. Manche erinnern mit ihrem Gehäuse und auffälligen Kopf und Schwanz sehr an sie. Andere wie die Muscheln sind nicht so klar gegliedert, besitzen jedoch eine aus zwei verbundenen Hälften bestehende Schale.

AUF DEM BAUCH KRIECHEN

Wie ihre Verwandten an Land scheinen die Meeresschnecken auf dem Bauch zu kriechen. Wissenschaftlich nennt man sie daher Gastropoden, also „Bauchfüßer". Manche nutzen ihre Raspelzunge zum Abschaben von Algen, andere wie die Kopfschildschnecken sind Jäger und fressen zum Beispiel Würmer.

▲ BESONDERES GEHÄUSE
Die auffällige Rotlinien-Kopfschildschnecke lebt im Indischen und Pazifischen Ozean. Bei Gefahr zieht sie sich in ihr Gehäuse zurück.

UNVERWECHSELBAR

Viele Schnecken haben dekorative Gehäuse. Eines der spektakulärsten besitzt die tropische Venuskamm-Schnecke. Die spitzen Stacheln schützen sie vor Feinden und verhindern das Einsinken im Boden. Sie jagt andere Weichtiere, die sie mit ihrem langen Rüssel aufspürt.

FILTRIERER

Neben den Schnecken bilden die Muscheln eine zweite große Gruppe der Weichtiere. Sie besitzen ein aus zwei miteinander verbundenen Hälften bestehendes Gehäuse und filtern Nahrung aus dem Wasser. Die meisten leben immer am gleichen Ort, eingegraben im weichen Boden oder an Felsen sitzend.

◄ STECKMUSCHEL
Diese fächerförmige Muschel kann bis zu 120 cm hoch werden. Sie lebt im Mittelmeer und ihr spitzes Ende ist im Sand verborgen.

DAS INNERE DES GEHÄUSES

Schnecken und Muscheln ähneln sich im Körperbau, doch gibt es in Anpassung an die Lebensweise auch Unterschiede. Beispielsweise haben beide einen muskulösen Fuß. Die Schnecke benutzt ihn zum Kriechen und die Muschel zieht sich mit ihm in den Sand hinab. Bei Muscheln ist der Kopf mit den Sinnesorganen allerdings zurückgebildet und kaum noch zu erkennen.

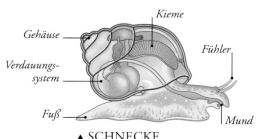

▲ SCHNECKE
Schnecken kriechen umher und nehmen ihre Nahrung mit dem Mund auf.

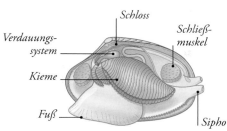

MUSCHEL
Die meisten Muscheln saugen Wasser durch ihren Sipho ein und filtern Fressbares heraus.

BUNTE SCHNECKEN

Meeresschnecken sind oft sehr bunt. Viele von ihnen fressen Tiere wie die Seeanemonen, die mit Nesselzellen bewaffnet sind. Manche Schnecken können diese Nesselzellen verschlucken, in ihre Körperanhänge (Cerata) einbauen und zur eigenen Verteidigung benutzen.

Kleine Pilgermuschel

Schloss

Reihen einfacher Augen

Tentakel

KAMMMUSCHELN

Die meisten Muscheln leben wie Pflanzen an einem Ort und haben nur wenige Sinnesorgane. Kammmuscheln besitzen dagegen Sinnestentakel und sogar Augen. Bei Gefahr können sie blitzschnell die Schale schließen und sich durch den Rückstoß fortbewegen.

▼ WARNFARBE
Die Farben dieser tropischen Meeresschnecke warnen Fressfeinde davor, sie zu fressen.

Zwei hornartige Strukturen ermöglichen der Schnecke, Nahrung anhand ihres Geruchs zu finden.

121

Kraken, Sepien und Kalmare

Die meisten Weichtiere der Meere besitzen nur einfache Sinnesorgane. Doch die Kopffüßer – Sepien und ihre Verwandten – sind anders. Sie sind berechnende, gut sehende Jäger mit sehr gutem Gedächtnis. Sie haben lange, bewegliche Arme und einige außergewöhnliche Anpassungen, die der Jagd, der Verteidigung und der Kommunikation dienen.

KOPFFÜSSER MIT SCHALE

Anders als die übrigen Kopffüßer besitzt das Perlboot (*Nautilus*) ein Gehäuse. Das Gehäuse enthält Gas, mit dem das Tier wie ein U-Boot auf- oder absteigen kann. Perlboote kommen im Indischen und im Pazifischen Ozean vor, wo sie sowohl andere Tiere erbeuten als auch Aas fressen. Perlboote gab es schon vor 500 Millionen Jahren – lange vor den Dinosauriern.

DÜSENANTRIEB

Anders als die mit ihnen verwandten Sepien und Kraken leben die meisten Kalmare in Schwärmen im offenen Wasser. Sie sind stromlinienförmig und können mit hoher Geschwindigkeit durchs Wasser schießen, indem sie Wasser aus ihrem Sipho ausstoßen. Manche springen sogar aus dem Wasser.

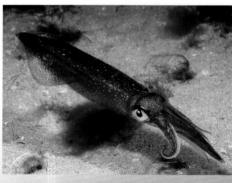

▲ LANGSAMES SCHWIMMEN
Wenn er langsam schwimmt, versetzt der Gemeine Kalmar die Flossensäume an seiner Seite in Wellenbewegungen.

FARBENFROHE SEPIE

Sepien leben in flachen Küstengewässern, wo sie langsam über den Grund schwimmen und nach Krabben, Garnelen und anderer Beute Ausschau halten. Sie packen sie mit ihrem Tentakelpaar. Wie die meisten Kopffüßer können sie ihre Färbung verändern und in Sekundenbruchteilen von Tarnfarbe zu Zebrastreifen wechseln oder wie eine Leuchtreklame Farbwellen über den Körper laufen lassen.

▼ GEHEIMWAFFE
Dieser zu den Sepien gehörende Gewöhnliche Tintenfisch ergreift mit seinen Tentakeln eine Krabbe.

KRABBENKILLER

Kraken, die bekanntesten Kopffüßer, leben oft in Spalten am Meeresgrund. Von dort aus jagen sie ihre Beute, zum Beispiel Krabben, die sie mit ihren acht mit Saugnäpfen versehenen Armen zerlegen. Anders als Sepien und Kalmare besitzen sie kein zusätzliches Tentakelpaar. Kraken sind intelligent und lernfreudig.

◄ HOCHGIFTIG

Manche Kraken töten ihre Beute mit einem Giftbiss. Das Gift des kleinen Blaugeringelten Kraken ist sehr stark und kann sogar Menschen töten, wenn sie nicht medizinisch versorgt werden.

IM BLICKPUNKT: BAU EINES KOPFFÜSSERS

Kraken, Sepien, Kalmare und Verwandte bezeichnet man als Kopffüßer, da die Arme direkt am Kopf der Tiere ansetzen und das Maul umgeben. Das Maul hat einen Papageienschnabel und eine Raspelzunge. Die acht Arme sind mit Saugnäpfen ausgestattet. Sepien und Kalmare besitzen ein zusätzliches Paar Tentakel.

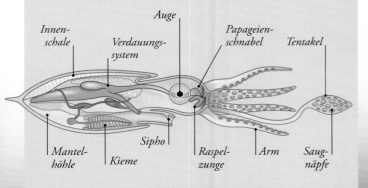

Innenschale · Verdauungssystem · Auge · Papageienschnabel · Tentakel · Mantelhöhle · Kieme · Sipho · Raspelzunge · Arm · Saugnäpfe

CHEMISCHE WAFFE

Der Riesenkrake fühlt sich von einem Taucher bedroht und gibt aus seinem Sipho eine Wolke dunkler Tinte ab. Die Tinte verteilt sich in schummerigen Schwaden im Wasser, sodass der Krake in deren Schutz schnell davonschießen kann. Kalmare und Sepien können sich auf die gleiche Weise verteidigen.

SCHLÜPFENDE KRAKEN

Dieser gerade geschlüpfte Krake ist nicht
größer als ein Reiskorn. Es ist ein Pazifischer
Riesenkrake, dessen Armspannweite einmal bis
zu 4,3 m betragen wird. Wie alle Kopffüßer legt
auch diese Art Eier. Ein Weibchen kann bis zu
400 000 Eier produzieren, die es an einem Fels
befestigt und bewacht.

Hummer, Krebse und Krabben

Krebstiere sind eine wichtige Gruppe der Meeresbewohner. Sie leben in allen Meeren und kommen häufig in seichten Küstengewässern vor. Die gegliederten Körper ähneln denen der Insekten. Es gibt große, stark gepanzerte Arten wie die Hummer und Krabben, aber auch den garnelenartigen Krill und winzige Ruderfußkrebse, die zum Plankton gehören.

GEGLIEDERTE KÖRPER

Die meisten Krebstiere sind wie diese Garnele aufgebaut, mit einem Kopf, mehreren Körperabschnitten und Beinpaaren, die unterschiedliche Aufgaben erfüllen. Alle Körperteile sind von einem Außenskelett umgeben, das aus Chitin und verschiedenen Eiweißen besteht. Verbunden sind sie mit beweglichen Gelenken.

TREIBENDE LARVEN

Alle Krebstiere legen Eier. Aus den Eiern der Krabben schlüpfen winzige Larven, die auf dem offenen Meer leben. Sie lassen sich mit dem Plankton treiben, ähnlich wie die kleinen erwachsenen Ruderfußkrebse. Die Larven häuten sich mehrfach und verändern dabei immer wieder ihre Form. Schließlich werden sie zu kleinen erwachsenen Krabben und lassen sich auf dem Meeresboden nieder.

SCHWER GEPANZERT

Das Außenskelett vieler Krebstiere, zum Beispiel der Hummer, Krabben und Krebse, wird durch eingelagerten Kalk und andere Mineralien zu einer harten Panzerung verstärkt. So sind sie vor Feinden geschützt. Die Härte des Materials ermöglicht auch, dass viele Arten kräftige Scheren zum Zerdrücken ihrer Beute besitzen.

▶ DEBELIUS' RIFFHUMMER
Riffhummer ähneln unserem Europäischen Hummer, sind aber mit höchstens 15 cm Länge noch kleiner als ein Flusskrebs.

▲ KRABBENLARVE
Krabbenlarven entfernen sich weit vom Lebensraum ihrer Eltern, indem sie sich mit dem Plankton treiben lassen.

Der Schwanzfächer kann zum Schwimmen benutzt werden.

Die Panzerung des Körpers ist gegliedert.

Die Antennen können Beute im Dunkeln wahrnehmen.

Die Gelenke bestehen aus dünnerem Material, sodass sie beweglich sind.

Die kleinere Schere ist scharf und wird zum Zerteilen der Beute benutzt.

AHA!

Das größte Krebstier ist die Japanische Riesenkrabbe. Die Spannweite der Beine kann von Spitze zu Spitze 4 m betragen.

NEUE HAUT

Ein stabiles Außenskelett sorgt für ein Problem: Es kann sich nicht dehnen, wenn das Tier wächst. Daher muss ein Krebstier wie diese Krabbe die alte Haut abstreifen und sich eine neue zulegen. Wenn die

Krabbe aus dem alten, harten Außenskelett schlüpft, hat sie eine weiche Haut, die sie dehnen muss, bevor sie hart wird. Während dieser Zeit ist die Krabbe nicht vor Feinden geschützt und muss sich verstecken.

▲ ERSTER SCHRITT
Das alte, orangefarbige Außenskelett platzt im Rücken auf. Darunter ist ein weiches, neues. Die Krabbe schlüpft aus der alten Hülle.

▲ ZWEITER SCHRITT
Die Krabbe dehnt das weiche, neue Außenskelett, indem sie Wasser hineinpumpt. Nach drei Tagen ist es ausgehärtet.

▶ WAL-
SEEPOCKEN
Als Erwachsene leben diese Krebstiere auf der Haut von Walen. Durch Öffnungen ihrer Schale können sie die Arme ausstrecken und Nahrung aus dem Wasser filtern.

SICH NIEDERLASSEN

Seepocken sehen ganz anders aus als andere Krebse. Als Larven treiben sie im Plankton, doch die erwachsenen Tiere lassen sich auf einem festen Untergrund nieder. Dort bauen sie ein Gehäuse aus Kalkplatten und bleiben an dieser Stelle, wo sie von der Nahrung leben, die sie aus dem Wasser filtern. Manche besiedeln sogar die Haut von Walen.

Seesterne, Seeigel und Seegurken

Stachelhäuter sind Tiere, die im Prinzip sternförmig aufgebaut sind und ihren Mund in der Mitte haben. Dieser fünfstrahlige Bauplan ist bei Seesternen meist leicht zu erkennen, aber auch andere Stachelhäuter besitzen ihn. Sie leben in allen Meeren und ernähren sich von anderen Tieren, Algen oder den auf dem Meeresgrund zu findenden Resten.

STACHELBALL

Das Wort „Stachelhäuter" beschreibt die Seeigel perfekt, da sie vollkommen mit Stacheln bedeckt sind. Sie besitzen den gleichen fünfstrahligen Bauplan wie die meisten Seesterne, sind aber zu einem Ball geformt, wie eine Apfelsine mit fünf Abschnitten. Mit langen Röhrenfüßchen bewegen sie sich und sammeln Nahrung.

▲ FEINDABWEHR
Seeigel verlassen sich auf die Stacheln, um Feinde abzuwehren. Sie brechen leicht ab und bleiben in der Haut des Angreifers stecken.

SEESTERNE

Bei den meisten Seesternen gehen fünf Arme von einer Scheibe aus, doch manche haben bis zu 50 Arme. Wie die Seeigel besitzen auch sie Röhrenfüßchen, die in einem kleinen Saugnapf enden. Viele Seesterne ernähren sich von Muscheln, deren Schalen sie auseinanderziehen, um an das Fleisch zu kommen.

Ein Seestern hat kein Gehirn, aber lichtempfindliche Zellen am Ende der Arme.

▲ BUNTE FARBEN
Viele Seesterne sind bunt gefärbt und weisen oft Muster auf. Die leuchtenden Farben warnen Fressfeinde davor, dass sie ziemlich schlecht schmecken.

SCHNELL ERSETZT

Bei Seesternen ist bemerkenswert, wie sie bei Verletzungen neue Körperteile nachwachsen lassen können. Ein verlorener Arm ist schnell ersetzt. Wenn am abgetrennten Arm noch Teile der Zentralscheibe hängen, kann daraus sogar ein neuer Körper entstehen. Ein halbierter Seestern kann überleben und es können daraus zwei Tiere entstehen.

Zentral-scheibe

Seestern mit verlorenem Arm

Neue Zentral-scheibe und Arme

Neu gewachsener Arm

Zum Seestern heran-gewachsener Arm

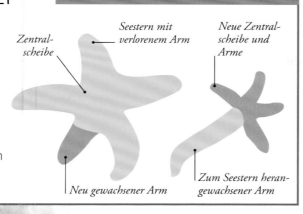

SCHLANGENSTERNE

Schlangensterne besitzen lange Arme und eine kleine, runde Zentralscheibe. Sie leben auf dem Meeresgrund, über den sie mit den beweglichen Armen kriechen. Schlangensterne fressen Nahrungsteilchen, die sich auf dem Meeresgrund absetzen. Wo es genug Nahrung gibt, können sie in großen Mengen auftreten – man hat schon 2000 Schlangensterne auf 1 Quadratmeter beobachten können.

WASSER FILTERN

Haarsterne stehen im Gegensatz zu Seesternen auf dem Kopf und bleiben meist an der gleichen Stelle, können sich jedoch bewegen. Sie fressen im Wasser treibendes Plankton und verwertbare Teilchen, die sie mit den Röhrenfüßchen ihrer federähnlichen Arme aus dem Wasser fischen.

AHA!

Seesterne lebten schon vor über 450 Millionen Jahren in den Meeren – lange bevor es die ersten Dinosaurier auf dem Festland gab.

Tentakel zum Sammeln von Nahrung

SCHLAMMSCHLUCKER

Seegurken besitzen lange, fünfseitige Körper. Ein mit Tentakeln besetzter Mund befindet sich an einem Ende. Sie leben auf dem Meeresgrund und verdauen alles Fressbare, das sie mit dem weichen Sediment aufnehmen. Bei Bedrohung können sie eine klebrige Masse abgeben.

Die anmutig durch das Wasser schwimmenden Quallen gehören ebenso wie die Seeanemonen und Korallen zu den Nesseltieren. Diese Tiergruppen unterscheiden sich auf den ersten Blick sehr, sind aber ähnlich aufgebaut und besitzen Nesselkapseln, mit denen sie ihre Beute lähmen können. Nesseltiere kommen in allen Meeren und in allen Tiefen vor, doch in der Nähe der Küsten sind sie besonders häufig.

ANMUTIGE QUALLEN

Die auffälligsten Nesseltiere sind die im freien Wasser lebenden Quallen. Sie schwimmen, indem sie ihren Schirm zusammenziehen und Wasser herauspressen. Entspannt nimmt der Schirm die ursprüngliche Form an. Sein Rand kann mit Tentakeln besetzt sein, größere Tentakel umgeben den Mund. Manche Quallen sammeln kleine fressbare Teilchen, während andere mit ihren Nesselzellen größere Tiere erbeuten.

RÖHREN UND SCHIRME

Alle Nesseltiere besitzen hohle röhren- oder schirmförmige Körper mit einer äußeren und einer inneren Zellschicht, zwischen denen eine Gallertschicht liegt. Die innere Zellschicht dient als Darm. Es gibt zwei Formen: den Polypen und die Meduse. Die röhrenförmigen Polypen wie die Seeanemonen leben fest verankert auf dem Untergrund. Ihr Mund und die Tentakel ragen nach oben. Medusen wie die Quallen sind schirmförmig und schwimmen mit nach unten gerichtetem Mund.

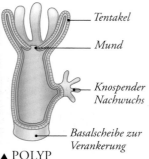

Tentakel

Mund

Knospender Nachwuchs

Basalscheibe zur Verankerung

▲ POLYP
Ein Polyp ist eine verankerte Röhre. Manche vermehren sich, indem sie Knospen an ihren Seiten abschnüren.

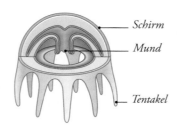

Schirm

Mund

Tentakel

▲ MEDUSE
Eine frei schwimmende Qualle nennt man Meduse. Quallen sind meistens zuerst Polyp und werden später zur Meduse.

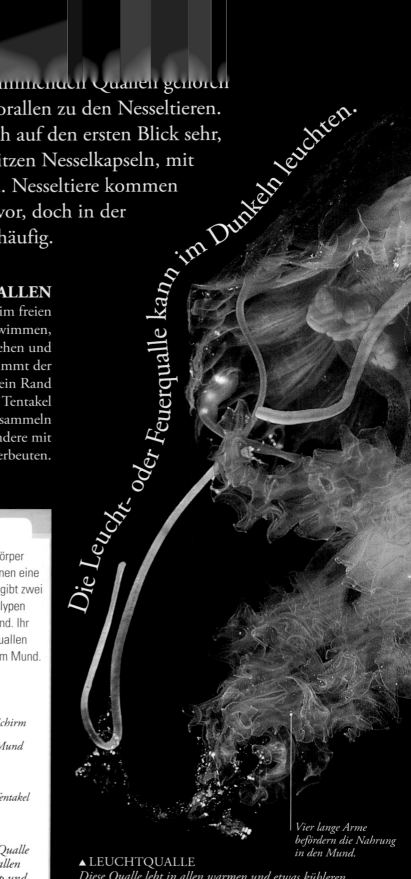

Die Leucht- oder Feuerqualle kann im Dunkeln leuchten.

Vier lange Arme befördern die Nahrung in den Mund.

▲ LEUCHTQUALLE
Diese Qualle lebt in allen warmen und etwas kühleren Meeren der Erde und ernährt sich von anderen im Wasser treibenden Tieren. Sie kann schmerzhaft nesseln

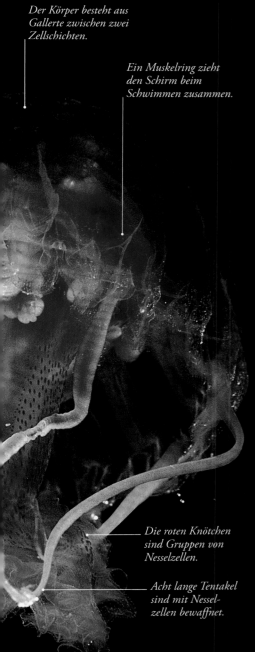

Der Körper besteht aus Gallerte zwischen zwei Zellschichten.

Ein Muskelring zieht den Schirm beim Schwimmen zusammen.

Die roten Knötchen sind Gruppen von Nesselzellen.

Acht lange Tentakel sind mit Nessel-zellen bewaffnet.

NESSELZELLEN

Quallen, Seeanemonen und andere Nesseltiere sind mit Nesselzellen bewaffnet. Jede von ihnen enthält eine winzige, giftige Harpune. Wenn sie – meist durch Berührung – ausgelöst wird, durchschlägt sie die Haut des Feinds oder der Beute und injiziert ihr Gift. Jede Nesselzelle ist sehr klein, doch eine Qualle kann auf ihren Tentakeln Tausende oder sogar Millionen von ihnen besitzen. Die durch sie hervorgerufenen Vernesselungen sind sehr schmerzhaft und können sogar tödlich sein.

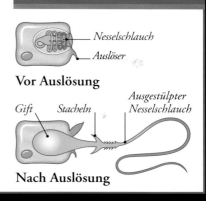

Nesselschlauch
Auslöser

Vor Auslösung

Gift *Stacheln*
Ausgestülpter Nesselschlauch

Nach Auslösung

TROPISCHER KILLER

Die zu den Würfelquallen gehörende Seewespe zählt zu den tödlichsten Tieren im Meer. Würfelquallen leben in den tropischen Meeren, die Australien und Indonesien umgeben. Die größten sind nur so groß wie ein Basketball, doch ihre Tentakel sind mit 30 Millionen Nesselzellen bewaffnet.

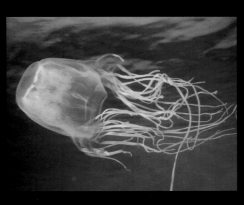

SEEANEMONEN

Obwohl sie harmlos aussehen, sind Seeanemonen effektive Jäger. Sie ernähren sich von treibenden Tieren und Nahrungsteilchen, die sie mit ihren Tentakeln aufnehmen. Viele – wie diese Korallenanemonen – sehen wie bunte Blumen aus, während die Wachsrosen an sich windende Würmer erinnern. Seeanemonen können Größen von 1,5 cm bis zu 1 m aufweisen.

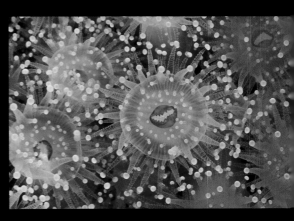

PERFEKTE PARTNER

Obwohl Seeanemonen Beute mit ihren Nesselzellen fangen und töten können, sind die Anemonenfische tropischer Meere gegen ihr Gift immun. Der Schleim auf ihrer Haut schützt sie. Anemonenfische leben mit bestimmten Seeanemonen in Symbiose. Die Tentakel der See-anemone schützen sie vor Fressfeinden und die Anemonenfische verteidigen das Nesseltier gegen schädliche Tiere, die es fressen wollen.

AHA!

Der Körper der Leucht-qualle ist nur etwa 10 cm groß, doch die Tentakel mit ihren Nesselzellen können über 10 m lang werden.

Korallenriffe

Korallen sind mit den Seeanemonen verwandt und besitzen den gleichen Aufbau – ein Polyp mit einer Tentakelkrone, die einen in der Mitte gelegenen Mund umgibt. Anders als die Seeanemonen bilden viele Korallen Kolonien, in denen jeder einzelne Polyp mit anderen verbunden ist. Manche dieser Korallen besitzen Kalkskelette, aus denen die farbenprächtigen Korallenriffe aufgebaut sind.

Zu den am schnellsten wachsenden Korallen zählen die rosa, blau oder gelb gefärbten Hirschhornkorallen.

DIE KORALLENRIFFE

Steinkorallen nehmen Mineralien aus dem Wasser auf und bilden Kalk, mit dem sie ihren weichen Körper stützen. Wenn sie sterben, bleibt das Skelett erhalten und neue Korallen wachsen darauf. In Tausenden von Jahren entsteht ein Korallenriff, das von den verschiedensten lebenden Korallen ge-krönt ist. Diese Riffe gibt es an tropischen Küsten und Inseln, vor allem im Pazifischen und Indischen Ozean sowie in der Karibik und im Roten Meer.

Gorgonien haben fächerförmig verzweigte Äste.

▶ KOLONIEN
Korallenkolonien bestehen aus den (hier weißen) einzelnen Korallen-polypen, die über (hier rote) Äste verbunden sind. Die Polypen sammeln die Nahrung mit ihren Tentakeln, verdauen sie und teilen die Nährstoffe.

▶ PARTNERSCHAFT
Im klaren tropischen Wasser gibt es nur wenig Plankton. Doch winzige (hier als grüne Punkte zu sehende) Algen im Gewebe der Polypen können mithilfe der Sonnenenergie Zucker erzeugen. So können die Korallen im nährstoffarmen Wasser gedeihen. Das Zusammenleben nennt man Symbiose.

Diese plattenförmigen Korallen bestehen aus Hunderten Polypen.

Fingerkoralle

Zum Seegras gehören die wenigen Arten höherer Pflanzen, die im Meerwasser wachsen können.

Seeigel fressen von den Algen und den Lebewesen auf den Felsen.

◄ KORALLENAUFBAU
Korallen gibt es in einer Vielzahl von Farben, Formen und Größen. Manche sind wie die abgebildete Hirnkoralle kugelförmig, andere baumartig verzweigt. Korallen bieten ideale Verstecke für die das Riff bewohnenden Lebewesen.

AHA!
Die im tropischen Riff lebenden Algen liefern über 90 % der im Korallenriff zur Verfügung stehenden Energie.

Kalk-rotalgen

◄ KORALLENGARTEN
Ein tropisches Korallenriff ist wie eine Oase in der Wüste des Meers. Nahrung ist im offenen Meer knapp, doch das Riff bietet den verschiedensten Fischen, Schildkröten, Krebsen und anderen Tieren einen Lebensraum. Ein Viertel der bekannten Arten des Meers lebt in Korallenriffen, auch wenn die von Riffen bedeckte Fläche weniger als ein Hundertstel der Gesamtfläche der Meere ausmacht.

Tropische Korallenriffe gibt es nur in Tiefen von weniger als 150 m.

▶ WEICH-
KORALLE
Viele Kaltwasserkorallen sind Weichkorallen, die ohne Skelett auskommen.

KALTWASSERRIFFE
Nicht alle Korallenriffe wachsen im Sonnenlicht der Tropen, wo die Korallen sich auf die Zuckerproduktion der in ihrem Gewebe wachsenden Algen verlassen können. In dunklerem, tieferem Wasser gibt es Kaltwasserriffe. Sie können überleben, da es hier mehr Plankton als in den Tropen gibt, das den Korallen als Nahrung dient. Daher sind die Korallen nicht von den Algen abhängig und müssen auch nicht im Sonnenlicht wachsen.

Das Große Barriereriff

Das größte Korallenriff der Erde ist das Große Barriereriff, das vor der Küste des tropischen Nordostaustraliens liegt. Es besteht aus einem Komplex von etwa 3000 Korallenriffen, die zu einer 2300 km langen Kette verbunden sind. Es ist das größte von lebenden Organismen errichtete Bauwerk der Welt.

BARRIERE IM MEER

Das spektakuläre Riff trägt seinen Namen, da es eine Barriere zwischen der Küste und den hohen Wellen des Pazifischen Ozeans bildet. Es erstreckt sich mehrere Kilometer ins Meer hinein bis zum Rand des australischen Kontinentalschelfs. Das Wasser zwischen dem Riff und der Küste ist relativ seicht, doch hinter dem Riff erreicht es eine Tiefe von 1000 m oder mehr.

▶ BLICK AUS DEM ALL
Dieser Blick aus der Internationalen Raumstation, die sich 431 km über Cape Flattery im Nordosten Australiens befindet, zeigt das Große Barriereriff als nahezu ununterbrochenes Band entlang des Kontinentalschelfrands.

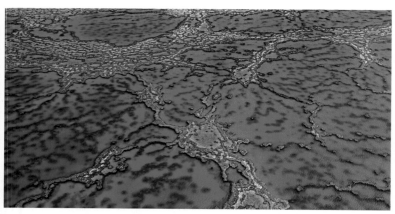

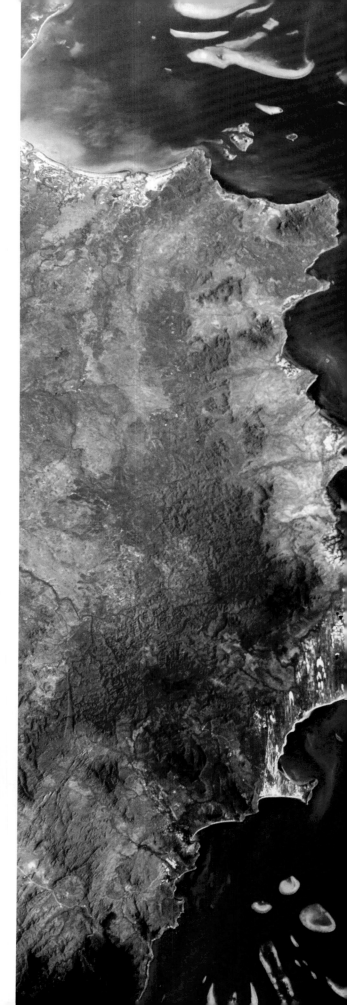

KOMPLEXE RIFFE

Obwohl das Riff eine wirksame Barriere gegen die pazifischen Wellen darstellt, ist es keine ununterbrochene Korallenwand. Ein kompexes Netzwerk von Korallenriffen schließt Tausende von kleinen, seichten Lagunen mit klarem, blauem Wasser und weißem Korallensand ein.

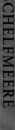

▲ GRÖSSTE LEBENDE STRUKTUR

Das Große Barriereriff erstreckt sich die Küste entlang vom Wendekreis des Steinbocks in der Nähe von Brisbane bis zur Straße von Torres zwischen Australien und Neuguinea.

LANGE BAUZEIT

Das Riff ist von insgesamt etwa 400 unterschiedlichen Steinkorallenarten gebaut worden. Seit 15 Millionen Jahren lagern sie hier den Kalkstein ab, aus dem das Riff besteht. Allerdings ist der Riffaufbau mehrfach unterbrochen worden. Die aktuelle Wachstumsphase dauert bereits 6000 Jahre an.

FANTASTISCHE VIELFALT

Das Große Barriereriff ermöglicht eine verblüffende Vielfalt an Leben. Hier gibt es mehr als 1500 Fisch-, 30 Wal- und Delfin- sowie mindestens 5000 Weichtierarten. Jede von ihnen hat ihre eigene Lebensweise und sie sind Teil eines Netzwerks des Lebens, das eines der reichhaltigsten des ganzen Planeten ist.

JAMES COOK

Schon seit über 40 000 Jahren fischen Menschen im Großen Barriereriff, doch im Westen war es bis zum Jahr 1770 unbekannt. In diesem Jahr segelten der Brite James Cook und seine Crew mit ihrem Schiff *Endeavour* die australische Küste hinauf. Sie entdeckten das Riff, als sie darauffuhren. Das Schiff sank fast und musste am Strand repariert werden. Heute liegt dort Cooktown im Norden von Cairns.

Korallenfische

In Korallenriffen wimmelt es von Fischen. Die meisten sind bunt gefärbt, um sich gegenseitig zu erkennen oder um Fressfeinde abzuschrecken. Manche bilden Schwärme, wenn sie an den Korallen knabbern oder fressbare Dinge aus dem Wasser fischen. Andere leben allein in den Spalten des Riffs. Einige außergewöhnliche Fische setzen auf Tarnung oder Giftstacheln, um sich zu verteidigen.

Falterfische
Meister der Flucht

Länge Bis zu 30 cm
Verbreitung Alle tropischen Meere
Nahrung Korallen, Würmer, Plankton

Viele Korallenfische besitzen hohe, kurze Körper, mit denen sie in Riffspalten abtauchen können, wenn sie verfolgt werden. Zu ihnen gehört dieser zu den Falterfischen zählende Pinzettfisch, der mit seiner langen Schnauze kleine Würmer und andere Tiere aus schmalen Spalten herausziehen kann.

Kaiserfische
Verblüffende Farben

Länge Bis zu 60 cm
Verbreitung Alle tropischen Meere
Nahrung Vor allem kleine Tiere

Kaiserfische gehören zu den schönsten Korallenfischen. Manche verändern ihre Zeichnung, wenn sie heranwachsen. Sie ähneln den Falterfischen, sind aber oft größer. Meist leben sie allein oder in Paaren und ernähren sich von treibendem Plankton oder von Tieren wie Schwämmen oder Seegurken, die zwischen den Korallen vorkommen.

Doktorfische
Geschäftige Schwärme

Länge Bis zu 40 cm
Verbreitung Alle tropischen Meere
Nahrung Algen

Große Doktorfischschwärme durchstreifen auf der Nahrungssuche das Riff. Sie sind Algenfresser und weiden kleine Algen und Tange ab. Doktorfische tragen ihren Namen wegen der messerartigen Klingen auf beiden Seiten des Schwanzstiels, die an das Skalpell eines Chirurgen erinnern.

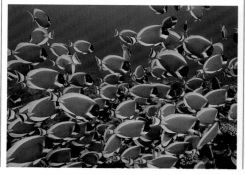

Barrakudas
Schnelle Jagd

Länge Bis zu 2 m
Verbreitung Alle tropischen Meere
Nahrung Fische

Die im offenen Wasser schwimmenden kleinen Fische werden von Barrakudas, Lippfischen, Zackenbarschen und Makrelen gejagt. Barrakudas sind schlanke, kräftige Jäger, die mit hoher Geschwindigkeit zustoßen und Schwarmfische mit ihren sehr spitzen Zähnen erbeuten können.

Haie
Top-Räuber

Länge Bis zu 5 m
Verbreitung Alle tropischen Meere
Nahrung Fische, Delfine, Meeresschildkröten

Im Korallenriff leben der Schwarzspitzen-
und der Weißspitzen-Riffhai, aber auch
gefährlichere Arten wie der Tigerhai. Meist
hält sich dieser Top-Räuber aber im tieferen
Wasser außerhalb des Riffs auf, doch
schwimmt er auch in die Kanäle zwischen
den Korallen und in die Lagunen des Riffs.

▲ TIGERHAI
*Der Tigerhai ist mit seinen sehr guten Gesichts-
und Geruchssinnen ein nächtlicher Jäger, der
alles angreift, was ihm in den Weg kommt.*

Putzerlippfische
Wertvolle Dienstleistung

Länge Bis zu 12 cm
Verbreitung Indischer und Pazifischer Ozean
Nahrung Fischparasiten

Alle Fische leiden unter Parasiten, die ihre
Haut und ihre Kiemen befallen. Putzerlippfische helfen ihnen dabei, sie wieder
loszuwerden, indem sie sie absammeln und
fressen. Die Putzerlippfische reinigen auch
die Kiemen und Zähne größerer Fische
und werden dabei niemals verletzt – sogar
wenn sich die größeren Fische von anderen
Fischen ernähren. Hier ist ein Hawaii-
Putzerlippfisch bei der Arbeit zu sehen.

Steinfische
Lauerjäger

Länge Bis zu 50 cm
Verbreitung Tropischer Pazifik und Indik
Nahrung Fische und Garnelen

Korallenfische werden oft von Lauerjägern
angegriffen. Zu ihnen gehören die Steinfische, die wie ein mit Algen bewachsener
Stein zwischen den Korallen liegen. Sie
warten darauf, dass Beute in ihre Reichweite schwimmt, reißen ihr Maul auf und
saugen sie hinein. Steinfische selbst werden
durch ihre Flossenstrahlen geschützt, die
ein extrem starkes Gift enthalten.

Feuerfische
Giftige Stacheln

Länge Bis zu 45 cm
Verbreitung Ursprünglich Pazifik und Indik
Nahrung Kleine Fische und andere Tiere

Ein Teil der Flossenstrahlen der Feuerfische
enthält ein Gift, sodass sie von den meisten
Raubfischen nicht gefressen werden. Der sich
langsam bewegende, geschickte Jäger warnt
mit seinen bunten Farben vor dem Gift.
Außer Haien und großen Zackenbarschen,
die gegen seine Stiche immun zu sein
scheinen, hat er kaum Feinde.

▲ FASSSCHWÄMME
Diese riesigen Fassschwämme findet man in den meisten Korallenriffen der Karibik. Ihr hohler Körper kann einen Durchmesser von bis zu 1,8 m aufweisen.

LEBENDE SCHWÄMME

Zu den am einfachsten gebauten Tieren zählen die Schwämme. Sie pumpen Wasser durch ihren Körper und ernähren sich von den enthaltenen Teilchen. Manche ihrer elastischen Skelette werden noch heute als Badeschwämme benutzt.

FILTRIERER

Die meisten der an Pflanzen erinnernden Riffbewohner filtern kleine Tiere und andere Nahrungsteilchen aus dem Wasser. So können sie leben, ohne auf der Nahrungssuche durch das Riff schwimmen zu müssen. Zu ihnen gehören die Seescheiden, die das Wasser durch korbähnliche Filter in ihren hohlen Körpern leiten. Manche leben als einzelne Tiere, doch viele bilden Kolonien, die im Riff verankert sind.

▲ SEESCHEIDEN
Jede Seescheide saugt durch die große Öffnung oben auf dem Körper Wasser ein und gibt es über die Öffnung an ihrer Seite wieder ab.

Wirbellose im Korallenriff

Die bunten Fische sind die auffälligsten Riffbewohner, doch es leben hier noch andere Tiere. Die meisten von ihnen sind verschiedene Wirbellose, also Tiere ohne Wirbelsäule. Zu ihnen gehören Krebstiere wie Garnelen und Krabben, aber auch Stachelhäuter wie die Seesterne. Manche dieser Tiere erinnern an Pflanzen, da sie wie die Korallen ihr Leben lang an einer Stelle bleiben. Andere Wirbellose durchstreifen das Riff nach Nahrung und suchen Abfälle oder jagen andere Tiere.

Die Antennen erkennen die Bewegung der Beutetiere.

Die beweglichen Augen können die Entfernung abschätzen.

Die Fangbeine sind zusammengefaltet.

GORGONIE

Manche Korallen haben kein Kalkskelett, sodass sie nicht am Aufbau des Riffs beteiligt sind. Diese Weichkorallen bestehen aber ähnlich wie die Steinkorallen aus Kolonien miteinander verbundener, einzelner Polypen. Zu ihnen gehören die Gorgonien, die fächerartige, ein wenig an abgeflachte Bäume erinnernde Kolonien bilden. Sie stehen so in der Strömung, dass sie viele vorbeitreibende Nahrungsteilchen auffangen können.

DORNIGER SEESTERN

Die Dornenkrone ist ein Seestern mit bis zu 21 Armen, die mit langen, spitzen, giftigen Stacheln besetzt sind. Sie frisst Korallenpolypen, indem sie ihren Magen über sie stülpt und sie mit ihren Magensäften verdaut. Manchmal werden in Massen auftretende Dornenkronen zur Plage, wenn sie ein Korallenriff befallen und nur noch tote, weiße Korallenskelette hinterlassen.

▲ DORNENKRONE
Dieser Korallen fressende Seestern kann über 30 cm Durchmesser erreichen. Das abgebildete Tier ist außergewöhnlich farbig.

BUNTER SCHLÄGER

Die bunten Fangschreckenkrebse sind gefährliche Räuber. Manche haben spitze Fangbeine, mit denen sie Fische aufspießen können. Bei anderen sind sie keulenförmig, sodass sie die Panzer anderer Krebstiere mit solcher Kraft zerschlagen können, dass die Beute sofort getötet wird.

AHA!

Die Fangbeine des Fangschreckenkrebses können bis zu 80 km/h erreichen – der schnellste Schlag unter allen Tieren!

TÖDLICHE SCHNECKE

Der Rüssel dieser Kegelschnecke ist mit einer giftigen Harpune bewaffnet. Das Gift der größeren Arten kann einen Menschen töten. Viele der Kegelschneckenarten benutzen das Gift, um kleine Fische zu töten, die sie dann am Stück verschlingen. Es gibt etwa 600 Arten, von denen viele in Korallenriffen leben.

◄ CLOWN-FANGSCHRECKENKREBS
Fangschreckenkrebse leben in den Korallenriffen des westlichen Pazifischen und des Indischen Ozeans. Sie verstecken sich in Bauen im Sand.

▲ TEXTIL-KEGELSCHNECKE
Diese auch als Weberkegel bezeichnete Schnecke ist eine der größeren und gefährlichen Kegelschnecken. Sie lebt in den Korallenriffen des Pazifischen und Indischen Ozeans.

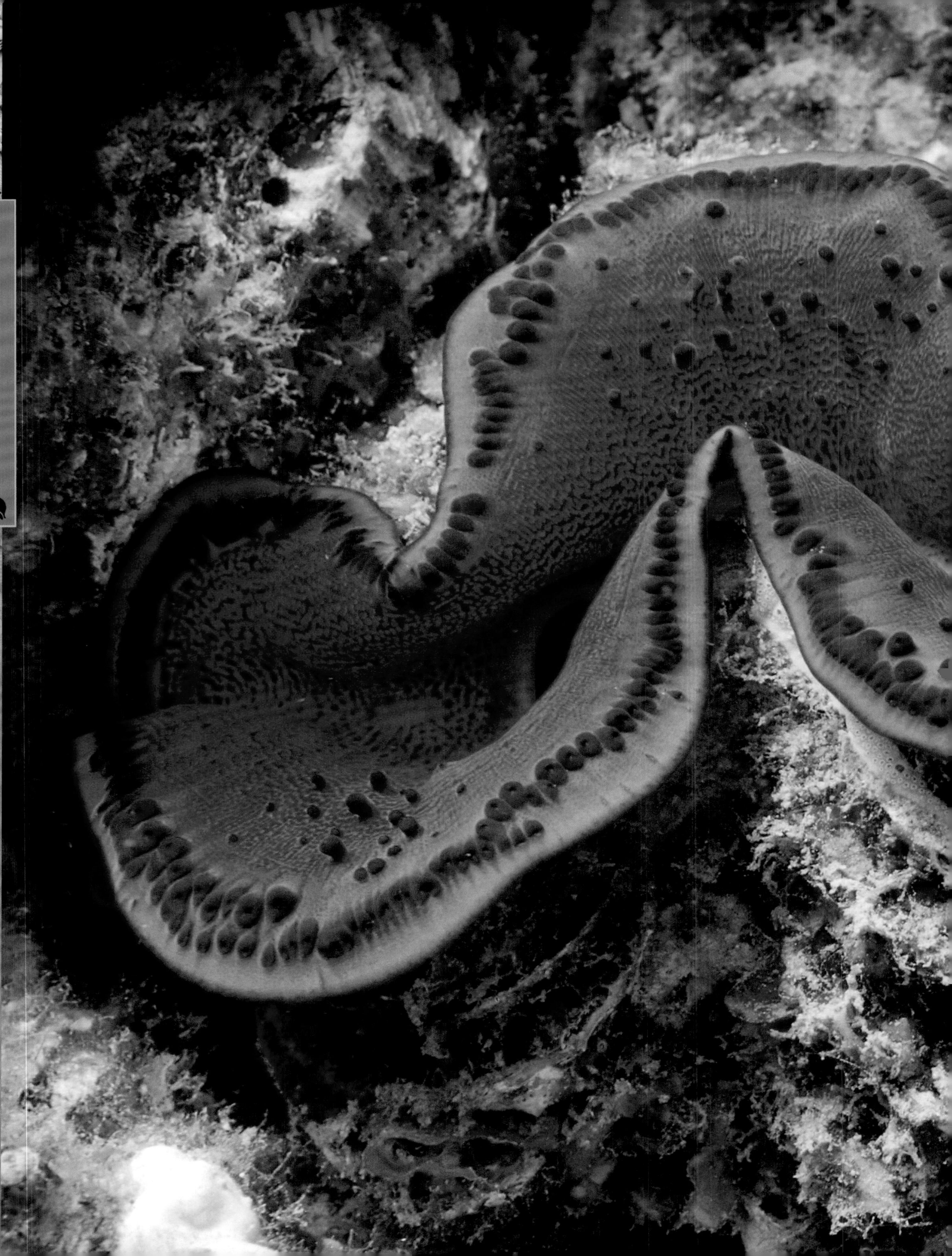

RIESENMUSCHEL
Zu den Riesenmuscheln gehören die größten
Muscheln der Erde. Die mit Furchen durchzogene
Schale kann bis zu 1,2 m lang werden. Im bunten
Gewebe der Muschel sind Nahrung erzeugende
Algen enthalten, genau wie bei den Steinkorallen.
Die Algen versorgen die Muschel mit Nährstoffen.

Atolle und Lagunen

Manche Meere sind von mit Korallenriffen gesäumten Inseln übersät. Dabei handelt es sich oft um erloschene Vulkane. Wenn sie absinken, wachsen die Korallen weiter und die ursprünglichen Inseln verschwinden. Es bleiben ringförmige Atolle übrig, die eine seichte Lagune umgeben. Plattformriffe haben sich auf Gebirgen gebildet, die durch den steigenden Wasserspiegel versunken sind.

VERSUNKENER VULKAN

Wenn ein Vulkan nicht mehr ausbricht, kühlt sich das Gestein darunter ab und schrumpft, sodass die Insel versinkt. Die Korallen wachsen weiter und das den Vulkan umgebende Saumriff wird zum Barriereriff und schließlich ein Atoll.

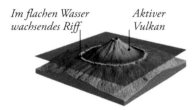

Im flachen Wasser wachsendes Riff — *Aktiver Vulkan*

▲ 1. SAUMRIFF
Um eine tropische Vulkaninsel bildet sich bald ein Saumriff in Küstennähe.

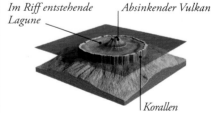

Im Riff entstehende Lagune — *Absinkender Vulkan*

▲ 2. BARRIERERIFF
Wenn der erloschene Vulkan versinkt, wachsen die Korallen dem Licht entgegen.

Das Grundgestein sinkt ab, die Korallen wachsen. — *Verschwindender Vulkangipfel* — *Korallen*

▲ 3. ATOLL
Nach Millionen Jahren ist der Vulkan verschwunden und ein Atoll bleibt übrig.

Tahiti
Hohe Insel

Lage Polynesien, Westpazifik
Typ Vulkaninsel mit Saumriff
Gesamtfläche 1045 km²

Die Insel Tahiti besteht aus zwei von einem Saumriff umgebenen Vulkangipfeln. Die Vulkane sind erloschen und kühlen ab, sind aber noch fast so hoch wie zu ihrer aktiven Zeit vor 200 000 Jahren. Daher befindet sich das Saumriff noch in Küstennähe.

Bora Bora
Sinkender Gipfel

Lage Polynesien, Westpazifik
Typ Vulkaninsel mit Barriereriff
Gesamtfläche 29 km²

Bora Bora gehört zur gleichen Inselkette wie Tahiti, ist aber viel älter. Der zentrale Vulkan ist vor 3 Millionen Jahren das letzte Mal ausgebrochen und sein Gipfel sinkt ab. Dadurch ist eine breite Lagune zwischen der Insel und dem sie umgebenden Barriereriff entstanden.

Lighthouse Reef
Great Blue Hole

Lage Westliche Karibik
Typ Plattformriff
Gesamtfläche 300 km²

Das Lighthouse Reef liegt vor der Küste von Belize in Mittelamerika. Es ist nicht auf einem erloschenen Vulkan, sondern auf einem Kalkgebirge entstanden, das versunken ist, als der Meeresspiegel durch das Abschmelzen des Kontinentaleises am Ende der letzten Eiszeit gestiegen ist. Das Meer hat dabei Karsthöhlen geflutet und in der Mitte des Riffs ist eine dieser Höhlen eingebrochen. So ist das „Große Blaue Loch" entstanden, ein kreisrundes, tiefes Loch inmitten der flachen Lagune.

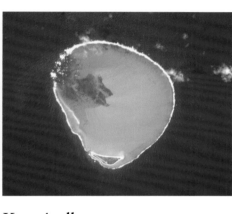

Kure-Atoll
Korallenring

Lage Hawaii-Inseln, Pazifischer Ozean
Typ Atoll vulkanischen Ursprungs
Gesamtfläche 80 km²

Kure ist der älteste Teil der Inselkette, zu der auch Hawaii gehört. Es war ein aktiver Vulkan, der aber vor 25 Millionen Jahren erloschen ist, sodass heute nichts mehr von ihm zu sehen ist. Übrig blieben ein ringförmiges Korallenriff und eine seichte Lagune. Auf der einzigen sandigen Insel im Atoll nisten Tausende von Seevögeln.

Malediven
Atolle in Atollen

Lage Nördlicher Indischer Ozean
Typ Plattformriffe
Gesamtfläche 9000 km²

Die im Indischen Ozean liegenden Malediven sind ein Komplex von Atollen, die sich auf einem südlich von Indien verlaufenden Gebirgszug gebildet haben. Ungewöhnlich ist, dass viele dieser Atolle Ketten kleinerer Atolle sind, die im blauen Meer wie eine Perlenkette wirken. Das höchste Atoll ragt nur 2,4 m aus dem Wasser.

▼ PERFEKTER KREIS
Dieses Atoll ist eines unter den über 1192 Inseln, aus denen die Malediven bestehen.

Aldabra
Pilzförmige Inseln

Lage Westlicher Indischer Ozean
Typ Gehobenes Atoll
Gesamtfläche 155 km²

Aldabra ist eines der größten Atolle und deshalb ungewöhnlich, weil die Kräfte, die auch die Gebirge auffalten, den Meeresgrund unter ihm hochgeschoben haben, sodass das Riff in die Luft gehoben wurde. Das Meer hat manche der Inseln zu pilzförmigen Gebilden geformt, etwa die hier abgebildete.

KÜSTEN UND STRÄNDE

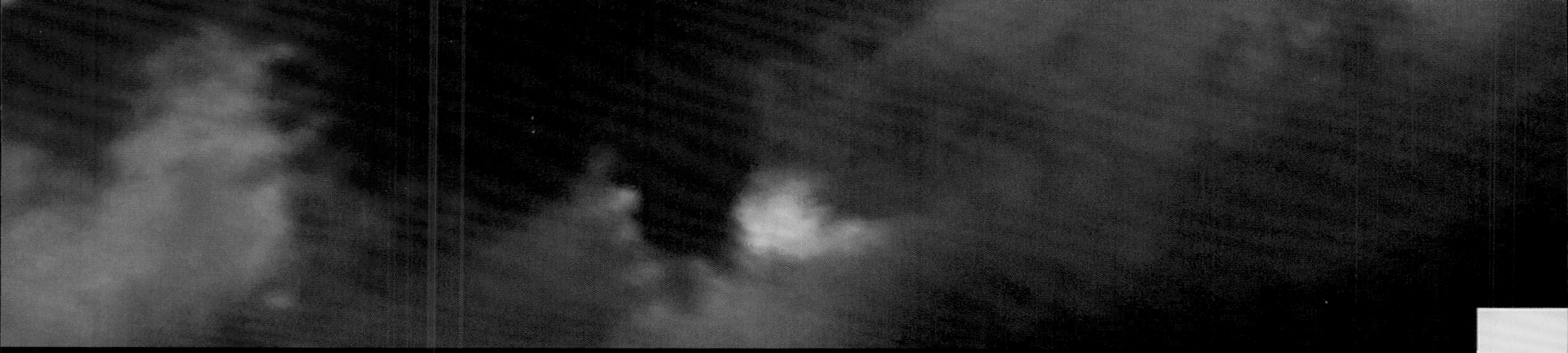

Die von den Wellen
gepeitschten Küsten
sind raue Grenzgebiete,
in denen Gestein zu
Geröll zerrieben wird
und das Überleben
nicht einfach ist.

Die Gezeiten

An den meisten Küsten steigt und fällt der Meeresspiegel, sodass sie zum Teil überflutet werden und dann wieder trockenfallen. Dieser Wechsel von Ebbe und Flut wird vor allem von der Anziehungskraft des Monds hervorgerufen. Die Gezeiten erzeugen auch starke, wechselnde Strömungen.

▲ EBBE
Anders als bei den meisten Küsten auf der Erde gibt es an dieser vietnamesischen Küste nur einmal pro Tag Ebbe und Flut.

DIE KRAFT DES MONDS

Durch die Anziehungskraft des Monds bilden sich auf den Meeren zwei Wasserberge, die durch die Drehung der Erde im Verlauf des Tages von den meisten Küsten passiert werden, sodass Ebbe und Flut hervorgerufen werden.

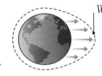

Wasserberg

Erde · Mond

▲ ANZIEHUNGSKRAFT
Das Wasser wird durch die Anziehungskraft des Monds zu seiner Seite gezogen, sodass hier der Meeresspiegel angehoben wird.

Auf der anderen Seite erzeugter Wasserberg

▲ ZENTRIFUGALKRAFT
Die Erde dreht sich auch um den gemeinsamen Schwerpunkt von Erde und Mond, sodass ein zweiter Wasserberg entsteht.

Kombinierte Wasserberge

Die Erde dreht sich einmal pro Tag.

▲ ERDDREHUNG
Die Wasserberge sind in Richtung des Monds ausgerichtet, sodass jede Küste durch die Erddrehung zweimal pro Tag einen Berg passiert.

KÜSTE BEI EBBE

Wenn der Wasserspiegel fällt, legt er Teile der Küste frei, die mehrere Stunden lang mit Meerwasser bedeckt waren. An steilen Felsenküsten ist dieser Effekt nicht sehr auffällig, doch an flachen Sandstränden können wenige Meter Unterschied ausgedehnte Wattflächen entstehen lassen.

▲ FLUT
Wenn das Wasser bei Flut steigt, bedeckt das Meer wieder den Sand. Das kann sehr schnell geschehen, sodass der Strand in eine glitzernde Wasserfläche verwandelt wird.

ÖRTLICHE EFFEKTE

An den meisten Küsten gibt es zweimal pro Tag eine Flut, an anderen nur einmal, weil die Form der Küste den Wasserfluss und die Höhe der Flut verändert. Wo dagegen Wasser durch enge Kanäle gepresst wird, können sehr hohe Fluten entstehen.

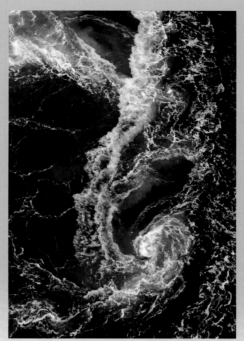

GEZEITENSTRÖMUNG

Beim Wechsel von Ebbe und Flut bewegt sich das Wasser auch vor Ort in Gezeitenströmen. Wo sie Landzungen umfließen oder zwischen Inseln gepresst werden, erhöht sich die Fließgeschwindigkeit und es können gefährliche Wirbel entstehen. Das geschieht nur bei schnellen Gezeitenströmen zwischen Ebbe und Flut. Zu anderen Zeiten kann das Wasser vollkommen ruhig sein.

◄ SALTSTRAUMEN
Der Saltstraumen an der norwegischen Nordostküste ist der stärkste Gezeitenstrom der Erde. Zweimal pro Tag schießt das Wasser mit Geschwindigkeiten von bis zu 40 km/h durch die Meerenge.

MOND UND SONNE

Alle zwei Wochen, bei Vollmond und bei Neumond, steht der Mond in einer Linie mit der Sonne. Dann addieren sich die Anziehungskräfte von Mond und Sonne, sodass Springtiden entstehen – Gezeiten mit sehr großem Unterschied zwischen Hoch- und Niedrigwasser. Bei Halbmond gibt es dagegen Nipptiden mit geringen Unterschieden im Wasserstand, da sich die Kräfte von Sonne und Mond zum Teil aufheben.

► SPRINGTIDEN
Die Wasserberge sind größer, wenn die Anziehungskräfte von Mond und Sonne zusammenwirken.

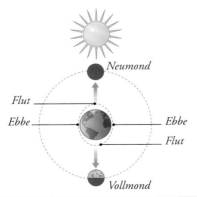

► NIPPTIDEN
Wenn die Anziehungskraft der Sonne der des Monds entgegenwirkt, sind die Wasserberge kleiner.

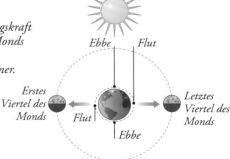

Wellenkraft

ZERSTÖRERISCHE KRAFT

Wenn sich Wellen brechen, übt das Wasser eine gewaltige Kraft aus. An manchen Stellen wird diese Energie von Kiesbänken aufgenommen, doch an Felsenküsten kann nichts die Wellen davon abhalten, mit voller Kraft auf das Gestein zu prallen. Das Wasser schleudert lose Steine auf die Klippen, sodass sie mürbe werden, und der Druck der Wellen auf die Spalten kann so groß werden, dass sich ein gewaltiger Luftdruck aufbaut und sie sprengt.

Wenn die Wellen an ungeschützte Küsten prallen, tragen sie Felsen und Gestein bis auf Höhe des Meeresspiegels ab und schaffen Höhlen, Klippen und Riffe. Steine und Sand werden entlang der Küste an ruhigere Stellen gespült. So können sie Kiesbänke, Sandstrände und Wattflächen bilden. Auf diese Weise wird die Küste an manchen Stellen abgetragen und an anderen wieder aufgeschüttet.

AHA!

Eine große Welle kann mit einem Druck von 500 kg/cm² auf Felsen prallen – wie ein autogroßer Hammer, der einen Finger trifft.

ZUSAMMENBRUCH

Die Wellen wirken auf die Klippen der Küste ein, lockern Gesteinsblöcke und untergraben die darüberliegenden Hänge. Mit der Zeit bricht die Klippe unter ihrem eigenen Gewicht zusammen, sodass große Felsbrocken herabstürzen. Diese nehmen viel von der Energie der Wellen auf, bis sie selbst zertrümmert werden.

▲ ABGERUTSCHT
Teile der von den Wellen unterspülten Kalkklippen sind herabgestürzt. Der Schuttberg schützt nun die Klippen, allerdings nicht lang.

ZERKLEINERUNG

Sobald das Gestein auf die Küste gestürzt ist, wird es von den Wellen umhergeworfen. So werden die Ecken abgeschlagen – runde Kiesel und Sand entstehen. Das Wasser spült die kleineren Teilchen weg, indem es sie aufwirbelt oder über den Grund rollt. Die großen Brocken bleiben liegen, wo sie hingefallen sind.

GESCHÜTZTE STRÄNDE

An Küsten, die durch vorgelagerte Land-zungen geschützt sind, sind die Wellen kleiner. Anstatt die Küste abzutragen, lagern sie hier kleinere Steine und Sand ab. Das relativ ruhige Wasser kann keine großen Steine bewegen, sodass sich die geschützten Strände vor allem durch feinen Sand auszeichnen. Wo die Wellen größer werden, können auch Kiesstrände entstehen. Manche dieser geschützten Strände werden immer größer, doch andere erhalten in jedem Jahr durch die Winterstürme eine neue Form.

SORTIERANLAGE

Wenn das Wasser Gesteinstrümmer die Küste entlangtransportiert, werden die feineren, leichteren Teilchen weiter von ihrem Ursprungsort wegbewegt als die größeren und schwereren. So wird das Material in verschiedene Größen sortiert, weil das Wasser die schwersten Kiesel zuerst ablagert, dann erst den feineren Kies und schließlich den Sand.

Sand

Feiner Kies

Grober Kies

Große Kiesel

Klippen und Höhlen

Wenn sich die Wellen an Felsenküsten brechen, zerkleinern sie das Gestein und transportieren es an andere Strände. Durch diesen ununterbrochenen Prozess entstehen Küstenformen mit steilen Klippen, dunklen Höhlen, aufragenden Bögen, isolierten Inseln und Türmen. Doch so wie diese Gebilde entstehen, werden andere schon wieder zerstört.

BUCHTEN UND LANDZUNGEN

Wenn Küsten aus verschiedenen Gesteinstypen bestehen, werden die weicheren zuerst abgetragen. So entsteht eine Küstenlinie, in der sich Buchten und Landzungen abwechseln. Die Landzungen schirmen die Buchten ab, sodass sich Strände bilden und das weichere Gestein schützen können. In der Zwischenzeit bilden die Wellen an den Landzungen Höhlen, Bögen und Türme.

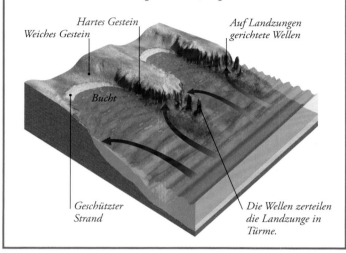

Hartes Gestein
Weiches Gestein
Auf Landzungen gerichtete Wellen
Bucht
Geschützter Strand
Die Wellen zerteilen die Landzunge in Türme.

STEIL ABWÄRTS

Wo ein Hochland an das Meer grenzt, wird das Gestein auf Höhe des Meeresspiegels abgetragen. Dadurch wird das Material darüber nicht mehr gestützt, sodass es abbricht und eine Klippe entsteht. Ihre Form hängt von der Härte des Gesteins ab, doch die auffälligsten Klippen bilden sich in weichem Gestein, etwa in Kalkstein. Solche Küsten finden sich auf Rügen oder auch im Süden Englands (Foto unten).

HÖHLEN

Wo hartes, festes Gestein von den Wellen unterspült wird, können an der Basis der Klippen Höhlen entstehen. Die meisten von ihnen sind nicht sehr tief, da sie von den Wellen immer wieder zum Einsturz gebracht werden. Dadurch können spektakuläre Blaslöcher entstehen, wo die in die Höhle treffenden Wellen durch Spalten im Höhlendach gepresst werden und als Fontänen auf der Oberseite austreten.

FELSBÖGEN

Wellen greifen eine Landspitze oft von beiden Seiten an. Sie tragen das Gestein ab, sodass auf jeder Seite eine Höhle entsteht. Kommt es zum Durchbruch, bildet sich ein Bogen. Bögen können auch entstehen, wenn Höhlen in dahinterliegendes weicheres Gestein durchbrechen.

▼ GEBOGENES WUNDER
Natürliche Felsbögen sind selten, da der Fels schnell die Stabilität verliert, doch manchmal halten sie viele Jahrhunderte.

ZWEI ÜBERLEBENDE

Wenn das Meer eine Felsenküste angreift, überleben die härtesten Gesteine am längsten. Sie nehmen meist die Form langer Landspitzen an, doch manchmal bleiben harte Abschnitte als Inseln übrig. Diese Inseln vor Brasilien bestehen aus vulkanischem Basalt, der vor langer Zeit aus dem Erdinneren hervorgequollen ist und seitdem den Wellen widersteht.

TÜRME

Meist zerfallen Landspitzen unter dem Einfluss der Wellen zu Schutt, doch manchmal bleiben sehr harte Bereiche als Türme stehen. Von der Küste getrennt und auf allen Seiten steil abfallend, geben sie hervorragende Nistplätze für Seevögel ab. Mit der Zeit stürzen die meisten dieser Türme ins Meer und lassen nur felsige Stümpfe zurück.

◄ ZERBRECHENDER TURM
Spalten auf Meeresspiegelhöhe deuten darauf hin, dass der Turm bald fällt.

151

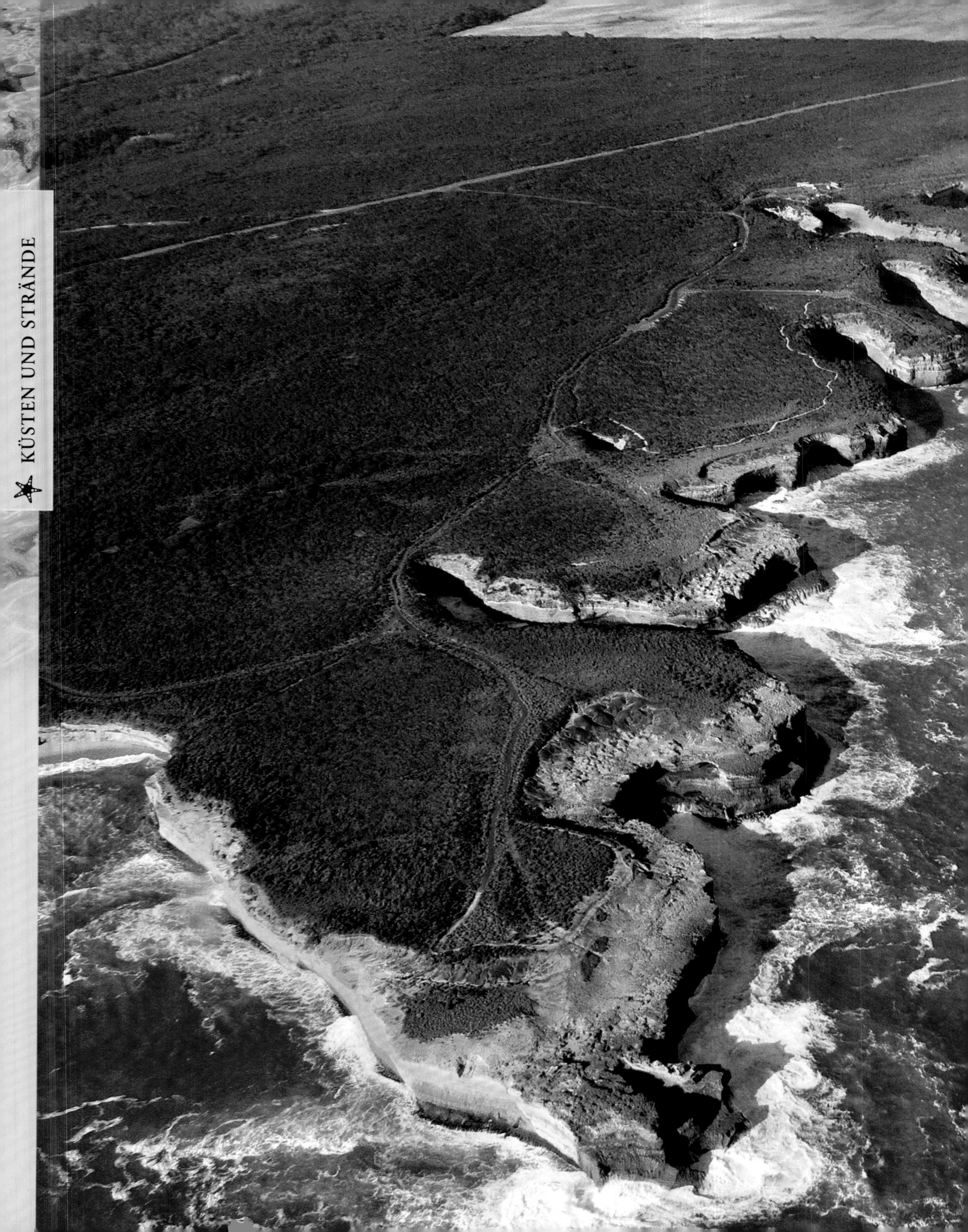

ZWÖLF APOSTEL

Die vom Südpolarmeer heranrollenden Wellen haben die südaustralischen Küsten in Buchten, Landspitzen und Türme zerlegt. Diese Türme nennt man die „Zwölf Apostel". Mittlerweile sind es zwar nur noch acht, doch weitere werden sich in Zukunft bilden, wenn sich die Wellen weiterhin gegen die Küste werfen.

Felsenküsten

Die von Wellen umspülten und bei Ebbe trockenfallenden Felsenküsten sind für die Lebewesen des Meers ein gefährlicher Ort. Doch diese Küstengewässer sind reich an Nahrung, sodass die an diesen Lebensraum angepassten Tiere oft in großer Zahl vorkommen. Meistens gibt es an den Felsenküsten daher dichte Bestände von nur wenigen Arten.

EINSCHLAGSZONE

Jede Welle, die sich an einer Felsenküste bricht, schleudert Kiesel gegen die Felsen. Alle Tiere, die im Weg sind, können dabei zerschmettert werden. Die meisten ziehen sich daher in Spalten zurück oder sind gut gepanzert. Die dicken, kegelförmigen Schalen der Napfschnecken sind perfekt geformt, um die Kraft der Wellen abzuleiten und Aufschlägen zu widerstehen.

◄ NAPF-
SCHNECKEN
Diese Schnecken haften bei Ebbe wasserdicht am Felsen, kriechen aber unter Wasser auf der Suche nach Nahrung umher.

FEST GESCHLOSSEN

Alle paar Stunden müssen die Tiere der Küste damit rechnen, bei Ebbe auf dem Trockenen zu sitzen. Viele Muscheln schließen dann ihre Schalen und pressen sich an die Felsen, um dem tödlichen Austrocknen zu entgehen. So behalten sie auch einen Wasservorrat mit dem für sie lebenswichtigen Sauerstoff.

► MUSCHELN
Die mit einem Schloss versehenen Muschelschalen stehen unter Wasser zum Fressen offen, sind bei Ebbe aber geschlossen.

▼ FARBCODE

Die farbigen Bänder weisen auf verschiedene Organismen hin – das gelbe auf Flechten, das helle in der Mitte auf Seepocken und das grüne an der Niedrigwassermarke auf Seeanemonen.

LEBENSBEREICHE

Viele der an den Felsenküsten vorkommenden Tiere leben ständig auf dem Gestein. Manche von ihnen können länger als andere auf dem Trockenen leben, sodass sie es weiter oben über der Niedrigwassermarke aushalten und diesen Bereich für sich in Anspruch nehmen können. Daher findet man an Felsenküsten oft Zonen unterschiedlich gefärbter Tiere, Algen und anderer hier lebender Organismen.

▲ ESSENSZEIT

Wenn die Flut kommt, öffnen diese Entenmuscheln ihr Gehäuse und fischen mit ihren Rankenfüßen nach Fressbarem im Wasser.

HOCHWASSER

Wenn die Flut die Felsen überspült, verändert sich die Küste. Tange schweben im Wasser und die vorher verborgenen Tiere kommen zum Fressen hervor. Andere an den Felsen sitzende Tiere strecken Röhren und Tentakel aus, um Nahrung aus dem Wasser zu fischen. Fische kommen, um so viel Nahrung zu fangen, wie sie bekommen können, bevor das zurückgehende Wasser die Küste wieder trockenfallen lässt.

RÜCKZUGSORT

Felsenküsten bieten auch Tieren wie Vögeln oder Krabben Nahrung. Sie können je nach Wasserstand kommen oder gehen. Robben ziehen sich hier vor Haien und anderen Jägern zurück und wärmen sich nach dem Aufenthalt im kalten Wasser auf.

▲ SONNENBAD

Auf den tropischen Galápagos-Inseln sonnen sich Meerechsen neben Roten Klippenkrabben auf den warmen Felsen der Küste.

155

Gezeitentümpel

Viele Tiere der Felsenküsten überstehen die Ebbe in kleinen Tümpeln, in denen sich das Seewasser sammelt. Sie brauchen nicht die Fähigkeit, auf dem Trockenen überleben zu können. Manche dieser Tiere wie die Seeanemonen leben sogar ständig in solchen Gezeitentümpeln. Andere wie Krabben und kleine Fische suchen bei Flut die Küste nach Nahrung ab und ziehen sich erst bei Ebbe in die Tümpel zurück. Einzelne Bewohner des offenen Meers stranden oft auch versehentlich in den Gezeitentümpeln.

AHA!

Manche kleine Fische verbringen ihr ganzes Leben in Gezeitentümpeln, verteidigen sie als Revier und vermehren sich darin.

NATÜRLICHE AQUARIEN

Gezeitentümpel bilden sich in Vertiefungen und Spalten im Gestein, die keinen Abfluss besitzen. Sie sind also natürliche Meerwasseraquarien, in denen das Wasser gewechselt wird, wenn sie bei der nächsten Flut überspült werden. Tiere und Tange können in ihnen wie im offenen Meer leben. Viele der Tiere sind schwer zu entdecken, weil sie gut getarnt sind.

▼ RÜCKZUGSMÖGLICHKEIT
Im kristallklaren Wasser dieses Gezeitentümpels auf der Hawaii-Insel Oahu wachsen dauerhaft Tange, die vielen Tieren Schutz bieten.

▲ GLASROSE
Anders als die Seeanemonen, die an höher gelegenen Plätzen der Küste leben, können die Glasrosen ihre langen Tentakel nicht einziehen, um auf dem Fels bei Ebbe zu überleben.

TÜMPELBEWOHNER

Viele der Tiere in den Gezeitentümpeln verbringen ihr ganzes Leben an der gleichen Stelle. Da sie sich immer im Wasser befinden, sei es bei Flut oder bei Ebbe, müssen sie nicht die Fähigkeit haben, auf dem Trockenen zu überleben. Zu diesen Tieren gehören die Seescheiden und die Glasrosen, die austrocknen und sterben würden, wenn sie länger als ein paar Minuten der Luft ausgesetzt wären.

▲ ATLANTISCHER BUTTERFISCH
Dieser nordatlantische Küstenbewohner kann bei Ebbe zwischen dem feuchten Tang überleben, doch er bevorzugt tiefe Tümpel.

ZURÜCK IN DEN TÜMPEL

Manche Tiere der Gezeitentümpel wie kleine Küstenfische, Garnelen und Krabben verlassen die Tümpel bei Flut. So können sie die benachbarte Küste nach Nahrung absuchen. Die meisten kehren bei beginnender Ebbe in ihren Tümpel zurück, um nicht zu stranden. Doch manche Tiere wie die Krabben können den Rückweg auch noch finden, wenn sich das Wasser schon zurückgezogen hat.

OBEN UND UNTEN

Die Vielfalt des Lebens im Gezeitentümpel hängt von seiner Größe und Lage ab. Manche Tümpel werden zu warm oder gefrieren. Im oberen Küstenbereich können sie stunden- oder tagelang vom Meer abgeschnitten sein, austrocknen oder sich mit Regenwasser füllen. Große Tümpel im mittleren und unteren Küstenbereich enthalten daher eine größere Lebensvielfalt.

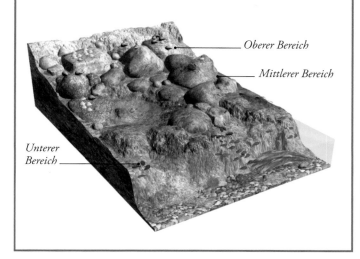

Oberer Bereich

Mittlerer Bereich

Unterer Bereich

GESTRANDET

Manchmal landen Tiere unabsichtlich in einem Gezeitentümpel. Wenn sie bei Flut im freien Wasser nach Nahrung suchen, können sie bei Ebbe vom Meer abgeschnitten werden. Manche dieser ungewöhnlichen Besucher sind Kraken oder Hummer. Sie müssen bis zur nächsten Flut warten, wenn sie entkommen wollen.

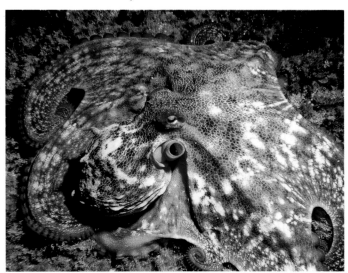

▲ GEWÖHNLICHER KRAKE
Die weltweit vorkommenden Gewöhnlichen Kraken jagen an flachen Küsten und stranden manchmal in Gezeitentümpeln. Sie können ihre Farbe und ihr Zeichnungsmuster blitzschnell ändern, um sich zu tarnen und zu verstecken.

157

Strände, Dünen und Buchten

Das von den Wellen an Felsenküsten zerkleinerte Gestein wird von der Strömung die Küste entlang zu ruhigeren Stränden transportiert. Hier werden – je nach Lage der Küste – Kies oder Sand abgelagert. Die Strände werden immer wieder von den Wellen neu geformt, sodass die verschiedensten Strandtypen entstehen. Außerdem weht der Wind Sand über die Hochwasserlinie hinaus, sodass Dünen entstehen.

BELIEBTE STRÄNDE

Wo aus hartem Gestein bestehende Landspitzen einen breiten Streifen weichen Gesteins einschließen, entsteht durch die Kraft der Wellen eine breite Bucht mit einem halbmondförmigen Strand. Diese schönen Strände sind für Freizeitaktivitäten wie Schwimmen und Surfen ideal. Daher stellen sie oft beliebte Touristenattraktionen dar.

STRANDVERSETZUNG

Verlaufen die Wellen schräg zum Strand, so lagern sie Kies und Sand im gleichen Winkel ab. Dieser als Strandversetzung bekannte Prozess kann auch Material abtragen und wieder ins Meer befördern. Manchmal werden sogenannte Buhnen ins Meer gebaut, um dies zu verlangsamen. Der Sand lagert sich dann in einem Zickzackmuster ab (siehe unten).

SCHMALE STRÄNDE

Ins Meer ragende Landspitzen schließen oft kleine Sandstrände ein. Hier sind schmalere Bereiche weichen Gesteins von den Wellen abgetragen worden. Der Sand lagert sich im Lauf der Zeit ab und die Landspitzen verhindern, dass er wieder fortgespült wird, wie es oft bei offeneren Stränden geschieht.

▲ FRASER-INSEL
Diese Dünen an der Küste der vor Ostaustralien gelegenen Fraser-Insel sind ein Teil der längsten Küstendünen-Kette der Erde.

KÜSTENDÜNEN

Liegen Sandstrände nicht am Fuß von Klippen, werden sie oft von Dünen begrenzt. Sie entstehen, wenn der Wind Sandkörnchen an Land bläst. Der Dünenkamm verschiebt sich, da der Sand auf einer Seite hinauf- und auf der anderen hinabbewegt wird. Doch schließlich werden die Dünen von den Wurzeln der Pflanzen stabilisiert, die an salzige Böden angepasst sind.

LANDSPITZEN

Manche lange Strände setzen sich auf Landspitzen fort. Sand und Kies werden von der Strömung an der Spitze abgelagert, sodass sie immer weiter wächst. Die abgebildete Dungeness Spit im Staat Washington (USA) wächst jährlich um 4,5 m.

LANGE STRÄNDE

Die Strandversetzung kann endlos lange Strände erzeugen. Oft bilden sich Sandbänke, die eine Lagune vom offenen Meer abtrennen. Diese langen Strände nehmen die Kraft der Wellen bei Stürmen auf und schützen so die eigentliche, dahintergelegene Küste vor der Abtragung.

▶ KILOMETERLANGER STRAND
Dieser spektakuläre Strand weit im Norden Neuseelands ist 90 km lang.

Geschützte Lagune zwischen dem Meer und dem Strand

AHA!
Der längste natürliche Strand befindet sich im Süden Bangladeschs in der Nähe der Stadt Cox's Bazar. Er ist 120 km lang.

Versteckt im Sand

Ein Strand kann bei Ebbe vollkommen leer wirken, wenn man von den Vögeln absieht. Doch unter der Oberfläche wimmelt es oft von Leben. Hier findet man grabende Würmer und Muscheln, die im Sand nach fressbaren Teilchen suchen. Andere Tiere tauchen bei Flut aus dem Sand auf, um Plankton zu fressen. Sie riskieren dabei, von Fischen angegriffen zu werden.

▲ HERZIGEL
Eingegrabene Herzigel benutzen ihre langen Röhrenfüßchen, um Atem- und Nahrungskanäle im Sand zu öffnen.

GRABENDE SEEIGEL

Unter den im Sand versteckten Tieren befinden sich die Herzigel. Diese Verwandten der frei lebenden Seeigel haben kurze, bewegliche Stacheln, die sie zum Graben benötigen, und lange Röhrenfüßchen wie die Seesterne. Herzigel leben eingegraben im nassen Sand, wo sie sich von den winzigen Überresten abgestorbener Organismen ernähren.

HUNGRIGE WÜRMER

Bei Ebbe sieht man an vielen Sandstränden die Ausscheidungen der Wattwürmer. Diese leben in u-förmigen Röhren, in die sie Wasser saugen. Sie fressen Sand, verdauen alles Fressbare und schieben den Rest an die Oberfläche. Ihre Ausscheidungen werden von der Flut immer wieder weggespült. Was man sieht, ist also durch die Nahrungsaufnahme der letzten Stunden entstanden.

AHA!

1 Quadratmeter eines den Gezeiten ausgesetzten Sandstrands kann bis zu 20 000 vergrabene Bäumchenröhrenwürmer enthalten.

Tentakel

Schalen-stückchen

▲ SCHEIDENMUSCHELN
*Die Scheidenmuscheln tauchen manchmal aus dem
Sand auf, verschwinden aber schnell bei Gefahr.*

VERBORGENE MUSCHEL

Grabende Muscheln kommen bei Flut zum
Fressen hervor. Meist bleibt ihr Körper versteckt
und sie strecken lange Siphos aus. Die meisten
Muscheln filtrieren das Wasser, während zum
Beispiel die Tellmuscheln Fressbares von der
überfluteten Strandoberfläche auflesen. Fällt
der Wasserstand, verschwinden die Muscheln
wieder im Sand, wo sie sich vor Seevögeln
und anderen Feinden verstecken.

TENTAKELKRANZ

Viele der im Sand vergrabenen
Würmer warten auf die Flut, die den
Strand überspült. Dann kommen sie
ein Stück weit aus ihren Bauen heraus und spreizen ihren Tentakelkranz,
um Nahrung aus dem Wasser zu
filtern. Mehrere Arten mischen auch
Schleim von ihren Körpern mit verschiedenen Materialien, um Röhren
zu bauen, mit denen sie ihre weichen
Körper schützen können. Die Röhren
ragen über den Boden hinaus, sodass
die Würmer Nahrung aus dem freien
Wasser filtern können.

◄ BÄUMCHENRÖHRENWURM
*Dieser Wurm baut seine Röhre aus Sand
und Muschelschalenstückchen. Sogar seine
Tentakel stecken in Röhren. Der Wurm
selbst kann bis zu 30 cm lang werden.*

▲ VIPERQUEISE
*Dieser halb im Sand des Flachwassers vergrabene Fisch
schützt sich durch seine giftigen Flossenstrahlen.*

JÄGER BEI FLUT

Grabende Tiere, die bei Flut nach Nahrung
suchen, werden selbst von Fischen verfolgt, die
nun vom Meer herbeischwimmen. Viele von
ihnen sind auf den Meeresgrund spezialisiert,
etwa die Petermännchen, die Plattfische und die
Rochen, aber auch Barsche und Kabeljaus.

161

Watvögel

Die zahllosen Meerestiere, die im Sand vergraben leben, sind für die Watvögel bei Ebbe ein gefundenes Fressen. Viele von ihnen besitzen lange Schnäbel, mit denen sie im weichen Sand oder Schlick stochern können, und lange Beine, mit denen sie im Wasser waten. Manche setzen auch besondere Techniken zur Nahrungssuche ein. Andere Vögel haben sich auf die Muscheln der Felsenküsten spezialisiert oder schnappen nach Insekten und anderen kleinen Tieren, die sich von angespülten Teilchen ernähren.

Reiherläufer
Schalenknacker

Größe 40 cm
Verbreitung Indischer Ozean
Lebensraum Sandstrände und Dünen

Dieser schwarz-weiße Vogel hat sich darauf spezialisiert, Krabben zu fangen und zu fressen. Mit seinem starken Schnabel bricht er ihr Außenskelett auf und verfüttert das Fleisch auch an seine Jungen. Er lebt das ganze Jahr über an tropischen Sandstränden und brütet in großen Kolonien an der Küste. Er gräbt oberhalb der Hochwasser-linie Bruthöhlen in den Sand.

Steinwälzer
Strandinspektion

Größe 23 cm
Verbreitung Weltweit
Lebensraum Meist steinige Küsten

Schwärme dieser Vögel durchkämmen den Strand und benutzen ihren kurzen, kräftigen Schnabel, um Kiesel und Muschelschalen umzudrehen und jedes Tier zu fangen, das sie finden können. Sie untersuchen auch die Seetanghaufen, die an den Strand gespült wurden, picken an toten Fischen und Krabben und jagen Tangfliegen und Strandflöhe.

▼ TARNFARBEN
Auf einem Stein ist ein Steinwälzer leicht zu entdecken. Auf den mit Tang übersäten Stränden ist er dagegen fast unsichtbar.

▼ HÜBSCHE FEDERN
Der Rosalöffler war einst durch die Jagd bedroht, da seine schönen Federn sehr gefragt waren.

Großer Brachvogel
Vorsichtiges Stochern

Größe 60 cm
Verbreitung Europa, Asien und Afrika
Lebensraum Sandstrände und Watt

Der extrem lange, schmale Schnabel ist ein ideales Werkzeug, um damit im Sand und Schlick nach vergrabenen Würmern und Muscheln zu stochern. Er reicht tiefer als der eines jeden anderen Brachvogels. Die Spitze ist berührungsempfindlich, sodass der Vogel nach Beute tasten kann. Brachvögel waten im seichten Wasser, picken aber auch kleine Krabben und andere Tiere vom Strand.

Kampfläufer
Eindrucksvolle Vorführung

Größe 30 cm
Verbreitung Europa, Asien, Afrika und Australien
Lebensraum Schlammige Flussmündungen

Wie viele andere Watvögel brüten Kampfläufer im Inland auf Marschen und Wiesen. Die Männchen veranstalten Schaukämpfe für die Weibchen, bei denen sie ihr prächtiges Brutgefieder präsentieren. Zum Ende der Brutzeit verlieren sie die langen Federn, die im Winter von einem bescheideneren graubraunen Gefieder ersetzt werden. Kampfläufer suchen in den Flussmündungen, aber auch weiter im Inland nach Nahrung.

Rosalöffler
Spezialist

Größe 81 cm
Verbreitung Nord-, Mittel- und Südamerika
Lebensraum Küstenlagunen

Bei vielen Vögeln ist der Schnabel entsprechend ihrer Ernährung besonders ausgebildet. Zu ihnen gehören die Löffler, die den leicht geöffneten Schnabel unter der Wasseroberfläche hin und her schwenken. Mit dieser Technik erbeutet der Rosalöffler Garnelen und andere kleine Tiere. Löffler gehen oft in kleinen Gruppen auf Nahrungssuche und schreiten in Reihen durch das seichte Wasser.

Austernfischer
Zertrümmern und stochern

Größe 46 cm
Verbreitung Europa, Asien und Afrika
Lebensraum Stein- und Sandstrände

Nur wenige Watvögel können mit ihrem Schnabel Muscheln aufbrechen oder zertrümmern. Der leuchtend rote Schnabel des Austernfischers ist dafür besonders verstärkt und mit der messerartigen Spitze kann er den Schließmuskel der Muschel durchtrennen. Die an steinigen Küsten lebenden Austernfischer haben die stärksten Schnäbel. Die auf weichem Untergrund lebenden besitzen dagegen feinere Schnäbel, die sie ähnlich wie Brachvögel zum Stochern benutzen.

Stelzenläufer
Hoch hinaus

Größe 40 cm
Verbreitung Weltweit, außer kalte Regionen
Lebensraum Seichte Küstengewässer

Viele Watvögel haben lange Beine, die die Nahrungssuche im Wasser erleichtern. Die Beine des Stelzenläufers ermöglichen ihm, in tieferem Wasser als andere Vögel zu waten, erschweren aber die Nahrungssuche an Land.

AUSTERNFISCHER

Im Winter ziehen Millionen Vögel aus der
Arktis nach Süden, um sich an den Küsten
und im Watt Nordeuropas zu versammeln.
Hier treffen sie auf Watvögel wie diese
Austernfischer, die im Schlick und Sand nach
Nahrung suchen und die Flut in dichten
Schwärmen zusammengedrängt verbringen.

Vogelkolonien

Vögel können nicht auf dem Wasser brüten. Sie müssen zum Festland zurückkehren, um dort ihre Nester zu bauen. Trotzdem entfernen sie sich nicht weit vom Meer, da ihnen die seichten Küstengewässer reichliche Nahrung für die Aufzucht ihrer Jungen liefern. Viele Vögel bilden küstennahe, große Brutkolonien, vor allem auf isolierten Klippen und Inseln.

STEILE KLIPPEN

Die Brutkolonien der Seevögel locken Füchse und andere Tiere an, die es auf die Eier und Jungvögel abgesehen haben. Daher wählen die Vögel Nistplätze, die von Land aus kaum zu erreichen sind. Viele nisten an steilen Felswänden auf Vorsprüngen, die gerade breit genug sind, um auf den Eiern sitzen zu können. Sind die Jungen flügge, springen sie einfach hinab und flattern zum Wasser.

▲ KEGELFÖRMIGE EIER
Lummenweibchen legen ein einzelnes Ei auf einen nackten Felsvorsprung. Die Eier sind kegelförmig. So rollen sie im Kreis und fallen nicht von der Klippe.

▲ BRUTKOLONIE
Hunderte von Dickschnabellummen nisten auf einer Klippe in der Arktis. Nach der Brutzeit gehen sie wieder aufs offene Meer.

SICHERE BRUTPLÄTZE

Die sichersten Brutplätze für Seevögel sind Inseln und Felsentürme. Da sie vom Festland abgeschnitten sind, gelangen am Boden lebende Tiere nicht an die Nester, die allerdings immer noch durch Raubmöwen gefährdet sind. Oft ist jeder Fleck des Bodens besetzt. Manche der auf Inseln gelegenen Tölpelkolonien sind so dicht mit weißen Vögeln besiedelt, dass sie aus der Entfernung wie mit Schnee bedeckt wirken.

ANGEBEREI

Verschiedene Vögel fallen durch ihre spektakuläre Balz auf, die sie an den Brutplätzen zeigen. Besonders beeindruckend sind die Männchen der Fregattvögel, die leuchtend rote Kehlsäcke besitzen. Sie balzen in den Bäumen tropischer Koralleninseln und versuchen die vorbeifliegenden Weibchen zu beeindrucken.

GUANO-INSELN

Manche Inseln der südamerikanischen Pazifikküste beherbergen schon seit Jahrhunderten Brutkolonien. Die Felsen sind daher von unglaublich dicken Vogel-kotschichten überzogen, die man auch Guano nennt. Manche Lagen sind über 50 m dick. Früher hat man sie als Dünger abgebaut und weltweit verschifft.

▼ KRÄFTIGER GRIFF
Der Papageitaucher kann bei einem Tauchgang mehrere kleine Fische erbeuten. Mit der kräftigen Zunge hält er sie fest, während er die nächsten fängt.

GUT VERSTECKT

Während Seevögel wie die Lummen und Tölpel auf Felsenvorsprüngen oder -flächen brüten, nisten andere in Bauen. Zu ihnen gehören die Papageitaucher, die oft Kaninchenbaue übernehmen, damit sie keine eigenen graben müssen. Die Jungen bleiben in den dunklen Gängen, wo sie vor ihren Hauptfeinden, den Möwen und Raubmöwen, sicher sind. Die Eltern jagen im Meer und kehren mit dem Schnabel voller Fische zu den Jungen zurück.

Schildkröten

Die meisten Meerestiere vermehren sich im Wasser, doch Meeresschildkröten müssen dazu an Land kommen. Die Weibchen kriechen an warme, abgelegene Strände, wo sie Löcher in den Sand graben und ihre Eier darin ablegen. Der warme Sand sorgt für die Bebrütung und die Jungen kehren ins Meer zurück. Hier ernähren sie sich von Garnelen und Quallen, aber auch von Tangen und Seegräsern. Meeresschildkröten können weite Entfernungen zurücklegen, insbesondere wenn sie zur Eiablage an ihre Heimatstrände zurückkehren.

Oliv-Bastardschildkröte
Massenvermehrung

Länge Bis zu 70 cm
Verbreitung Vor allem Pazifik und Indik
Nahrung Fische, Quallen, Muscheln, Garnelen

Diese kleine Meeresschildkröte hat anfangs einen grauen, herzförmigen Panzer, der später olivgrün wird. Obwohl die Tiere eher allein leben, treffen sich manchmal Hunderte oder Tausende von ihnen zur Eiablage an den Stränden, an denen sie selbst geschlüpft sind.

Lederschildkröte
Die größte Schildkröte der Erde

Länge Bis zu 3 m
Verbreitung Alle warmen und gemäßigten Meere
Nahrung Quallen

Die riesige Lederschildkröte ist die größte Schildkröte. Den Namen trägt sie wegen der ledrigen Haut, die ihren gekielten Panzer bedeckt. Sie besitzt keine Hornplatten wie andere Schildkröten. Der Körper der Leder-schildkröte ist stromlinienförmig, sodass sie mühelos große Strecken zurücklegt. Sie ist auf Quallen spezialisiert. Ihre Kehle enthält nach unten gerichtete, fleischige Stacheln, damit die Beute nicht entkommen kann.

Wallriffschildkröte
Bewohner seichter Gewässer

Länge Bis zu 1 m
Verbreitung Tropisches Australien
Nahrung Quallen, Muscheln, Seegras

Diese Schildkröten kommen nur an den warmen, seichten Gewässern der nord-australischen Küsten und Inseln vor. Sie ziehen Flussmündungen und Korallenriffe dem offenen Meer vor. Die Tiere fressen alles, was sie bekommen können, werden selbst aber von Leistenkrokodilen verfolgt. Der Panzer ist flacher als der anderer Meeresschildkröten und hat nach oben gewölbte Ränder.

Echte Karettschildkröte
Gemusterter Panzer

Länge Bis zu 1,2 m
Verbreitung Alle tropischen Meere
Nahrung Schwämme, Quallen, Muscheln

Die Echte Karettschildkröte hat einen spitzen Oberkiefer, der an einen Raub-vogelschnabel erinnert. Mit ihm schnappt sie nach den verschiedensten Meerestieren, etwa Krabben und Quallen. Am liebsten frisst sie die in tropischen Korallenriffen wachsenden Schwämme. Sie besitzt einen auffällig gemusterten Panzer, der früher zu sogenanntem Schildpatt verarbeitet wurde.

Suppenschildkröte
Grasen auf dem Meeresgrund

Länge Bis zu 1,5 m
Verbreitung Alle warmen Meere
Nahrung Seegras

Anders als die übrigen Meeresschildkröten ist die Suppenschildkröte ein Pflanzen-fresser. Sie ernährt sich fast ausschließlich von den verschiedenen Seegräsern, die sie in den flachen Buchten, Flussmündungen und Korallenrifflagunen findet. Die Jungtiere leben jedoch im offenen Meer und fressen kleine Meerestiere. Suppenschildkröten legen ihre Eier an tropischen Sandstränden und bewältigen weite Entfernungen, um sie zu erreichen. Unter dem Panzer befindet sich eine grünliche Fettschicht. Wie alle Meeresschildkröten „fliegt" sie mit ihren langen Vorderflossen elegant durch das Wasser und erreicht dabei Geschwindig-keiten von bis zu 3 km/h.

Unechte Karettschildkröte
Kräftige Kiefer

Länge Bis zu 2,1 m
Verbreitung Alle seichten, warmen Meere
Nahrung Muscheln und andere Meerestiere

Diese Tiere sind Allesfresser. Wie alle Meeresschildkröten haben sie kräftige Kiefer, aber keine Zähne. Sie suchen sich ihre Nahrung meist in seichten Küstengewässern, doch hat man Unechte Karettschildkröten schon geortet, wie sie den Pazifik überquert haben, um ihre Brutplätze zu erreichen.

Atlantik-Bastardschildkröte
Stark bedroht

Länge Bis zu 90 cm
Verbreitung Nordwestlicher Atlantik
Nahrung Krabben, Muscheln und Quallen

Dies ist eine der kleinsten und auch seltensten Meeresschildkröten. Die meisten Weibchen legen ihre Eier an einem einzigen mexikani-schen Strand ab, sodass eine Katastrophe den gesamten Bestand auslöschen könnte. Die Tiere ernähren sich fast nur von Krabben, die sie mit den kräftigen Kiefern zerdrücken.

Landkrabben

Obwohl Krabben an das Leben im Wasser angepasst sind, erlauben es ihnen ihre Panzer und kräftigen Beine, bei Ebbe die Küste nach Nahrung abzusuchen. Die im Panzer liegenden Kiemen bleiben feucht und können Sauerstoff aus der Luft aufnehmen. Dies ermöglicht es den Tieren, am Strand und sogar auf Bäumen oder im Inland zu leben.

AHA!

Jedes Weibchen der Weihnachtsinsel-Krabben kann 100 000 Eier ablaichen, sodass sie gemeinsam 1,5 Billionen Eier abgeben.

KIEMENATMUNG

Krabben entnehmen dem Wasser Sauerstoff über Kiemen, die in einer Höhlung in ihrem Panzer liegen. An Land werden die Kiemen feucht gehalten. Ist der Sauerstoff in der Feuchtigkeit verbraucht, löst sich neuer aus der Luft in ihr. Auf diese Weise kann eine Krabbe viele Stunden an der Luft verbringen.

◄ GEMEINE STRANDKRABBE
Diese weitverbreitete Krabbe kann Muscheln und andere Tiere im Wasser und an der Küste erbeuten.

REITERKRABBEN

Die tropischen Reiterkrabben sind so gut an das Leben am Strand angepasst, dass sie ertrinken können, wenn sie zu lange unter Wasser bleiben. Sie leben in Bauen über der Hochwasserlinie und suchen den Strand nach Fressbarem und kleinen Tieren ab. Sie können sehr gut sehen und verschwinden bei der kleinsten Störung seitwärts laufend in ihren Bauen. Viele sind so gut getarnt, dass sie beinahe unsichtbar werden, wenn sie sich nicht mehr bewegen.

LANDKRABBEN

Obwohl Strand- und Reiterkrabben sich sehr gut an das Leben am Strand angepasst haben, entfernen sie sich nicht weit vom Meer. Landkrabben haben dagegen das Leben im Meer nahezu aufgegeben. Sie besitzen wie alle Krabben Kiemen, doch sind diese so gut durchblutet, dass sie wie Lungen Sauerstoff direkt aus der Luft aufnehmen können. Landkrabben leben fast immer an Land, müssen aber zum Laichen ins Meer zurückkehren.

ROTE FLUT

Die roten Weihnachtsinsel-Krabben leben in den Wäldern der Weihnachtsinsel im Indischen Ozean. Jedes Jahr im Oktober verlassen 30 Millionen von ihnen ihre Baue und überziehen die Insel wie eine rote Flut, um zum Ablaichen zur Küste zu wandern. Die aus den Eiern schlüpfenden jungen Krabben leben einen Monat lang im Meer, bevor sie ans Land zurückkehren.

▲ KRÄFTIGE SCHEREN
Palmendiebe fressen gern Kokosnüsse, die sie mit ihren massiven Scheren aufbrechen. Manche vergreifen sich auch an Hühnern oder anderen Krabben.

KOKOSNUSS-MONSTER

Die eindrucksvollste Landkrabbe ist der tropische Palmendieb. Diese Riesen können bis zu 4 kg wiegen – so viel wie eine Hauskatze. Trotzdem können sie auf Bäume klettern, vor allem auf die Kokospalmen tropischer Inseln. Sie fressen gern Kokosnüsse und tragen daher ihren Namen. Doch wie alle anderen Landkrabben müssen sie zur Eiablage ins Meer zurückkehren.

▼ WERTVOLLE FRACHT
Das Weibchen trägt die Eier 2 Wochen lang unter seinem Körper, bevor es sie ins Meer entlässt.

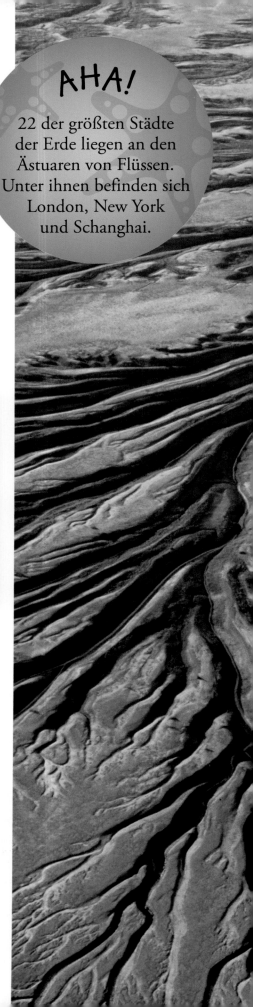

Ästuare und Schlickflächen

Wo ein Fluss das Meer erreicht, verbreitert sich seine Mündung oft zum trichterförmigen Ästuar. Das salzige Meerwasser führt dazu, dass sich die mitgeführten Schwebeteilchen als Schlick in dicken Schichten absetzen, die bei Ebbe trockenfallen. Der Schlick ist salzig und enthält keinen Sauerstoff, doch bietet er vielen Tieren einen Lebensraum.

AHA!

22 der größten Städte der Erde liegen an den Ästuaren von Flüssen. Unter ihnen befinden sich London, New York und Schanghai.

SCHLAMMIGE FLÜSSE

Die von den Flüssen mitgeführten Schwebeteilchen sind winzig, doch durch das Salzwasser verklumpen sie zu größeren Teilen, die auf den Grund absinken. Wenn die Flut kommt, bremst das hereinkommende Meerwasser das Flusswasser, was auch zum Absinken der Teilchen führt.

TIDENWELLE

Wenn die Flut das Wasser ein breites Ästuar bis zum schmaleren Flussbett hinaufdrückt, steigt das Wasser durch die geringere Breite des Flussbetts immer höher. Bei manchen Flüssen ist diese sogenannte Tidenwelle so hoch, dass man darauf surfen kann.

▲ RÍO DE LA PLATA
Dieses Satellitenfoto zeigt das schlammige Wasser eines südamerikanischen Flusses, der ein breites Ästuar gebildet hat.

GLÄNZENDER SCHLAMM

Die vom Fluss bei Flut abgelagerten Sedimente liegen bei Ebbe frei. Die Ebbe erlaubt es dem Fluss schneller zu fließen, sodass er einen schmalen Kanal in den abgelagerten Schlick schneidet. In ihn münden kleinere Kanäle, die die Fläche entwässern.

► NATÜRLICHES MUSTER
Kleine Kanäle entwässern den Schlamm in größere, die zum Schluss in den eigentlichen Fluss münden.

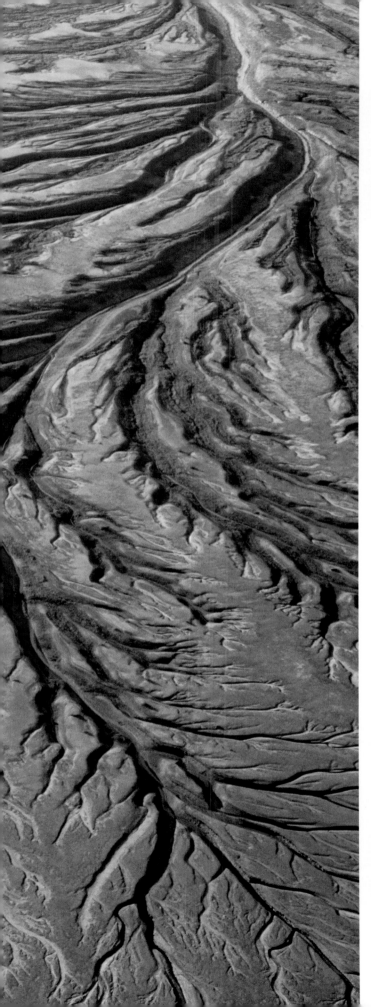

UNANGENEHMES GAS

Der Schlick ist von Mikroorganismen besiedelt, die die Reste toter Tiere und Pflanzen verdauen. Sie kommen ohne Luft aus, können jedoch ein Gas namens Schwefelwasserstoff abgeben, das nach faulen Eiern riecht. Das Gas tritt in Blasen aus dem Schlick aus, sodass es furchtbar stinkt.

SCHLICKVERTILGER

Von den Mikroorganismen im Schlick leben Millionen von Würmern, während Muscheln ihre Nahrung aus dem Wasser filtern. Andere Tiere wie diese kleinen Schnecken kriechen über den Schlick und fressen vom Tang und von toten Tieren, die von der Flut angespült worden sind.

HUNGRIGE BESUCHER

Die vielen kleinen Tiere, die im Schlick leben, ziehen Watvögel sowie Enten und Gänse an. Die Vögel verteilen sich bei Ebbe über die Schlickfläche und ziehen sich zur Küste zurück, wenn die Flut kommt. Die im Schlick verborgene Nahrung kann sogar viel größere Tiere anlocken.

▲ GRIZZLYBÄR
In Alaska (USA) graben Grizzlybären im Schlick der Flussmündungen nach Schwert- und anderen Muscheln.

Deltas

Vor der Küste werden der
von Flüssen ins Meer getragene
Schlamm und Sand meist von den
Wellen und Strömungen weggespült.
Doch wenn die Menge der Sedimente sehr
groß oder das Meer sehr ruhig ist, setzt sich
das Material ab, bevor es entfernt wird. So
entsteht eine Fortsetzung des Festlands ins
Meer hinein, die man als Delta bezeichnet.

*Einer der vielen
Kanäle, die im
Mississippi-Delta ins
Meer führen.*

BREITER FÄCHER

Ein typisches Flussdelta ist eine große,
flache Sand- und Schlickfläche. Die vom
Fluss abgelagerten Sedimente versperren seinen
ursprünglichen Verlauf und unterteilen ihn in
kleine Kanäle. Auch diese werden blockiert und
das Wasser bildet weitere Kanäle, die sich wie ein
Fächer auf dem weichen Sediment ausbreiten.

*Das durch die Dämme brechende
Wasser bildet ein Muster, das wie
die Zehen eines Vogels aussieht.*

▲ MISSISSIPPI-DÄMME
*Das Wasser, das der Mississippi in den Golf von
Mexiko bringt, ist vom Meer durch Dämme getrennt,
die aus seinen Sedimenten aufgeschüttet wurden.*

VOGELFUSSDELTA

Manche Flüsse wie der Mississippi in den südlichen USA
lagern Sand, Schlamm und andere Sedimente an ihren
Rändern ab. So entstehen ins Meer hinausreichende Dämme.
Wenn der Fluss einen dieser Dämme zerstört, fließt ein Teil
von ihm in eine andere Richtung. So entsteht ein Delta in
Form eines Vogelfußes. Viele dieser Dämme sind von dem
Hurrikan Katrina weggespült worden, der das in der Nähe
gelegene New Orleans im Jahr 2005 verwüstet hat.

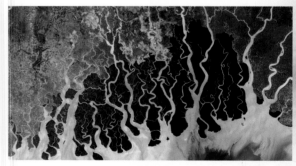

▲ GANGESDELTA
*Dieses Satellitenfoto zeigt das Gangesdelta in Ostindien
und Bangladesch. Jedes Jahr transportiert der Ganges etwa
2 Mrd. Tonnen Schlamm zum Meer. Vieles davon lagert
sich hier ab und bildet den Bengalischen Tiefseefächer.*

DICKE SCHICHTEN

Deltas wachsen in der Dicke und Ausdehnung, wenn der Fluss Sedimente aufschichtet. Sie können sich als Tiefseefächer über den Meeresgrund erstrecken. Schließlich drückt das enorme Gewicht der Sedimente die Erdkruste nach unten, sodass sich wieder neue Schichten auflagern. Der Bengalische Tiefseefächer vor dem Gangesdelta ist etwa 16 km dick.

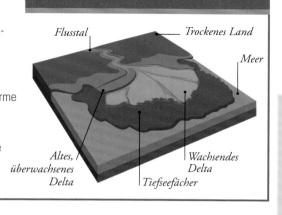

Flusstal
Trockenes Land
Meer
Altes, überwachsenes Delta
Wachsendes Delta
Tiefseefächer

AHA!

Das Gangesdelta ist das größte Delta der Erde und bedeckt 105 000 km² – mehr als die gesamte Fläche der Insel Tasmanien.

▲ UFER DES NILS

Das grüne Ackerland des ägyptischen Nildeltas ernährte die Ägypter des Altertums, die die Pyramiden und das Grab des Tutanchamun erbauten.

FRUCHTBARES LAND

Das Innere des Deltas wird von Süßwasser-Sumpfpflanzen überwuchert. Im Lauf der Jahrhunderte entsteht aus dem Kreislauf des Pflanzenwuchses und -absterbens fruchtbarer Boden. Viele alte Zivilisationen lebten vom Reichtum, den der Ackerbau auf diesem Land ihnen schenkte. Heute stellen die alten Sedimente einige der besten Quellen für Kohle, Öl und Erdgas dar.

RÜCKZUGSGEBIETE

Die im Inland gelegenen Sümpfe, Bäche und Tümpel eines Flussdeltas sind der Lebensraum der verschiedensten Wildtiere. Zu ihnen gehören Fische, Schildkröten, Alligatoren und Vögel wie die Reiher und Fischadler. Das Delta der Donau in Osteuropa ist sehr fischreich, sodass es für riesige Schwärme des Rosapelikans attraktiv ist. Heute leben hier 70 % der weltweiten Bestände der Rosapelikane.

Salzmarschen

Der Gezeitenbereich der Flussmündungen ist für die meisten Pflanzen zu salzig. Doch einige spezialisierte Gewächse leben hier und vertragen es sogar, bei Flut vom Meerwasser überspült zu werden. In den kühleren Teilen der Erde bilden Gräser und andere niedrige Pflanzen Salzmarschen. Sie sind mit Tümpeln und schlammigen Bächen übersät – Lebensraum vieler verschiedener Tiere.

▲ QUELLER
Diese wie ein stacheloser Kaktus wirkende Pflanze lebt in den feuchtesten Teilen der Salzmarschen und wird oft überflutet.

PIONIERPFLANZEN

Die ersten Pflanzen, die sich im Schlamm der Flussmündungen ansiedeln, sind dickfleischige Gewächse wie der Queller. Es schadet ihnen nicht, zweimal am Tag vom Salzwasser überspült zu werden, da sie an hohe Salzkonzentrationen angepasst sind. Ihre Wurzeln binden die Sedimente und fördern ihre Anlagerung, sodass der Untergrund immer weiter ansteigt.

RUHIGE LAGUNEN

Die Pflanzen der Salzmarschen wurzeln vor allem in Ästuaren und Lagunen, die vom Meer durch Landspitzen und Inseln abgeschirmt werden. Diese Barrieren schützen die Pflanzen vor den Wellen. Das ruhige Wasser erlaubt es den Sedimenten, sich abzusetzen und so immer mehr Pflanzen einen Lebensraum zu bieten. Nach einiger Zeit können die Salzmarschen mit Ausnahme eines zentralen Kanals die gesamte Gegend bedecken.

LEGENDE

■ Salzmarschen

■ Schlammflächen

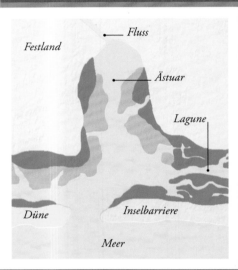

SALZWIESEN

Die Pionierpflanzen sorgen dafür, dass sich weiterer Boden anlagert, der nun trockener und weniger salzig wird. Pflanzen wie der Strandflieder wurzeln hier, sodass sich der Boden durch zusätzliche Sedimente weiter anhebt. Im oberen Marschbereich können sich nun normale Landpflanzen ansiedeln.

▶ ÜBERFLUTETE MARSCH
Bei einem Hochwasser wie diesem kann die gesamte Marsch vom Meer überspült werden. Meist sind nur die unteren Bereiche betroffen.

GEWUNDENE BÄCHE

Eine typische Salzmarsch besteht aus sich windenden Bächen, schlammigen Tümpeln und dichten Horsten spezialisierter Pflanzen. Bei Hochwasser füllen sich die Bäche und Tümpel mit Salzwasser, das sich bei Ebbe zurückzieht und glänzenden Schlick hinterlässt.

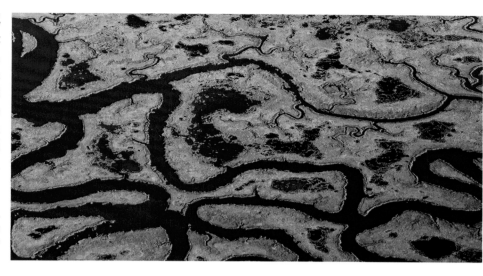

► NATÜRLICHES MUSTER
Dieser Blick aus der Luft zeigt das Netzwerk der Tümpel und Bäche, die Wasser in die Marschen lenken und wieder abfließen lassen.

SALZIGER LEBENSRAUM

Abgelegene Salzmarschen sind ideale Lebensräume für Tiere wie Insekten und Schnecken, die von Fröschen und kleinen Säugetieren gefressen werden. Diese werden von Schlangen und Füchsen gejagt. Fische besuchen die Marschen bei Flut und Watvögel die Tümpel bei Ebbe.

◄ ROSA SCHWARM
Wärmere Salzmarschen wie die Camargue in Südfrankreich sind der Lebensraum riesiger Flamingoschwärme. Die Vögel waten durch das flache Wasser und sieben Fressbares heraus.

AHA!

In den Salzwiesen des Wattenmeers an der Nordsee brüten jährlich über 100 000 Vogelpaare.

Mangrovensümpfe

An den Küsten der warmen, tropischen Meere
werden Salzmarschen von Sumpfwäldern ersetzt, die
aus salztoleranten Bäumen bestehen: den Mangroven.
Mangrovensümpfe säumen über 60 % der tropischen
Küsten und verhindern deren Erosion und
Überflutung bei Stürmen. Sie bieten auch den
verschiedensten Tieren einen Lebensraum.

ATEMWURZELN

Der Schlamm ist voller Pflanzen-
nährstoffe, aber er ist auch salzig,
wassergesättigt und sauerstofffrei. Die
meisten Pflanzen können hier nicht
gedeihen, weil sie Sauerstoff für ihre
Wurzeln benötigen. Mangroven haben
Wurzeln mit Korkporen, über die sie
Sauerstoff aufnehmen. Diese Wurzeln
können wie Speere aus dem Boden
aufragen. Andere Mangroven haben
Stelzwurzeln, die vom Stamm bis
in den Boden hinabreichen.

▼ ÜBERFLUTETER WALD
*Bei Flut wird der größte Teil des Mangroven-
sumpfs von Meerwasser überspült. Kleine
Fische aus dem Meer suchen hier nach
Nahrung und sind zwischen den Wurzeln
vor großen Raubfischen geschützt.*

▼ SPEERE ZUR VERANKERUNG
*Mangrovensamen können nicht im sauer-
stofffreien Schlamm gedeihen. Bei manchen
Arten hängen sie daher am Ast, bis sie gekeimt
sind. Sie fallen oft bei Hochwasser ab, sodass
sie an andere Küsten verdriftet werden. Jedes
Pflänzchen hat eine speerförmige Wurzel, mit
der es sich im Schlick verankern kann.*

SCHARFSCHÜTZE

Manche Fische sind auf das Leben im Mangrovenwald spezialisiert. Zu ihnen gehört der südostasiatische Schützenfisch. Wenn er durch die Mangroven schwimmt, hält er nach Insekten auf Blättern Ausschau. Hat er ein Opfer entdeckt, beschießt er es mit einem Wasserstrahl, sodass es ihm vor das Maul fällt.

▶ SCHÜTZENFISCH
Die Zunge des Fischs passt in eine Rinne im Gaumendach. Aus der so gebildeten Röhre presst er durch Anlegen der Kiemendeckel Wasser und kann so 2 m entfernte Ziele treffen.

AUF DEM SCHLAMM

Bei Ebbe wird der Mangrovenwald zum mückenverseuchten Sumpf. Eine Masse von verschlungenen Wurzeln bedeckt den salzigen, unangenehm riechenden Schlamm. Winkerkrabben suchen sich aus ihm mit den Scheren fressbare Brocken heraus. Auf dem Schlamm leben auch Luft atmende Fische, die Schlammspringer. Mit den Vorderflossen bewegen sie sich vorwärts und können sogar auf Bäume klettern.

▶ WINKERKRABBE
Die Männchen besitzen eine kleine Schere zum Fressen und eine große bunte, mit der sie anderen Männchen signalisieren, dass hier ihr Revier ist.

▶ SCHLAMMSPRINGER
Jeder Schlammspringer lebt in einem Bau im feuchten Schlamm. Er verteidigt ihn gegen Artgenossen, besonders während der Fortpflanzung, wenn der Bau auch als Kinderstube dient.

MÄCHTIGE RÄUBER

Die Winkerkrabben und Schlammspringer, die den Schlick bei Ebbe bewohnen, werden von Landtieren wie Waschbären, Affen und der giftigen Mangroven-Nachtbaumnatter gejagt. Diese Tiere können wiederum Leistenkrokodilen oder sogar Tigern zum Opfer fallen. Die Sundarbans an der Mündung des Ganges in Indien und Bangladesch sind einer der letzten Lebensräume des Königstigers und heute als Reservat geschützt.

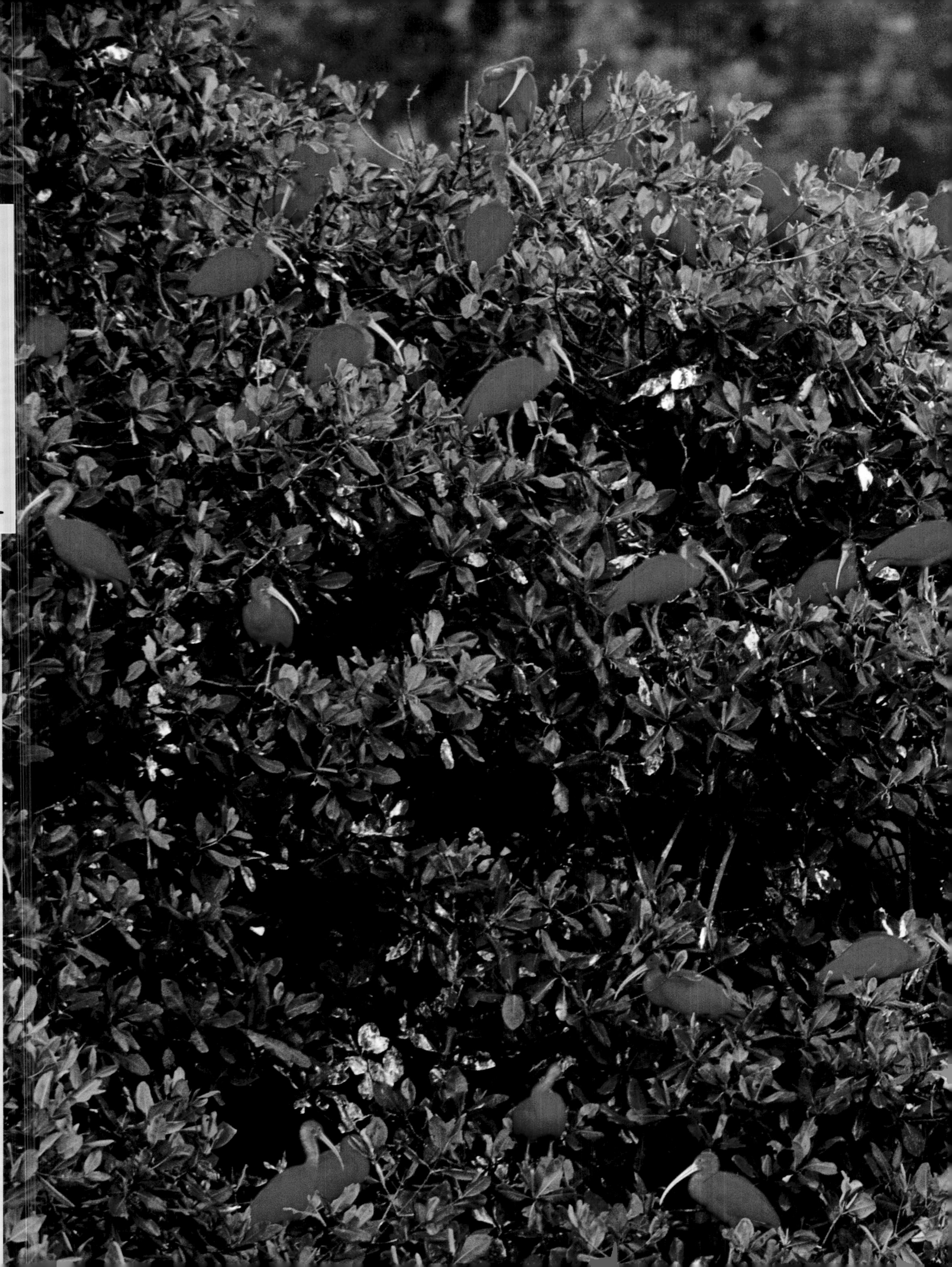

ROTER SICHLER

Ein Schwarm Roter Sichler hat sich in den Mangroven einer Karibikküste niedergelassen und wartet auf die Ebbe, die die Schlickflächen freilegen wird. Hier suchen die Vögel nach Garnelen und anderen Krebstieren, die die roten Farbstoffe enthalten, die ihr Gefieder färben.

Seegraswiesen

Fast alle pflanzenähnlichen Organismen der Meere gehören wie die Tange zu den Algen. Zu den einzigen echten Pflanzen, die an das Leben im Meer angepasst sind, zählen die Seegräser, die in sandigen oder schlammigen Flachwasserbereichen wachsen. Seegraswiesen bieten kleinen Fischen Unterschlupf und dienen Seekühen und Suppenschildkröten als Nahrung.

SCHNABEL ZUM GRASEN

In den tropischen Meeren wachsen Seegräser im Sand geschützter Korallenlagunen. Sie werden von der Suppenschildkröte gefressen, dem einzigen Pflanzenfresser unter den Meeresschildkröten. Wie andere Schildkröten hat auch diese Art keine Zähne. Die Tiere beißen das Seegras mit dem scharfkantigen Schnabel ab.

WIESEN UNTER WASSER

Anders als Tange sind Seegräser echte Pflanzen mit Wurzeln, Stängeln und Gefäßen. Sie haben auch Blüten, die sich unter Wasser öffnen. Ihre langen Blätter nutzen das Sonnenlicht zur Nährstoffproduktion. Daher wachsen Seegräser nur in seichtem, relativ klarem Wasser, wo sie ausgedehnte Wiesen bilden.

Meeresschildkröten weinen salzige Tränen, um das Meersalz loszuwerden.

▲ GROSSE FECHTERSCHNECKE
Das schwere Gehäuse dieser Schnecke ist von einem rosafarbenen Schimmer überzogen. Die Schnecke kann 40 Jahre alt werden, wenn auch viele ihrer Art wegen der Gehäuse oder zum Verzehr gefangen werden.

RIESENSCHNECKE

Einer der eindrucksvollsten Bewohner des Seegrases ist die Große Fechterschnecke – eine große Schnecke, deren Gehäuse bis zu 35 cm lang werden kann. Sie lebt in den warmen, flachen Küstengewässern der Karibik und des Golfs von Mexiko, wo sie mit ihrer Raspelzunge Seegras und verschiedene Tange frisst.

SEEKÜHE

Seegräser sind die Hauptnahrung der Seekühe, die mit den Elefanten verwandt sind. Zu ihnen gehören die Gabelschwanzseekühe mit dem Dugong und drei Arten der Rundschwanzseekühe oder Manatis. Die Manatis leben in warmen Bereichen auf beiden Seiten des Atlantiks und dringen auch in Flüsse vor, wo sie Wasserpflanzen fressen. Der Dugong lebt im Indopazifik.

AHA!

Seepferdchen müssen ständig fressen, um am Leben zu bleiben. Sie haben keinen Magen und daher können sie nicht „auf Vorrat" fressen.

▲ DUGONG
Der Dugong ist ein friedliches Tier mit wenigen natürlichen Feinden. Er frisst rund um die Uhr und gräbt mit der kräftigen Oberlippe Seegräser aus, die er ganz verschluckt.

◀ SUPPENSCHILDKRÖTEN
Diese Schildkröten findet man in den Seegraswiesen der ganzen Welt. Sie schwimmen sehr gut und legen jährlich Hunderte von Kilometern zurück, um ihre Brutplätze aufzusuchen.

GUT FESTHALTEN

Seegraswiesen sind für verschiedene kleine Fischarten ein perfekter Lebensraum. Zu ihnen gehören die Seepferdchen, die sich mit dem Schwanz an den Gräsern festhalten, um nicht von der Strömung weggetrieben zu werden. Seepferdchen teilen sich den Lebensraum mit den Jungfischen vieler größerer Arten, die sich im Seegras verstecken, um nicht gefressen zu werden.

▶ SEEPFERDCHEN
Auf der Jagd verharrt das Seepferdchen bewegungslos und saugt mit der Schnauze vorbeitreibende Nahrung ein. Es kann sehr gut sehen und sich an die Farbe seiner Umgebung anpassen.

Seeschlangen und Krokodile

Zur Zeit der Dinosaurier waren viele mächtige Jäger des Meers Reptilien. Die meisten sind schon lange ausgestorben und die einzigen Reptilien, die heute noch im Meer leben, sind Meeresschildkröten, tropische Seeschlangen und einige Echsen und Krokodile. Viele von ihnen müssen allerdings zur Eiablage an Land kommen, doch einige leben vollständig im Meer.

PLATTSCHWÄNZE
Die dunkel gebänderten Plattschwänze sind eine kleine Schlangengruppe und leben in den Korallenriffen des Indischen und Pazifischen Ozeans. Sie jagen Fische und töten sie mit ihrem Giftbiss. Anders als die lebend gebärenden Seeschlangen müssen sie zur Eiablage an Land kommen.

Das Leistenkrokodil ist das größte Reptil der Erde.

TÖDLICHES GIFT

Mit Ausnahme der Plattschwänze suchen Seeschlangen niemals das Land auf. Sie vermehren sich sogar im Meer und gebären lebende Junge. Ihr Gift ist extrem stark, stärker als das einer Kobra. Das liegt daran, dass sie sich von Fischen ernähren. Der Biss muss die Beute sofort töten, damit sie nicht davonschwimmt.

▲ PLÄTTCHEN-SEESCHLANGE
Diese Plättchen-Seeschlange lebt im Indischen und Pazifischen Ozean. Sie ernährt sich von kleinen Fischen, die sie tagsüber jagt.

MEERECHSE

Ein großer Waran wird hin und wieder durchs Meer schwimmen, um eine andere Küste zu erreichen. Die einzige wirklich an das Leben im Meer angepasste Echse ist die Meerechse der Galápagos-Inseln. Sie frisst Algen, die auf unter Wasser liegenden Felsen wachsen. Das Meer wird hier vom kalten Perustrom abgekühlt, sodass die Echsen sich oft lange Zeit in der Sonne wärmen, nachdem sie aus dem Wasser gekommen sind.

▶ MEERECHSE
Meerechsen haben normalerweise eine dunkle Haut, doch die Männchen zeigen in der Balzzeit ihre prächtigsten Farben.

Lange Krallen zum Festhalten an Felsen

SORGENDE MUTTER

Das in Mittelamerika von der Pazifikküste bis zur östlichen Karibik weitverbreitete Spitzkrokodil besitzt besondere Anpassungen an das Leben im Salzwasser. So kann es sowohl im Süßwasser als auch in flachen tropischen Meeren jagen. Wie alle Krokodile legt es seine Eier an Land ab. Es vergräbt sie in einer Sandbank und bewacht sie, bis sie von der tropischen Wärme ausgebrütet worden sind. Dann trägt es die Jungen zum Wasser.

▶ SPITZKROKODIL
Spitzkrokodile liegen stundenlang auf der Lauer, um ihre Beute zu überraschen. Sie fressen vor allem Fische, können aber auch Schildkrötenpanzer knacken.

TÖDLICHER JÄGER

Die furchterregenden Leistenkrokodile jagen in küstennahen Flüssen. Oft ziehen sie Landtiere, die im Flachwasser waten, herunter und ertränken sie. Die in Südostasien und Australien lebenden Leistenkrokodile haben auch einige kleine Inseln im Südpazifik besiedelt. Einige sind sogar bis nach Japan gekommen.

◀ LEISTENKROKODIL
Dieses junge Leistenkrokodil kann bis zu 7 m lang werden. Im Lauf seines Lebens werden die großen, spitzen Zähne immer wieder ersetzt.

AHA!

Ein Leistenkrokodil kann ein Tier von der Größe eines Wasserbüffels töten und fressen – und kann danach ein halbes Jahr lang ohne Nahrung auskommen.

DIE POLAR-MEERE

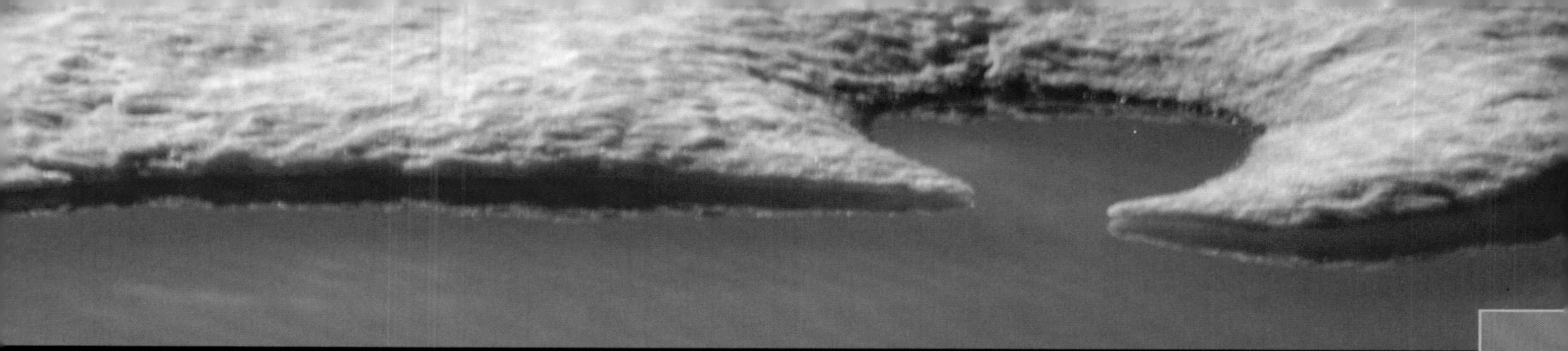

Obwohl sie die Hälfte
des Jahres von dickem
Eis bedeckt sind, zählen
die Nord- und Süd-
polarmeere zu den
tierreichsten Lebens-
räumen der Erde.

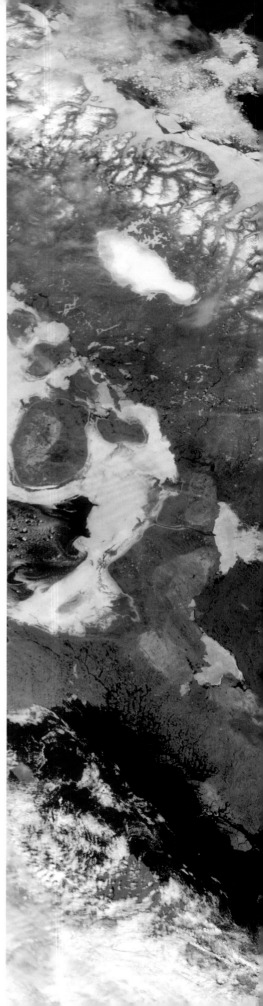

Extreme Welt

In der Arktis und der Antarktis erhebt sich die Sonne den größten Teil des Winters nicht über den Horizont. Da die Lufttemperatur dann weit unter dem Gefrierpunkt liegt, gefriert das Meer und ein großer Teil der Tiere zieht sich zurück oder überwintert. Doch während des kurzen Sommers herrscht nahezu ständiges Tageslicht und das Eis schmilzt. Das Plankton vermehrt sich explosiv und regt die Vermehrung der übrigen Tiere an, bevor das Meer wieder gefriert.

▲ ROSS-SCHELFEIS
Dunkles Wasser erscheint zwischen den Eisschollen des antarktischen Rossmeers, wenn das Eis in der schwachen Sommersonne aufbricht.

GEFRORENE MEERE

Das Nordpolarmeer umgibt den Nordpol, doch der größte Teil des Südpolarmeers ist ein Stück vom Südpol entfernt. Daher ist das Zentrum des Nordpolarmeers kälter als das des Südpolarmeers. Das Wasser über dem Nordpol ist daher ständig gefroren. Doch die große Masse der eisbedeckten Felsen am Südpol ist so kalt, dass sie die darüberstreichende Luft abkühlt. Somit ist auch die Oberfläche des den Pol umgebenden Südpolarmeers im Winter gefroren.

POLARE SONNE

Der Frost des Winters wird dadurch hervorgerufen, dass die Sonne sich im Winter kaum über den Horizont erhebt und daher die Meeresoberfläche wenig erwärmt. Im Gegensatz dazu geht sie im polaren Sommer kaum unter, doch steht sie nie hoch am Himmel, da die Erde an den Polen nicht der Sonne zugeneigt ist. Daher verteilen sich ihre Strahlen hier über eine größere Fläche als am Äquator, sodass sie schwächer ist und auch im Sommer einiges an Eis auf dem Meer übrig lässt.

Weit im Norden verteilt sich die Sonnenenergie.

In den Tropen konzentriert sich die Sonnenenergie.

DER GROSSE FROST

Die Lufttemperatur sinkt im Winter über dem Nordpolarmeer auf unter –30 °C, sodass das Meer gefriert.
Das Eis bedeckt eine Fläche von bis zu 15 Millionen
Quadratkilometern. Das meiste davon schmilzt im
Sommer, sodass weniger als 6 Millionen Quadratkilo-
meter um den Nordpol übrig bleiben. Um Antarktika
bedeckt das Meereis im Winter 22 Millionen Quadrat-
kilometer und schrumpft im Sommer auf 4 Millionen.

◄ EISIGE MEERE
*Wenn die Frühlingssonne das Meer in der Nähe der
Baffin-Insel im arktischen Kanada wärmt, bricht das
Meereis auf und treibt die Küste entlang. Mitte des
Sommers ist das gesamte Meereis geschmolzen.*

PLANKTONBLÜTE

Das Wasser der kalten Meere ist reich an Mineralien
vom Meeresgrund. Sie sind wertvolle Nährstoffe für die
winzigen Algen des Phytoplanktons. Wenn das Eis im
Sommer schmilzt und die Sonne 24 Stunden am Tag
scheint, kommt es zu riesigen Planktonblüten (im
Bild blau), die anderem Leben als Nahrung dienen.

HIN UND ZURÜCK

Wenn sich das polare Meereis bildet und im Lauf der
Jahreszeiten wieder schmilzt, bewegt sich sein Rand
ständig nach Norden und Süden. Diese Eisgrenze
bietet reichliche Nahrung und lockt viele polare Tiere
wie diese Weißwale an, die durch einen Kanal im
schwimmenden Eis ins offene Wasser gelangen.

189

Meereis

In den Polargebieten sind vor allem im Winter große Bereiche der Meere mit Eis bedeckt. Das Eis bildet sich, wenn die kalten Winde über das Meer streichen und Eiskristalle zu mehreren Meter dicken Eisschichten verschmelzen lassen. Grenzt das Meereis an das Land und ist es schneebedeckt, ist es vom Land kaum zu unterscheiden. Doch meistens ist es nicht mit der Küste verbunden und treibt daher als Packeis mit der Strömung.

EIS SCHWIMMT

Wenn das Wasser gefriert, verbinden sich seine dreieckigen Moleküle in einer dreidimensionalen Struktur, die zwischen den Molekülen Lücken aufweist. Dabei vergrößert sich ihr Abstand, sodass ein Liter Eis weniger Moleküle enthält als ein Liter Wasser und damit leichter ist. Deshalb schwimmt Eis. Dies ist eine besondere Eigenschaft des Wassers.

◄ PINGUINFLOSS
Wenn Eis sich wie die festen Aggregatzustände anderer Stoffe verhielte, sänke es auf den Meeresboden – und diese Pinguine könnten sich nicht auf ihm ausruhen.

GEFRORENES MEER

Meereis gefriert nicht als solide Platte. Wenn die Lufttemperatur sinkt, gefriert es in Schritten. Es beginnt mit einer Menge kleiner Eisnadeln, die man Frazil-Eis nennt. Diese Kristalle verbinden sich zu nahezu runden Platten, dem Pfannkuchen- oder Teller-Eis. Diese verschmelzen zum Packeis, das immer wieder bricht und gefriert, schließlich aber miteinander verbunden eine feste Platte bildet.

▲ FRAZIL-EIS
Die an der Oberfläche gefrierenden Eisnadeln bilden eine an flüssigen Schlamm erinnernde Schicht.

▲ PFANNKUCHEN-EIS
Das Frazil-Eis bildet runde Platten, deren Kanten leicht nach oben stehen.

▲ MEHRJÄHRIGES EIS
Das Eis bildet eine grob geformte Fläche, die aus zusammengeschobenen Eisschollen besteht.

TREIBENDES PACKEIS

Meereis besteht meistens aus Packeis, das über die Polarmeere driftet. Im Nordpolarmeer treibt die Strömung es über den Nordpol, wo es durch die niedrigen Temperaturen im Verlauf vieler Jahre immer dicker wird. Treibt das Eis vom Nordpol weg, wird es dünner und schmilzt schließlich. Die Markierung auf dem Eis, die die Position des Nordpols anzeigt, bewegt sich daher ständig und muss immer wieder neu platziert werden.

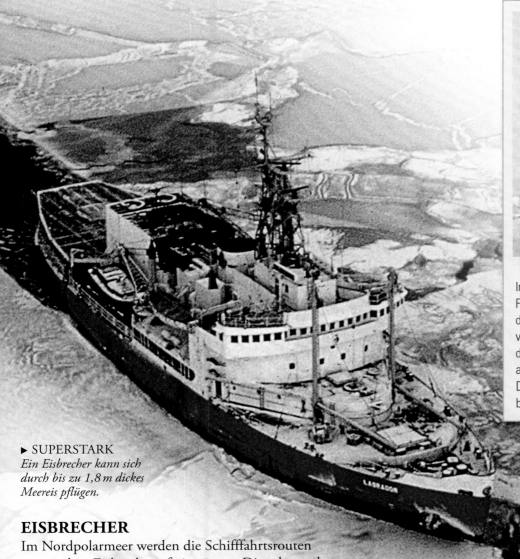

REISE IM EIS

In den 1890er-Jahren bewies der Norweger Fridtjof Nansen, dass das Meereis um den Nordpol treibt, indem er sein speziell verstärktes Schiff *Fram* einfrieren ließ. In drei Jahren verdriftete das Eis das Schiff am Nordpol vorbei durchs Nordpolarmeer. Die *Fram* löste sich erst im August 1896 bei Spitzbergen (Norwegen) aus dem Eis.

▶ SUPERSTARK
Ein Eisbrecher kann sich durch bis zu 1,8 m dickes Meereis pflügen.

EISBRECHER

Im Nordpolarmeer werden die Schifffahrtsrouten von starken Eisbrechern freigeräumt. Diese besonders verstärkten Schiffe haben gewaltige Maschinen, mit denen sie sich auf das Eis hinaufschieben und es mit ihrem Gewicht zerbrechen. In der Antarktis gibt es deutlich weniger Eisbrecher, weil hier keine wichtigen Schifffahrtsrouten verlaufen.

Das Leben unter dem Eis

Obwohl das Wasser unter dem Meereis kalt ist, so ist es doch wärmer als das Eis selbst. Wenn sie genug Nahrung finden, können hier also viele Tiere ohne Probleme leben. Von den winzigen im Eis wachsenden Algen leben kleine Tiere, die Fischen und Robben als Nahrung dienen. Auf dem Grund leben oft Seeigel, Seesterne und andere Wirbellose.

EISGÄRTEN

Das Phytoplankton, das der Nahrungskette in den Polarmeeren zugrunde liegt, wächst mitten im Winter nicht. Es vermehrt sich im Frühjahr, wenn das Sonnenlicht durch das dünner werdende Eis dringt. Bald ist die Unterseite des Eises mit Schichten grüner Algen bedeckt. Sie können so dick werden, dass das Licht nicht mehr ins tiefere Wasser reicht. Sie liefern den kleinen Tieren Nahrung, von denen die größeren Meeresbewohner leben.

FROSTFUTTER

Die winzigen, unter dem Eis wachsenden Algen ernähren Krill, Ruderfußkrebse und weiteres Zooplankton, das den Winter in Kältestarre unter dem Eis verbracht hat. Sobald sich die Algen vermehren, beginnen auch die Tiere zu fressen und sich nach kurzer Zeit zu vermehren. Schließlich bilden sie große Schwärme, wenn das Eis geschmolzen ist.

◄ ANTARKTISCHER KRILL
Die unter dem Eis wachsenden Grünalgen sind für den hungrigen Krill im Frühjahr ein Festessen.

▼ AASFRESSER
Trotz der Kälte gedeihen diese aasfressenden Seesterne auf dem Meeresgrund unter dem Meereis im antarktischen Weddellmeer.

EISFISCH

Das salzige Meerwasser gefriert erst bei Temperaturen von fast –2 °C, das ist niedriger als der Gefrierpunkt der meisten tierischen Gewebe. Tiere wie dieser antarktische Eisfisch können hier überleben, weil die natürlichen Frostschutzmittel ihres Körpers das Gefrieren verhindern.

▲ GEISTERHAFT
Ein Eisfisch sieht ein wenig geisterhaft aus, da sein Blut farblos ist – es enthält keine roten Blutkörperchen, die sonst den Sauerstoff aufnehmen. In den sauerstoffreichen antarktischen Gewässern reicht ihm der im Blut gelöste Sauerstoff.

GEFÄHRLICHER MEERESGRUND

Der Nahrungsreichtum in den kalten Polarmeeren führt dazu, dass die Tiere des Meeresgrunds, die im eiskalten Wasser überleben können, in großen Mengen vorkommen. Sie leben allerdings unter der ständigen Bedrohung, von treibenden Eisschollen zerquetscht oder von sich bildendem Eis eingeschlossen zu werden.

▲ WEDDELL-ROBBEN
Diese Robben dringen weiter als alle anderen nach Süden vor. Wenn das Meer im Winter gefriert, bleiben sie in der Nähe der Küste Antarktikas.

HARTE ZEITEN

Viele Robben jagen unter dem Packeis, wobei sie am Rand der Schollen oder im offenen Wasser zum Atmen auftauchen. Weddell-Robben jagen Fische und Kalmare unter dem dicken Eis in Küstennähe. Mit den Zähnen nagen sie Atemlöcher ins Eis. Sie nutzen dabei die Zähne ab und können ernsthafte Zahnschmerzen bekommen.

Krabbenfresser und Pinguine

Das Packeis des Südpolarmeers, das Antarktika umgibt, ist die Heimat von Millionen Robben und Pinguinen. Die häufigsten Robben sind die Krabbenfresser, die ihre Jungen auf dem Eis bekommen. Die meisten Pinguine brüten an der Küste Antarktikas und auf Inseln, wo das Eis im Sommer schmilzt. Kaiserpinguine bevorzugen jedoch das Meereis, das sich im Winter vor der Küste bildet.

DIE POLARMEERE

MILLIONEN ROBBEN

Mit über 10 Millionen Tieren sind die Krabbenfresser in der Gruppe der großen, frei lebenden Säugetiere am zahlreichsten vertreten. Sie halten sich meist im kalten Wasser auf oder ruhen auf dem Packeis, manchmal in Gruppen von bis zu 1000 Tieren. Die Weibchen gebären ihre Jungen im Frühjahr auf dem Eis. Sie säugen sie mit ihrer nährstoffreichen Milch 3 Wochen lang, bis sie schwimmen und für sich selbst sorgen können.

▲ RUHEPLATZ
Die Krabbenfresser ruhen auf einer Eisscholle. Aber auch hier sind sie vor dem Seeleoparden nicht ganz sicher, der ihr Hauptfeind ist.

◄ KRILLFILTER
Trotz ihres Namens ernähren sich die Krabbenfresser fast ausschließlich vom garnelenähnlichen Krill, der im Südpolarmeer riesige Schwärme bildet. Sie filtern ihn mit ihren Zähnen, die ineinandergreifen und ein Sieb bilden, aus dem Wasser.

FAKTEN

■ Solange sie von ihrer Mutter gesäugt werden, nehmen Krabbenfresser-Babys täglich 4 kg zu.

■ Brütende Zügelpinguine müssen alle 6 Sekunden ein Krill-Krebstier erbeuten, um ihre Jungen zu füttern.

■ Die Männchen der Kaiserpinguine kommen 115 Tage lang ohne Nahrung aus, während sie brüten. Die Weibchen lösen sie ab, wenn die Jungen geschlüpft sind.

TAUCHENDER PINGUIN

Kleine antarktische Pinguine wie der Zügel- und der Adélie-Pinguin ernähren sich hauptsächlich von Krill, den sie einzeln mit ihrem scharfen Schnabel erbeuten. Die größeren Königs- und Kaiserpinguine fangen Fische und Kalmare. Dazu tauchen sie oft in enorme Tiefen. Kaiserpinguine erreichen Tiefen von über 500 m und können bis zu 18 Minuten lang tauchen, bevor sie Luft holen müssen.

▲ FLAUMIGE KÜKEN
Die dunklen, flaumigen Adélie-Küken wachsen schnell und sind bald so groß wie ihre schwarz-weißen Eltern. Nach etwa acht Wochen werden ihre Dunenfedern von wasser-festen Federn abgelöst, sodass sie selbst für ihre Nahrung sorgen können.

STEINIGE KINDERSTUBE

Adélie-Pinguine brüten an der Küste Antarktikas, weiter südlich als alle anderen Pinguine. Sie warten, bis das Eis im relativ warmen Sommer geschmolzen ist und den nackten Fels freigegeben hat, auf dem sie Brutkolonien von Hunderten oder sogar Tausenden Paaren bilden. Jedes Paar baut ein Nest aus Steinen. Die Eltern wechseln sich beim Brüten ab, bis die Jungen geschlüpft sind.

▲ WINTERWACHE
Kaiserpinguine legen ihre Eier im Herbst. Sie werden von den Männchen im bitterkalten antarktischen Winter bebrütet, während die Weibchen im Meer jagen. Das Männchen balanciert ein einzelnes Ei auf den großen, schwarzen Füßen, damit es nicht gefriert.

BRÜTENDE KAISER

Die meisten antarktischen Pinguine nisten im Sommer an felsigen Küsten. Kaiserpinguine sind jedoch größer und wachsen länger heran, sodass der Sommer nicht lang genug ist, um die Eier zu bebrüten und die Jungen aufzuziehen. Sie beginnen also schon im Winter, auf dem Meereis zu brüten, und drängen sich zusammen, um die Kälte abzuhalten. Die Jungen schlüpfen im Frühjahr, sodass sie den Sommer über Zeit haben, um heranzuwachsen.

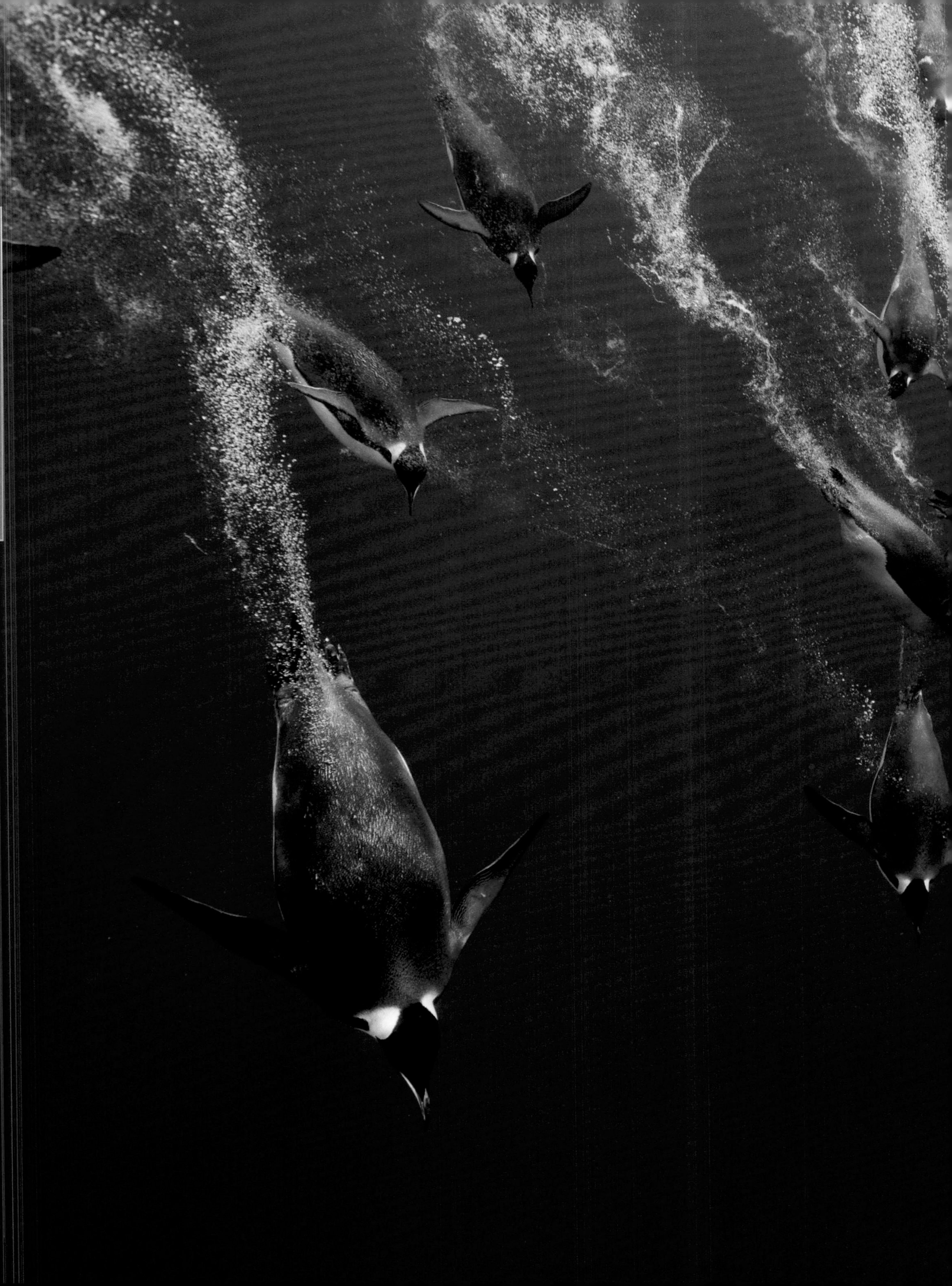

ELEGANTE SCHWIMMER

Mit ihren kurzen Beinen und dem watschelnden Gang wirken Pinguine an Land unbeholfen. Doch im Wasser verwandeln sie sich in schnelle und elegante Schwimmer. Ein dichtes Federkleid und eine dicke Fettschicht verleihen den Tieren einen perfekt stromlinienförmigen Körper und halten sie im kalten Wasser warm.

Jäger am Südpol

Viele Pinguine, Robben und andere Tiere der nährstoffreichen antarktischen Gewässer werden von Seeleoparden und Schwertwalen gejagt – den gewaltigsten Jägern des Südpolarmeers. Seeleoparden sind Einzelgänger, die ihrer Beute auflauern, während Schwertwale die eisigen Gewässer in Rudeln durchstreifen, in denen die Tiere zusammenarbeiten und so ihre Beute überlisten und überwältigen.

VERTRAUENSVOLLER SPRUNG

Obwohl die eisigen Gewässer um Antarktika nicht von Haien gefährdet sind, gibt es hier ähnlich gefährliche Jäger. Die Pinguine und Robben, die viel Zeit auf dem Packeis verbringen, riskieren mit jedem Sprung ins Wasser ihr Leben. Diese Adélie-Pinguine tauchen nach dem Sprung vom Eis mit hoher Geschwindigkeit ab, um einem möglichen Angriff durch Fressfeinde zu entgehen.

LAUERJÄGER

Der kräftige Seeleopard frisst große Mengen Krill, stellt aber auch Pinguinen und anderen antarktischen Robben nach – insbesondere den Krabbenfressern. Oft wartet er unter dem Rand einer Eisscholle darauf, dass ein Beutetier ins Wasser gleitet. Wenn es ein Pinguin ist, ergreift der Seeleopard ihn und schlägt ihn im Wasser hin und her, um ihn zu töten. Dabei werden die Haut und die Federn abgerissen, sodass er leichter zu schlucken und zu verdauen ist.

◀ SEELEOPARD
Ein Eselspinguin versucht dem Angriff eines Seeleoparden in der Nähe der Cuverville-Insel in der Antarktis zu entgehen.

TOP-RÄUBER

Schwertwale oder Orcas sind riesige Delfine mit Kiefern voller großer, spitzer Zähne. Sie jagen alles, was sie bekommen können – Fische, Pinguine, Robben und sogar Eisbären und andere Wale. Sie können große Tiere zerreißen, verschlingen Robben aber oft am Stück. Schwertwale leben in allen Meeren und bilden etwa 20 Tiere starke Familiengruppen, die man als Schulen bezeichnet. Sie bleiben ein Leben lang zusammen und sorgen gemeinsam für die Jungen.

▼ SCHWERTWAL
Ein Schwertwalbulle springt in einem Polarmeer aus dem Wasser. Männchen sind an der längeren Rückenflosse zu erkennen.

RUDELJÄGER

Wie alle Wale und Delfine sind Schwertwale sehr intelligent und arbeiten bei der Jagd oft zusammen. Hier haben sich vier Wale zusammengetan, um einen auf einer Eisscholle ruhenden Krabbenfresser zu erbeuten. Drei erzeugen eine Welle, die die Robbe vom Eis spülen wird, während der vierte Wal sie im Wasser ergreift.

AHA!
Jede Schwertwal-Schule hat sich auf eine bestimmte Beute spezialisiert und sogar eine eigene, aus Tönen und Rufen bestehende Sprache entwickelt.

Antarktische Inseln

FELSEN UND EIS

Die meisten antarktischen Inseln sind rau und lebensfeindlich. Das Eis bedeckt hohe Berge und fließt in Gletschern zum Meer. Manche Inseln sind Ketten von Vulkanen, die dort entstanden, wo sich zwei Platten der Erdkruste aneinander-reiben. Die Inseln sind windig und kalt mit regelmäßigen Schneestürmen, doch die offenen Küsten bieten leichten Zugang zum Meer, wo es reichlich Fische und andere Nahrung gibt.

Das Antarktika umgebende Südpolarmeer ist übersät von Inseln. Das sind steinige, eisige Orte, manche von ihnen aktive Vulkane, doch sie bieten Vögeln Brutplätze und Säugetieren die Möglichkeit, ihre Jungen zu gebären. Robben und Pinguine versammeln sich in großen Kolonien. Die Inseln sind auch die Brutplätze von Wanderern der Luft wie den Albatrossen.

ROBBENSTRÄNDE

Die Küsten locken weibliche Robben an, die ihre Jungen an Land gebären. Da die Jungen nicht sofort schwimmen können, müssen ihre Mütter sie an den Küsten säugen. Dazu versammeln sie sich in großen Gruppen. Männchen kommen hinzu, da sie sich mit den Weibchen paaren wollen. Jedes von ihnen ver-sucht, so viele Weibchen wie möglich um sich zu versammeln. Das führt dazu, dass viele Rivalenkämpfe ausgetragen werden.

▶ SÜDLICHE SEE-ELEFANTEN
Diese noch nicht erwachsenen See-Elefanten-Bullen auf der Insel Südgeorgien üben sich schon in den Kämpfen um die Weibchen.

RIESIGE KOLONIEN

Verschiedene antarktische Pinguinarten nisten auf den Inseln und bilden riesige Brutkolonien. Mindestens eine Million Zügelpinguin-Paare brüten auf der Zavodovski-Insel, einem aktiven Vulkan der Südlichen Sandwich-Inseln. Sie nutzen die vulkanische Wärme, die den Schnee schmelzen lässt und so schneefreien Untergrund zum Brüten bereitstellt. Die Gegend weist die höchste Pinguinkonzentration weltweit auf.

◄ KÖNIGSPINGUINE
Zu der Königspinguin-Kolonie auf der Salisbury-Ebene an der Küste Südgeorgiens gehören über 100 000 Brutpaare. Jedes von ihnen zieht ein einzelnes Junges auf.

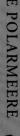

ABGELEGENE NESTER

Diese Schwarzbrauenalbatros-Paare bleiben ein Leben lang zusammen und kehren immer wieder zur gleichen Insel zurück. Hier brüten sie in großen, lärmenden Kolonien. Sie nisten auf dem Boden, da es hier keine am Boden lebende Raubtiere wie etwa Füchse gibt. Jedes Paar zieht ein einziges Junges auf, das über 4 Monate lang gefüttert werden muss, bevor es selbstständig ist.

AHA!

Auf der zu Südgeorgien gehörenden Insel Bird Island brüten mehr als 56 000 Albatrosse und über 100 000 Pinguine.

WALFANGSTATIONEN

Früher waren die Inseln Stützpunkte der Wal- und Robbenjagd. Nachdem die Robben fast ausgerottet waren, hat man sich auf die Wale konzentriert – mit dem gleichen Ergebnis. Der kommerzielle Walfang wurde 1986 verboten, um die Wale vor der Ausrottung zu schützen, und die Fangstationen wurden verlassen.

▼ ROSTIGES WRACK
Ein gestrandeter Walfänger, noch vollständig mit Harpune, liegt an einer ehemaligen Walfang-station bei Grytviken (Südgeorgien).

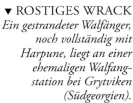

Gletscher und Schelfeis

Bei großer Kälte bleibt Schnee das ganze Jahr über gefroren, sodass die Schicht bei Neuschnee immer dicker wird. Sein Gewicht drückt die unteren Lagen zu purem Eis zusammen, das als Talgletscher bergab fließt. Viele Gletscher schmelzen schnell, doch manche von ihnen erreichen das Meer. Hier entstehen Gezeitengletscher und Schelfeis, die Eisberge hervorbringen.

Hubbard-Gletscher
Abbrechende Hänge

Lage Alaska (USA)
Länge 122 km
Status Sich ausdehnend

Dies ist der größte nordamerikanische Gezeitengletscher. Seine Vorderkante erstreckt sich über eine Breite von 10 km und bildet eine bis zu 120 m hohe Klippe. Das herabbrechende Eis erzeugt einen ständigen Strom von Eisbergen, die in die Disenchantment Bay an der Südostküste Alaskas treiben. Dennoch wird dieser Gletscher immer wieder von Kreuzfahrtschiffen besucht.

GLETSCHERTYPEN

Die meisten Gletscher bilden sich in Becken zwischen hohen Gipfeln, in denen der Schnee sich sammelt. Ist das Becken voll, bahnt sich der Überschuss als Talgletscher seinen Weg. In sehr kalten Gegenden kann das Hochland auch von Eiskappen oder -schilden bedeckt sein, aus denen Auslassgletscher hervortreten. Beide Typen können das Meer erreichen, wo sie zu Gezeitengletschern werden können.

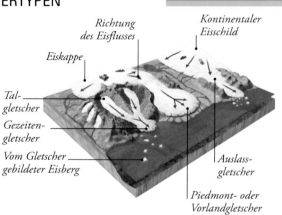

Richtung des Eisflusses
Kontinentaler Eisschild
Eiskappe
Talgletscher
Gezeitengletscher
Vom Gletscher gebildeter Eisberg
Auslassgletscher
Piedmont- oder Vorlandgletscher

Jakobshavn Isbræ
Riesige Eisberge

Lage Grönland
Länge Über 65 km
Status Zurückweichend

Der Jakobshavn Isbræ ist einer der vielen Auslassgletscher des grönländischen Eisschilds – einer riesigen Eismasse, die 80 % Grönlands in einer Dicke von bis zu 3 km bedeckt. Der Gletscher fließt nach Westen in einen Fjord, der sich in die Diskobucht öffnet, wo er in große Eisberge zerbricht, die in den Nordatlantik treiben. Einer von ihnen versenkte vermutlich 1912 die *Titanic*.

Columbia-Gletscher
Eisbergfabrik

Lage Alaska (USA)
Länge 51 km
Status Zurückweichend

Dies ist einer der vielen Gezeitengletscher des Golfs von Alaska im Nordpazifik, die Mengen von Eisbergen ins Meer kalben. Gleichzeitig ist er einer der sich am schnellsten bewegenden Gletscher der Erde. Im Jahr 2001 produzierte er Eisberge mit einer Geschwindigkeit von 7 km³ Eis pro Jahr. Dadurch ist allerdings seine Vorderkante seit 1982 um 16 km zurückgewichen.

Peters-Gletscher
Insel aus Eis

Lage Südgeorgien
Länge 5 km
Status Zurückweichend

Zumindest die Hälfte der Insel Südgeorgien ist dauerhaft von Schnee und Eis bedeckt, das in Form von etwa 160 Gletschern bergab fließt. Über 100 von ihnen erreichen das Meer, darunter der spektakuläre Peters-Gletscher mit seinen tiefen Spalten. Wie die meisten Gletscher Südgeorgiens weicht er infolge des Klimawandels zurück.

Margerie-Gletscher
Aufragende Wände

Lage Alaska (USA)
Länge 34 km
Status Stabil

In die Glacier Bay im südöstlichen Alaska kalben insgesamt 16 Gezeitengletscher. Dieser nach dem französischen Geografen Emmanuel de Margerie benannte ist mit seinen 80 m hoch aufragenden Eiswänden einer der spektakulärsten. Anders als die meisten benachbarten Gletscher ist er in den letzten Jahren gewachsen und nun stabil.

South-Sawyer-Gletscher
Blaues Eis

Lage Alaska (USA)
Länge 50 km
Status Zurückweichend

Der Nord- und der Süd-Sawyer-Gletscher fließen aus den Küstenbergen Kanadas in einen tiefen, schmalen Fjord an der Südküste Alaskas, den Tracy Arm. Riesige Blöcke blauen Eises brechen vom Gletscher ab und treiben den Fjord hinab, wo sie von Seehunden als Ruheplätze genutzt werden.

Ross-Schelfeis
Unglaubliche Größe

Lage Antarktika
Fläche 487 000 km²
Status Stabil

Das vom antarktischen Eisschild ausgehende Eis setzt sich auf dem Meer als Schelfeis fort. Das Ross-Schelfeis ist das größte – eine gewaltige Eismasse, die einen Teil des Ross-meers bedeckt und so groß wie Frankreich ist. Auch wenn es jetzt stabil ist, könnte es im nächsten Jahrhundert zusammenbrechen.

▼ WEISSE WAND
Die Vorderkante des Ross-Schelfeises ist über 600 km breit und bis zu 50 m hoch.

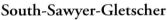

DIE POLARMEERE

ABSTURZ

Wenn Gletscher sich auf die Küste zubewegen, entstehen in ihnen tiefe Spalten. Wenn dieses Eis das Meer erreicht und zu schwimmen beginnt, wird es instabil. Große Eisblöcke lösen sich vom Ende des Gletschers und stürzen ins Wasser.

Eisberge

Schelfeis und die Spitzen der Gezeitengletscher treiben auf dem Meer, sodass sie sich mit den Gezeiten auf und ab bewegen. Zusammen mit dem Abschmelzen führen diese Bewegungen dazu, dass das Eis bricht und als Eisberg davontreibt. Viele Eisberge sind klein, doch manche sind große schwimmende Inseln, die vor dem Schmelzen weite Entfernungen zurücklegen können.

AHA!

In jedem Jahr kalben die grönländischen Gletscher bis zu 50 000 große Eisberge, die dann über das Meer treiben.

KALBEN

Ein Gezeitengletscher oder das Schelfeis liegen mit einem Ende auf dem Festland, doch das andere treibt auf dem Meer. Der schwimmende Abschnitt ist dünner und wird mit Ebbe und Flut bewegt, bis er bricht. In der Folge treiben Stücke des schwimmenden Eises als Eisberge fort – ein Vorgang, den man als Kalben bezeichnet. Da es sich um das Eis eines Gletschers handelt, bestehen Eisberge aus gefrorenem Süßwasser.

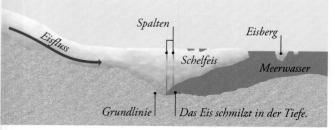

Eisfluss · Spalten · Eisberg · Schelfeis · Meerwasser · Grundlinie · Das Eis schmilzt in der Tiefe.

VERSTECKTE GEFAHR

Das Eis dehnt sich beim Gefrieren aus und wiegt daher weniger als die gleiche Menge flüssigen Wassers. Daher schwimmen Eisberge. Der Unterschied beträgt aber nur 10 %, sodass 90 % des schwimmenden Eisbergs unter der Wasseroberfläche verborgen sind.

SCHWIMMENDE INSELN

Vom antarktischen Schelfeis lösen sich enorme Eisberge. So brach im März 2000 ein Eisberg vom Ross-Schelfeis ab, der die Größe des amerikanischen Bundesstaats Connecticut hatte. Diese riesigen, flachen Eisgebilde bezeichnet man als Tafeleisberge. Sie wirken wie eisige Inseln und sind in der Vergangenheit auch schon mit Inseln verwechselt worden.

LANGSAMER ZERFALL

Eisberge können durch Abschmelzen seltsame Formen annehmen. Da sich die Gewichtsverteilung ändert, können sie sich drehen, sodass die Unterseite oben ist. Dann sind oft die grünen Algen zu sehen, die im Meer gewachsen sind, oder dunkle Streifen, die von Felsen herrühren. Manche Eisberge stranden und andere fallen einfach in sich zusammen.

◄ ENDE EINES EISBERGS
Dieser Eisberg landete in der letzten Lebensphase an der Küste der Antarktischen Halbinsel.

BLAUES EIS

Manche Eisberge bestehen aus sehr dichtem Eis, das sich in Jahrhunderten im Inneren von Gletschern oder im Schelfeis gebildet hat. Unter dem ungeheuren Druck des auf ihm lastenden Eises und Schnees nimmt dieses Eis eine tiefblaue Farbe an, da alle winzigen Luftbläschen herausgedrückt worden sind.

Arktische Robben

In der Arktis leben viele Robbenarten. Die meisten sind Hundsrobben, bei denen die Hinterflossen nach hinten gerichtet sind. Die Ohrenrobben und das Walross können diese Flossen nach vorn drehen und besser laufen.

Walross
Giganten mit Stoßzähnen

Länge Männchen bis zu 3 m
Gewicht Männchen bis zu 1200 kg
Lebensraum Küstenbereich

Das Walross ist größer als die anderen Robben der Arktis und nicht nah mit ihnen verwandt, obwohl es an einen übergroßen Seelöwen erinnert. Es lebt an Felsenküsten und sucht auf dem Meeresgrund nach Muscheln und anderen Tieren. Auffällig sind seine langen Stoßzähne – bis zu 90 cm lange obere Eckzähne. Sowohl die Männchen als auch die kleineren Weibchen tragen Stoßzähne. Sie benutzen sie, um miteinander zu kämpfen oder um sich auf das Eis hinaufzuziehen, doch vor allem sind die Zähne ein Zeichen des Alters und der sozialen Stellung.

▼ SONNENBAD
Walrosse sind sehr gesellig und versammeln sich oft in Gruppen, um sich nach der Nahrungssuche im kalten Wasser in der Sonne aufzuwärmen.

Bartrobbe
Berührungsempfindlich

Länge Bis zu 2,4 m
Gewicht Bis zu 360 kg
Lebensraum Küstenbereich

Wie das Walross findet auch die Bartrobbe ihre Nahrung auf dem Meeresgrund, wobei sie ihre langen Schnurrhaare zur Suche einsetzt. Sie frisst Krabben und Muscheln sowie Kalmare und Plattfische. Ihre Jagdtechnik beschränkt ihre Verbreitung auf die seichten Küstengewässer, doch hier bewohnt sie das ganze Nordpolarmeer und die angrenzenden Meere. Die Weibchen gebären die Jungen, die innerhalb weniger Stunden schwimmen können, auf Eisschollen.

Ringelrobbe
Geschickter Schwimmer

Länge Bis zu 1,5 m
Gewicht Bis zu 110 kg
Lebensraum Packeis

Diese Hundsrobbe hat eine fast fisch-
ähnliche Gestalt. Die Ringelrobbe ist eine
der am weitesten verbreiteten Robben des
Atlantiks. Wie andere Hundsrobben kann
sie im eisigen Wasser leben, da sie durch eine
dicke Fettschicht und ein dichtes Fell gut
isoliert ist. So kann sie stundenlang auf der
Jagd umherschwimmen und sich auf dem
Eis ausruhen, ohne zu frieren. Ringelrobben
sind die bevorzugte Beute von Eisbären und
halten sich daher in der Nähe ihres Atem-
lochs auf, falls sie schnell flüchten müssen.

Stellerscher Seelöwe
Sichtbare Ohren

Länge Männchen bis zu 3 m
Gewicht Männchen bis zu 565 kg
Lebensraum Küstenbereich

Die meisten Seelöwen und anderen Ohrenrobben kommen weiter im Süden vor. Doch
der Stellersche Seelöwe und der Nördliche
Seebär leben im nahezu arktischen Beringmeer zwischen Alaska und Sibirien. Der
Stellersche Seelöwe ist die größte aller
Ohrenrobben, die ihren Namen wegen
der sichtbaren Ohrmuscheln tragen. An
steinigen Stränden lebt er in Kolonien, in
denen die größeren Männchen um die Weibchen kämpfen. Er jagt meistens nachts nach
Fischen, Kalmaren, Krabben und Muscheln.

Bandrobbe
Typische Zeichnung

Länge Bis zu 2,1 m
Gewicht Bis zu 100 kg
Lebensraum Packeis

Ähnlich wie die Ringelrobbe lebt die viel
seltenere Bandrobbe im Beringmeer und
im angrenzenden Atlantik zwischen Alaska
und dem östlichen Sibirien. Erwachsene
Männchen haben ein schwarzes oder sehr
dunkles Fell mit einem Muster aus weißen
oder cremefarbenen Bändern. Weibchen
sind heller mit undeutlicherer Zeichnung.
Ihre Jungen bekommen sie auf dem Meereis.
Sie fressen Fische, Kalmare und Krebstiere.

Klappmütze
Einsamer Jäger

Länge Männchen bis zu 2,4 m
Gewicht Männchen bis zu 430 kg
Lebensraum Packeis

Die Klappmütze jagt große Fische und
Kalmare in großen Tiefen in der Grönland-
see und weit im Norden des Atlantiks.
Anders als die meisten Robben ist sie ein
Einzelgänger. Die Männchen sind größer als
die Weibchen und kämpfen oft miteinander.

Sattelrobbe
Leben in Kolonien

Länge Bis zu 1,8 m
Gewicht Bis zu 130 kg
Lebensraum Packeis

Die nach ihrer sattelförmigen schwarzen
Zeichnung benannte Sattelrobbe ist ein
schneller Fischjäger. Sie verbringt den
größten Teil ihres Lebens auf dem Meer
und bringt die Jungen im späten Winter
in großen Kolonien im Packeis zur Welt.

Kalte Kinderstube

Viele Robben gebären ihre Jungen auf dem Packeis, das sich auf den Polarmeeren bildet, und im Südpolarmeer ist das eine recht sichere Strategie. In der Arktis hat die Bedrohung durch Eisbären zur Entwicklung spezieller Anpassungen und Verhaltensmuster geführt, die das Risiko eines Angriffs verringern.

HÖHLE IM SCHNEE

Ringelrobben leben in der Nähe des Nordpols, wo sie im mit Schnee durchsetzten, an die Küste angrenzenden Meereis ihre Jungen bekommen. Die Weibchen graben von unten durch einen Spalt eine Höhle in die Eis- und Schneemassen. Das Junge bleibt darin, während die Mutter auf Jagd geht. Aber auch in der Höhle sind sie vor umherstreifenden Eisbären nicht ganz sicher.

AHA!

Sattelrobben säugen ihre Jungen 12 Tage lang und lassen sie dann auf dem Eis zurück, wo sie bis zum Fellwechsel noch einige Zeit allein bleiben.

AUF DÜNNEM EIS

Anders als die Ringelrobben leben die Sattelrobben in großen Kolonien. Gegen Ende des Winters suchen sie eines von drei Gebieten an den Atlantikküsten der Arktis auf und gebären jeweils ein Junges auf dem frischen Packeis. Das Eis ist für die Robben stabil genug, nicht aber für die viel schwereren Eisbären. Allerdings bricht das Eis schnell auf, sodass die Jungen rasch wachsen müssen.

▲ SATTELROBBEN-KINDERSTUBE
Vier junge und eine erwachsene Sattelrobbe liegen auf dem Meereis vor der Ostküste des arktischen Kanadas.

WEISSES FELL

Die Jungen der antarktischen Robben sind wie ihre Eltern grau. Doch in der Arktis wären dunkle Robbenbabys von Eisbären leicht zu entdecken. Das mag der Grund dafür sein, dass die meisten Robben der Arktis mit weißem Fell geboren werden und so in Schnee und Eis getarnt sind. Das dichte Fell schützt vor der Kälte, wird aber bald durch ein dunkles ersetzt.

▶ FELLWECHSEL
Obwohl sie erst etwa 8 Wochen alt ist, verliert diese junge Ringelrobbe bereits das weiße Fell. Bald wird sie deutlich anders aussehen.

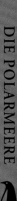

AUFBLASBARE NASE

Die Klappmütze lebt in der gleichen Gegend der Arktis wie die Sattelrobbe. Während der Paarungszeit im Frühjahr versuchen sich die rivalisierenden Männchen mit ihrem außergewöhnlichen Aussehen zu beeindrucken. Sie blasen die „Mütze" auf, eine Erweiterung der Nasenhöhle. Aus dem linken Nasenloch tritt ein aus roter Haut bestehender Ballon aus, den sie zur Erzeugung von Tönen hin und her schütteln. Die Männchen versuchen so ihre Rivalen zu vertreiben, doch oft kommt es auch zu Kämpfen.

Jäger auf dem Eis

Wenn das Nordpolarmeer gefriert, können Landraubtiere auf der Suche nach Beute weit über das Eis wandern. Zwei von ihnen haben sich das zur Gewohnheit gemacht – der Eisbär und der Polarfuchs. Beide sind hervorragend an das Leben in der Kälte angepasst, vor allem der Eisbär, der mehr Zeit auf dem Eis als an Land verbringt.

JAGENDER FUCHS

Der Polarfuchs jagt überwiegend an Land, vor allem Lemminge und andere kleine Säugetiere. Doch im Frühjahr, wenn die Robben ihre Jungen gebären, hält er nach ihnen Ausschau. Er folgt auch Eisbären, um die Reste ihrer Beute zu fressen. Das dichte weiße Winterfell des Polarfuchses hält ihn so warm, dass er sogar auf dem Eis schläft.

▲ VERSTECKTE BEUTE
Der Polarfuchs findet mit seinem empfindlichen Geruchssinn und Gehör auch unter dem Schnee Beute, die er mit einem Sprung von oben erbeutet.

SOMMERFELL

Im Sommer verliert der Polarfuchs sein weißes Winterfell und er bekommt ein dünneres, bräunliches Sommerfell. So überhitzt er sich nicht und ist nach der Schneeschmelze besser getarnt. Manche Polarfüchse, die auch als Blaufüchse bezeichnet werden, tragen das ganze Jahr über dunkelblaue oder -graue Felle. Sie leben allerdings meist an den Felsküsten und jagen selten auf dem Eis.

AHA!

Das Fell des Polarfuchses kann die Kälte so gut fernhalten, dass er erst zu zittern beginnt, wenn die Temperatur auf −70 °C sinkt.

Eisbären sind die größten Bären der Erde.

MEERBÄR

Der Eisbär ist ein Fleischfresser, der im Winter auf dem Packeis jagt und vor der Kälte von seinem dichten Fell und einer dicken Fettschicht unter seiner Haut geschützt wird. Obwohl Eisbären gut schwimmen können, jagen sie nicht im Wasser. Wenn das Meereis im Sommer schmilzt, müssen sie sich an die Küste zurückziehen.

SCHNEEHÖHLE

Jedes Weibchen bekommt normalerweise zwei winzige Junge. Sie werden im Winter in einer Schneehöhle an Land geboren. Das Weibchen säugt sie den ganzen Winter über und führt sie im Frühjahr auf das Meereis, um sie das Jagen zu lehren. Die Jungen bleiben 2 Jahre bei ihrer Mutter.

JÄGER IM EIS

Eisbären fressen Robben, auch Ringelrobben, die ihre Jungen in Schneehöhlen im Packeis gebären. Die Bären spüren die Höhlen mit ihrem Geruchssinn bereits aus mindestens 1 km Entfernung auf. Dann setzen sie ihr hohes Gewicht ein, um die Höhle einzudrücken und die Robbe zu fangen, bevor sie entkommen kann. Sie töten sie mit einem einzigen Schlag ihrer riesigen Pranke.

◄ FAMILIENMAHLZEIT
Auf der Suche nach Beute wandern Eisbären über das Packeis. Die Jungen folgen dabei ihrer Mutter, bis sie selbst zu jagen gelernt haben.

Menschen auf dem Eis

Jahrtausendelang waren die erfolgreichsten Jäger auf dem Meereis Menschen – die Inuit, die Yupik und andere, oft gemeinsam als Eskimos bezeichnet. Früher waren diese Jäger unabhängig und benutzten Gegenstände, die aus der Haut und den Knochen ihrer Beute gefertigt waren. Heute verwenden sie auch moderne Geräte, doch viele leben noch von der Jagd.

WARM BLEIBEN

Im Winter sinken die Temperaturen in der Arktis oft auf unter −50 °C ab. Diese Inuit sind an die Kälte gewöhnt, könnten aber nicht ohne ihre warme Kleidung aus Fellen überleben. Traditionell besteht die beste Kleidung aus Rentier- beziehungsweise Karibufellen, doch auch Robben- und sogar Eisbärfelle wurden verarbeitet.

AHA!

In ihren Iglus schlafen die Inuit auf Betten aus massivem Eis, die mit Rentier-Fellen bedeckt werden.

SCHNEEHÄUSER

Früher lebten viele Bewohner der Arktis in Häusern, die aus Steinen, Tierknochen oder Treibholz gebaut wurden, oder im Sommer in Zelten aus Leder. Doch die Jäger auf dem winterlichen Meereis übernachteten in Iglus, die man aus Schneeblöcken errichtete. Die Wände hielten den Wind ab, während die Körperwärme der schlafenden Menschen im Inneren für recht angenehme Temperaturen sorgte. Die Inuit bauen noch heute auf der Jagd Iglus, doch die Familien leben in modernen Häusern.

JAGD AUF DEM MEER

Inuit-Jäger benutzten Einmannkajaks, um Robben und Wale auf See zu jagen. Sie bestanden aus Walknochen- oder Holzrahmen, die mit genähten Robbenhäuten bespannt waren. Die heutigen Kunststoffkajaks basieren auf ihnen. Als Waffen dienten Bogen, Pfeile und Harpunen.

HUNDESTÄRKEN

Über 4000 Jahre lang haben die Inuit Hundeschlitten benutzt, um über das Meereis und über Schneeflächen zu reisen. Die traditionellen Schlitten bestanden aus Knochen oder Holz und wurden anstelle von Nägeln mit Lederstreifen zusammengehalten.

MODERNE ZEITEN

Im 21. Jahrhundert tragen die Inuit und andere Bewohner der Arktis fertige Kaltwetter-Bekleidung und ihre Häuser haben eine Zentralheizung. Doch auch wenn sie an Land einen modernen Motorschlitten benutzen, jagen sie auf dem Meereis immer noch wie ihre Vorfahren.

Ein guter Iglu kann das Gewicht eines Manns auf dem Dach tragen.

MENSCH UND MEER

Einst die Grenzen unserer Welt, sind die Meere heute vor allem Quelle für Nahrung und Mineralien. Doch es ist auch nötig, dafür zu sorgen, dass man diesen wertvollen Lebensraum schützt.

Entdeckungs-reisen

Die ersten Menschen, die die Ozeane überquerten, waren nicht an den Meeren selbst, sondern an fernen Ländern interessiert. Manche von ihnen suchten einen neuen Lebensraum und andere wertvolle Handels-güter, etwa Gewürze. Doch schließlich erforschte man die Meere um ihrer selbst willen, um sie zu kartieren und zu verstehen.

▲ EXOTISCHE GÜTER
Zheng He kehrte nach militärischen Erfolgen mit Schätzen und exotischen Gütern nach China zurück. Ein afrikanischer Herrscher schenkte dem Kaiser von China eine Giraffe.

Polynesische Siedler
Erforschung des Pazifiks

Zeitraum 1500 v. Chr.–1100 n. Chr.
Zweck der Reise Besiedlung
Zurückgelegte Strecke 10 000 km

Die pazifischen Inseln wurden von Menschen besiedelt, die aus Südostasien kamen. Vor etwa 3500 Jahren begannen sie, von Insel zu Insel zu reisen, bis sie etwa im Jahr 1100 die Osterinsel erreichten. Sie unternahmen diese unglaublichen Reisen in großen, doppelrümpfigen, mit Segeln ausgestatteten Kanus und orientierten sich an den Sternen.

▼ POLYNESISCHES DREIECK
Die Polynesier besiedelten über 1000 verstreute Inseln, die sich in einem großen dreieckigen Bereich im Südpazifik befinden.

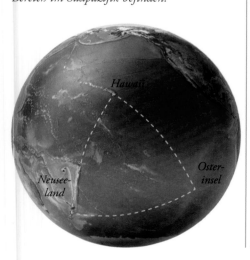

Plündernde Wikinger
Quer über den Atlantik

▲ LANGSCHIFF DER WIKINGER
Die schnellen Langschiffe wurden für Plünderungen benutzt. Mit größeren Schiffen überquerten die Wikinger den Atlantik.

Zeitraum um 1000
Zweck der Reise Besiedlung
Zurückgelegte Strecke 10 000 km

Vor über 1000 Jahren überquerten Horden bewaffneter skandinavischer Wikinger die Meere in ihren schlanken Langschiffen und plünderten die Küsten Nordeuropas. Doch im Lauf der Zeit besiedelten sie neue Länder, darunter Island und die Südspitze Grönlands. Schließlich erreichten sie Neufundland im Osten Nordamerikas – 500 Jahre bevor Christoph Kolumbus den Atlantik überquerte.

Zheng He
Chinesische Flotten

Zeitraum 1405–1433
Zweck der Reise Forschung
Zurückgelegte Strecke 200 000 km

Als einer der ersten Erforscher des Indischen Ozeans unternahm der chinesische Admiral Zheng He im frühen 15. Jahrhundert sieben Reisen nach Indien, Arabien und Ostafrika. Er verfügte über eine riesige Flotte, die auf seiner ersten Reise im Jahr 1405 aus über 300 Schiffen bestand. Darunter waren neunmastige Dschunken, die wohl etwa 120 m lang waren – viel länger als die damaligen europäischen Schiffe.

Bartolomeu Dias
Umrundung Afrikas

Zeitraum 1487–1488
Zweck der Reise Handelsroute
Zurückgelegte Strecke 22 000 km

Der Portugiese Bartolomeu Dias war der erste Europäer, der um die Südspitze Afrikas herum in den Indischen Ozean gelangte. König Johann II. von Portugal finanzierte seine Reise, da er einen Seeweg nach Indien finden wollte, um den Landweg zu umgehen. Dias wollte Indien erreichen, doch nachdem er ein Stück die stürmische südostafrikanische Küste entlanggefahren war, zwang ihn seine erschöpfte Mannschaft zur Umkehr.

Christoph Kolumbus
Entdeckung durch Zufall

Zeitraum 1492–1493
Zweck der Reise Handelsroute
Zurückgelegte Strecke 16 000 km

In den 1480er-Jahren plante der Italiener Christoph Kolumbus China und Indien zu erreichen, indem er nach Westen segelte.

Er wusste nicht, dass Amerika im Weg sein würde. Kolumbus überquerte den Atlantik mit drei spanischen Schiffen und landete auf den Bahamas. Da er glaubte, in Indien angelangt zu sein, taufte er die Inseln „Westindische Inseln", ein Name, unter dem man sie noch heute kennt.

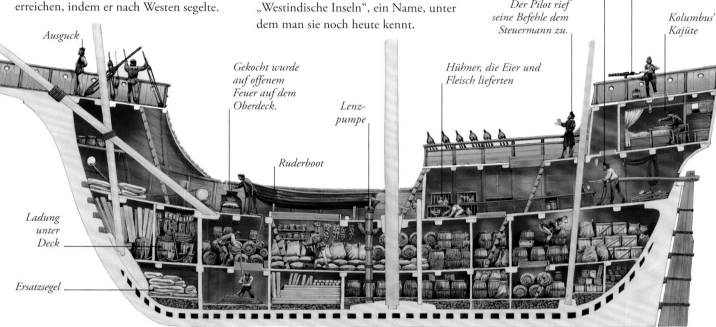

Ausguck

Der Steuermann arbeitete unter Deck.

Fest montiertes Falconet (kleine, drehbare Kanone)

Der Pilot rief seine Befehle dem Steuermann zu.

Kolumbus' Kajüte

Gekocht wurde auf offenem Feuer auf dem Oberdeck.

Hühner, die Eier und Fleisch lieferten

Lenz-pumpe

Ruderboot

Ladung unter Deck

Ersatzsegel

▲ DAS INNERE DER *SANTA MARIA*
Kolumbus' Flaggschiff, die Santa Maria, *war 19 m lang. Sie hatte Platz für 40 Seeleute und genug Nahrung und Wasser, um damit monatelang auskommen zu können. Die* Santa Maria *wurde auf der Reise von den kleineren Schiffen* Niña *und* Pinta *begleitet.*

Ferdinand Magellan
Um die Erde

Zeitraum 1519–1522
Zweck der Reise Handelsroute
Zurückgelegte Strecke 60 000 km

Auch Ferdinand Magellan hoffte, die reichen Häfen des Fernen Ostens auf dem Westweg zu erreichen. Er verließ Spanien 1519 mit drei Schiffen und 237 Mann Besatzung und erreichte den Pazifik, indem er um die Südspitze Südamerikas segelte. Die Reise dauerte länger als erwartet, und als Magellan auf den Philippinen getötet wurde, segelte seine Besatzung durch den Indischen Ozean um Afrika herum nach Hause. Im Jahr 1522 kam sie in Spanien an und hatte die Erde umrundet.

HMS Beagle
Kartierung der Küsten

Zeitraum 1831–1836
Zweck der Reise Beobachtung der Küsten
Zurückgelegte Strecke 64 400 km

Im 18. und 19. Jahrhundert waren die Meere das Ziel vieler Expeditionen. Zu ihnen gehörte die fünfjährige Reise der *Beagle* um die Erde, für die der Kapitän den jungen britischen Naturwissenschaftler Charles Darwin anheuerte. Darwin führte die ersten ernsthaften Studien des Lebens im Meer, des Wassers und der Korallenriffe durch.

▶ GALÁPAGOS-INSELN
Einige der wichtigsten Entdeckungen machte Darwin auf den Galápagos-Inseln. Die hier gesammelten Daten bildeten die Grundlage seiner Evolutionstheorie. Diese Bucht auf der Insel San Cristóbal ist nach ihm benannt worden.

HMS Challenger
Forschungsschiff

Zeitraum 1872–1876
Zweck der Reise Ozeanografie
Zurückgelegte Strecke 130 000 km

Die Reise der *Challenger* war der erste ernsthafte Versuch, die Meere zu erforschen. Das Schiff überquerte den Atlantischen, den Pazifischen und den Indischen Ozean, und die Wissenschaftler an Bord untersuchten, was sie konnten. Dabei waren sie die Ersten, die die Struktur des Meeresgrunds mit seinen Rücken und Gräben erkannten.

Meeresforschung

Die Wissenschaft der Ozeanografie begann mit Wissenschaftlern wie Charles Darwin und setzte sich mit der Reise der *Challenger* im späten 19. Jahrhundert fort. Darauf baute die moderne Forschung mit Schiffen, U-Booten und Satelliten zur Übermittlung der Daten auf. Die moderne Ozeanografie beschäftigt sich mit allen Bereichen, von der Geologie des Meeresbodens bis zur Entstehung von Stürmen.

Das National Oceanography Centre in Southampton

WISSENSCHAFT DER MEERE

Die Ozeanografie ist eine der vielseitigsten Wissenschaften, da sie Physik, Chemie, Geologie, Meeresbiologie und Meteorologie umfasst. Diese Fächer werden an mit Universitäten kooperierenden Forschungsinstituten gelehrt, etwa in Kiel, Southampton (England) oder Neapel (Italien). Die Institute haben eigene Forschungsschiffe, etwa das abgebildete in Southampton.

FORSCHUNGSSCHIFFE

Forschungsschiffe sind besonders ausgerüstet. Sie besitzen Laboratorien, Geräte zur Probenentnahme und Beobachtung sowie oft auch Tiefsee-U-Boote. Um sie zu handhaben, benötigen sie spezielle Einrichtungen, wie hier am Beispiel des Woods-Hole-Forschungsschiffs *Atlantis* zu sehen ist, das gerade die *Alvin* an Bord holt.

BOHREN AUF DEM MEERESGRUND

Die Zusammensetzung des Meeresbodens wird durch Tiefseebohrungen erforscht, bei denen Gesteinsproben untersucht werden. Das hier abgebildete japanische Schiff *Chikyu* kann Bohrungen in einer Wassertiefe von 2500 m vornehmen, die 7000 m tief in den Meeresgrund vordringen. Die dabei gesammelten Daten haben unser Verständnis des Planeten grundlegend verändert.

SONARBILDER

Die frühen Forschungsschiffe vermaßen die Meerestiefe mit langen, von Gewichten beschwerten Drahtseilen. Heute benutzt man dazu die Sonartechnologie, die ein genaues Bild des Meeresgrunds erzeugen kann. Große Teile der Meere sind so untersucht worden, darunter der abgebildete Bereich um den Nordpol (Farbe je nach Tiefe, Landmassen grau).

AUGEN AM HIMMEL

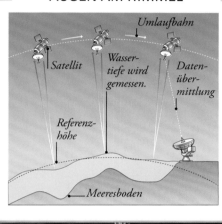

Umlaufbahn

Satellit

Wasser-tiefe wird gemessen.

Daten-über-mittlung

Referenz-höhe

Meeresboden

Die Satelliten in der Erdumlaufbahn geben uns wichtige Informationen über die Wettersysteme, etwa über Hurrikane. Sie können auch Meeresströmungen, Eisflächen, Wassertemperaturen und das Wachstum des Planktons messen. Die Messungen der Wasseroberfläche haben ergeben, dass sie nicht glatt ist, sondern über Erhebungen auf dem Meeresgrund ebenfalls gewölbt ist. Messungen der Wasseroberfläche können also Hinweise auf die Gestalt des Meeresbodens liefern.

JAMSTEC

AHA!

Die größte Tiefe der Bohrungen der *Chikyu* übertrifft die Höhe des Mount Everest, des höchsten Bergs der Erde.

Tauchen

Unser Verständnis der Meere hat durch die Möglichkeit, zu tauchen und die Welt unter Wasser mit eigenen Augen zu beobachten, erheblich zugenommen. Voraussetzung war die Entwicklung des Presslufttauchgeräts in der Mitte des 20. Jahrhunderts. Es ermöglicht Tauchern, in Tiefen von 30 m und mehr vorzudringen und dort zu forschen.

Die Flossen dienen unter Wasser dem Vortrieb.

Das Jacket kann so mit Luft gefüllt werden, dass man weder auftreibt noch absinkt.

Ein Schlauch verbindet den ersten mit dem zweiten Druckminderer.

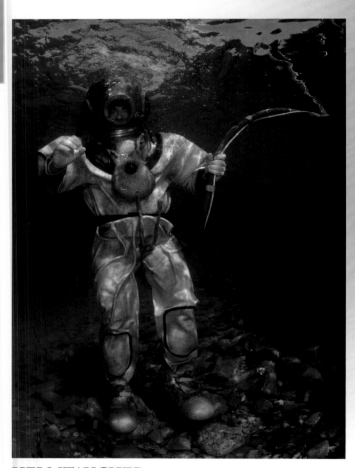

HELMTAUCHER

In der Vergangenheit waren Taucher mit einem wasserdichten Anzug samt Helm ausgerüstet, die über einen Schlauch von einem Boot aus mit Luft versorgt wurden. Gewichte in den Schuhen verhinderten das Auftreiben und zwangen zum Laufen auf dem Meeresboden. Das System eignete sich zum Beispiel zur Kontrolle von Hafenanlagen, aber nicht zur Erforschung der Unterwasserwelt.

MIT PRESSLUFT TAUCHEN

Ein Presslufttauchgerät besteht aus einer Pressluftflasche und Druckminderern, die Luft mit dem Druck des umgebenden Wassers liefern. Die Grundlagen dieser Geräte – früher als „Aqualunge" bezeichnet – wurden in den 1940er-Jahren von den Franzosen Jacques Cousteau und Émile Gagnan sowie dem Österreicher Hans Hass entwickelt. Im Gegensatz zum Helmtaucher kann man sich mit Presslufttauchgeräten frei im Wasser bewegen. Der Tauchanzug dient hier dem Schutz vor Kälte und Verletzungen.

AHA!

Die Tauchmaske ermöglicht das Sehen unter Wasser, wobei die Objekte größer und näher wirken, als sie tatsächlich sind.

AUS DER NÄHE

Seit der Entwicklung der Pressluft-tauchgeräte haben Taucher viele Tiere gesehen und fotografiert, die man vorher nur als tote oder halb tote, mit Netzen oder Angeln gefangene Exemplare kannte. Taucher konnten auch das Verhalten von Tieren beobachten und mit Videofilmen dokumen-tieren. Die meisten Aufnahmen, die wir im Fernsehen sehen, sind von Tauchern mit Unterwasserkameras wie der abgebildeten aufgenommen worden.

Die Druckluftflasche kann für über 1 Stunde Tauchzeit reichen.

IN DIE VERGANGENHEIT TAUCHEN

Das Tauchen mit Pressluftgeräten hat auch die Unterwasserarchäologie revolutioniert. Antike Städte und Schiffs-wracks liegen oft unter Sedimentschichten verborgen und viele sind von Tauchern entdeckt worden. Solche Funde müssen von Experten freigelegt werden, damit keine Informationen verloren gehen. Die Position eines jeden Funds wird dokumentiert, bevor er an die Oberfläche gebracht wird. Diese Fundstücke ermög-lichen einen Blick in die Vergangenheit.

◄ ANTIKES GLAS
Ein Taucher arbeitet am Serçe-Limanı-Wrack – den Resten eines Schiffs, das im 11. Jahrhundert mit einer Ladung Glas vor der türkischen Küste gesunken ist. Viele der Gefäße sind noch intakt.

UNTER DEM EIS

Taucher sind auch schon unter das polare Meereis vorgedrungen und haben Tiere wie die Weißwale getroffen. Dazu braucht man spezielle Trockentauchanzüge, doch da die Wassertemperatur nicht unter den Gefrierpunkt des Meerwassers sinken kann, ist es nicht kälter als in anderen kalten Meeren – und viel wärmer als im Wind, der über dem Eis weht.

Tiefsee-U-Boote

Taucher mit einem Pressluftgerät können nicht in die Tiefsee tauchen, da der ungeschützte Körper den enormen Wasserdruck nicht aushalten würde. Daher benötigt man zur Erforschung dieses Lebensraums Tiefsee-U-Boote. Sie sind für wissenschaftliche Untersuchungen auf dem Meeresgrund gebaut worden und können tiefer tauchen als U-Boote des Militärs. Manche sind bemannt und andere werden von Schiffen aus ferngesteuert.

IN DIE TIEFE

Das erste Fahrzeug, das dem enormen Druck der Tiefe standhalten konnte, war die im Jahr 1928 von dem amerikanischen Ingenieur Otis Barton entworfene Bathysphäre. Sie bestand aus Stahl, besaß 75 mm dicke Fenster und hing an einem Stahlkabel unter einem Schiff. Der Naturforscher William Beebe (links) und Otis Barton (rechts) unternahmen damit die erste Reise in die Dämmerwelt des Mesopelagials.

VOLLSTÄNDIGE KONTROLLE

Die moderne Tiefseeforschung begann mit der voll manövrierbaren *Alvin*. Sie ist im Besitz der US Navy, wird aber von der Woods Hole Oceanographic Society betrieben. Der erste Tieftauchgang wurde im Jahr 1965 unternommen. *Alvin* besitzt eine druckfeste Kabine, die in das mit Licht, Kameras, Greifzangen und Sammelkörben ausgestattete U-Boot integriert ist. *Alvin* ist immer noch in Betrieb und hat über 4600 Tauchgänge hinter sich, darunter den ersten bemannten am Wrack der *Titanic*.

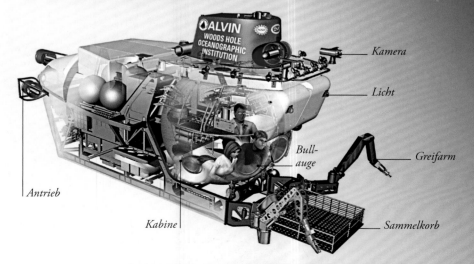

Kamera

Licht

Bull-auge

Greifarm

Antrieb

Kabine

Sammelkorb

TIEFTAUCHER

Die *Alvin* ist nur eines von mehreren U-Booten, zu denen die japanische *Shinkai 6500*, die beiden russischen *Mir* und die australische *Deepsea Challenger* gehören, die zur Erforschung der größten Tiefen des Pazifiks erbaut wurden.

◄ DEEPSEA CHALLENGER
Im Jahr 2012 tauchte der Regisseur James Cameron mit diesem Tiefsee-U-Boot 10 908 m tief auf den Grund des Marianengrabens hinab.

Der hohe obere Teil der Deepsea Challenger *enthält die Batterien und die Beleuchtungseinrichtungen.*

Zwei vom Piloten kontrollierte Ausleger tragen starke Scheinwerfer und eine 3-D-Kamera.

Die druckfeste Kabine ist eine Stahlkugel mit 100 cm Durchmesser – gerade groß genug für einen zusammen-gekrümmten Piloten.

FERNGESTEUERT

Es gibt nur wenige bemannte Tiefsee-U-Boote, weil es teuer ist, die Sicherheit der Crew zu gewährleisten. Oft ist es leichter, ferngesteuerte Fahrzeuge (Remotely Operated Vehicle, ROV) zu benutzen, die mittels einer Videoübertragung kontrolliert werden. Mit diesen ROVs kann man Schiffswracks und andere gefährliche Orte erforschen.

NEUE ENTDECKUNGEN

Ohne Tiefsee-U-Boote hätten wir kaum Vorstellungen davon, wie der Tiefseegrund aussieht und was dort lebt. So waren Wissenschaftler an Bord der *Alvin* die Ersten, die auf den mittelozeanischen Rücken Schwarze Raucher entdeckten und die erstaunlichen Lebewesen um sie herum beobachteten und sammelten.

► GEHEIME WELT
Dieser Blick durch ein Bullauge der Alvin *zeigt den Greifarm in Aktion. Er nimmt Proben der Mineralien, die aus einem Schwarzen Raucher am Juan-de-Fuca-Rücken im Nordostpazifik quellen.*

Historische Wracks

Besonders aufregend ist das Entdecken, Erforschen und vielleicht sogar Heben historischer Schiffswracks. Viele von ihnen liegen in seichten Küstengewässern, die für Presslufttaucher zugänglich sind. Auf hoher See gesunkene Wracks befinden sich jedoch in großen Tiefen und sind nur mit Tiefsee-U-Booten zu erforschen.

Mary Rose
Kriegsschiff der Tudors

Jahr des Untergangs 1545
Wassertiefe 11 m
Wiederentdeckung 1971

Als eines der größten Schiffe in der Marine Heinrichs VIII. sank die *Mary Rose* während einer Seeschlacht direkt vor der englischen Küste. Sie legte sich auf die Seite und versank halb im Schlick. Das freiliegende Holz war bald verrottet, doch die versunkene Seite blieb erhalten und wurde 1982 gehoben.

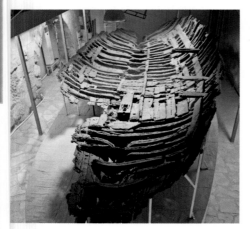

Schiff von Kyrenia
Antike Welt

Jahr des Untergangs etwa 300 v. Chr.
Wassertiefe 33 m
Wiederentdeckung 1965

Die von einem Taucher bei Kyrenia (Zypern) entdeckten Überreste sind das Wrack eines griechischen Handelsschiffs, das vor über 2300 Jahren sank. Es wurde mit seiner Ladung aus Wein-Amphoren und vielen anderen Dingen geborgen und gibt einen Einblick in die antike Welt.

Vasa
Verblüffend gut erhalten

Jahr des Untergangs 1628
Wassertiefe 32 m
Wiederentdeckung 1956

Das schwedische Kriegsschiff *Vasa* sank auf seiner Jungfernfahrt gerade einmal 1,3 km vom Stockholmer Hafen entfernt. Es war eine nationale Katastrophe. Das hölzerne Schiff lag 333 Jahre lang auf dem Meeresgrund, doch dank des kalten, sauerstoffarmen Wassers ist das Holz nicht zerstört worden. So konnte das Schiff im Jahr 1961 mit dem größten Teil seines Inhalts und den hölzernen Schnitzereien, die es einst schmückten, geborgen werden.

◄ SCHIFFSMUSEUM
Die restaurierte Vasa *ist in einem eigenen Museum in Stockholm (Schweden) ausgestellt. Das Holz ist weitgehend original, wurde jedoch gegen das Verrotten behandelt.*

Geldermalsen
Versunkener Schatz

Jahr des Untergangs 1752
Wassertiefe Weniger als 10 m
Wiederentdeckung 1985

Als das holländische Handelsschiff *Geldermalsen* in der Nähe von Singapur sank, hatte es chinesisches Porzellan und Gold geladen. Die Ladung wurde 1986 geborgen und für über 10 Millionen Pfund verkauft. Das Schiff hatte auch Tee geladen, der zum Zeitpunkt des Sinkens viel wertvoller als das Gold gewesen war.

Central America
Verlorenes Gold

Jahr des Untergangs 1857
Wassertiefe 2200 m
Wiederentdeckung 1988

Als der Raddampfer *Central America* vor der Atlantikküste der USA in einem Hurrikan sank, hatte er 9 t Gold geladen, die in Kalifornien geschürft worden waren. Das Wrack liegt in tiefem Wasser und ein Teil der Ladung wurde mit einem ferngesteuerten U-Boot geborgen. Der Wert des bisher gefundenen Golds übersteigt 65 Millionen Pfund.

Titanic
In die Tiefe

Jahr des Untergangs 1912
Wassertiefe 3784 m
Wiederentdeckung 1985

Das berühmteste Schiffswrack ist die *Titanic*. Sie rammte auf ihrer Jungfernfahrt mit voller Geschwindigkeit einen Eisberg und sank auf den Meeresboden. Das Schiff wurde mithilfe eines ferngesteuerten ROVs gefunden, doch bemannte Boote wie die *Alvin* und die beiden *Mir* wurden eingesetzt, um das Wrack zu erforschen und zu filmen. Einige Gegenstände konnte man bergen.

▶ GEISTERSCHIFF
Die Reling am Bug der Titanic ist noch unversehrt, doch der rostige Rumpf steht wohl kurz vor dem Zusammenbruch.

Bodenschätze aus dem Meer

Die Meere sind eine bedeutende Quelle wichtiger Rohstoffe – von Sand und Kies für die Bauindustrie bis zu unglaublich wertvollen Diamanten. Manche Stoffe werden schon seit Jahrhunderten abgebaut. Andere befinden sich in viel tieferen Teilen der Meere und es gibt bisher keine Möglichkeit, sie zu gewinnen, ohne dabei mehr auszugeben, als diese Stoffe wert sind.

MEERSALZ

Seit Hunderten von Jahren gewinnen Küstenbewohner Kochsalz aus dem salzigen Meerwasser. Das Wasser wird in flache Becken geleitet, die man Salinen nennt. Das verdunstende Wasser lässt die Salzkristalle zurück, die dann in Säcke verpackt werden können. Diese einfache Methode ist in vielen Küstengemeinden noch sehr gebräuchlich.

▼ SALINEN-ARBEITER
Gummistiefel und Handschuhe schützen die Haut der Arbeiter an der vietnamesischen Küste.

ENTSALZUNG

Das Salz macht das Meerwasser ungenießbar. Doch durch Entsalzung kann man aus Meerwasser Trinkwasser herstellen. Das kostet viel Energie, was aber für die ölreichen Wüstenstaaten des Nahen Ostens kein Problem ist. Dieses Luftbild zeigt eine der Entsalzungsfabriken an der Küste der Wüste. Manche der neueren Anlagen nutzen auch die Solarenergie, die in heißen, trockenen Ländern unbegrenzt zur Verfügung steht. Die Technik wird zurzeit allerdings immer noch verbessert.

WERTVOLLE METALLE

Meerwasser enthält gelöste Stoffe, die in Form kleiner Teilchen ausgefällt werden und sich zu größeren zusammenschließen können. Im Verlauf von Millionen Jahren setzen sich faustgroße Klumpen auf dem Meeresgrund ab. Sie enthalten verschiedene Metalle, darunter Mangan, und werden als Manganknollen bezeichnet. Doch da sich diese Knollen in der Tiefsee bilden, sind sie schwer zu ernten, ebenso wie die wertvollen Mineralien, die von den Schwarzen Rauchern gebildet werden.

GLITZERNDE BEUTE

Vor der afrikanischen Südwestküste findet man Diamanten im Meer. Sie wurden ursprünglich in Gesteinen an Land gebildet, die im Lauf der Zeit verwittert sind. Die Diamanten wurden von den Flüssen zur Küste transportiert, wo sie zwischen dem Kies im seichten Wasser auf dem Grund liegen. Sie werden von speziellen Schiffen geschürft und vom Kies getrennt. Viele haben die achtseitige perfekte Kristallform.

AHA!

Namibia im Südwesten Afrikas verfügt über die größten bekannten Vorkommen mariner Diamanten in der Welt.

SAND UND KIES

Weltweit werden große Mengen an Sand und Kies vom Meeresgrund gebaggert, zur Küste gebracht und abgeladen, wie auf dem Bild zu sehen ist. Sie werden für die Herstellung von Beton und anderen Baumaterialien sowie für den Straßenbau verwendet. Wenn es sich um reinen Quarzsand handelt, kann Glas aus ihm hergestellt werden.

Energie aus dem Meer

Zu den wertvollsten Dingen, die die Meere anbieten, zählt Energie, die wir für die Industrie, den Verkehr und im Alltag benötigen. Große Öl- und Erdgaslager hat man unter dem Boden der Schelfmeere gefunden. Der Wind kann Windräder zur Elektrizitätserzeugung antreiben und man kann außerdem die Kraft der Gezeiten, Strömungen und Wellen nutzen.

WINDKRAFT

Die über das Meer wehenden Winde sind stärker und gleichmäßiger als die Winde an Land. Daher sind die flachen Küsten- meere gute Standorte für Windräder zur Elektrizitätserzeugung. Manche Windparks bestehen aus über 100 riesigen Wind- rädern, von denen jedes genug Energie für 100 000 elektrische Wasserkocher liefert.

► WINDPARK
VOR DER KÜSTE
*Die Windräder sind im Grund
des flachen Meers verankert
und liefern den Strom
per Kabel zur Küste.*

ÖL UND GAS

Fossile Reste von Organismen, die im Gestein des Meeresbodens eingeschlossen sind, verwandelten sich zu Öl und Erdgas und bilden wichtige Brenn- und Rohstoffe. Sie werden von Bohrplattformen wie der hier abgebildeten erschlossen, die im flachen Wasser auf dem Grund stehen oder in tieferem Wasser schwimmen. Heutige Plattformen können in Wassertiefen von 3000 m bis zu 5000 m tief in den Grund bohren.

► GEZEITEN NUTZEN
Das 1966 eröffnete Kraftwerk Rance bei Saint-Malo war das erste Gezeitenkraftwerk der Welt. Es hat bisher immer zuverlässig funktioniert.

AHA!

Die sich drehenden Rotorblätter können eine Spannweite von über 100 m aufweisen – das ist die Länge von 7 Bussen.

GEZEITENKRAFTWERK

Sich bewegendes Wasser entwickelt unglaubliche Kräfte und ist schwer zu beherrschen. Die beste Möglichkeit ist es, die Kraft der Gezeiten innerhalb einer Flussmündung zu nutzen. Bei Saint-Malo in Frankreich fließt das steigende Wasser der Flut durch einen Damm. Bei Ebbe fließt es wieder ab und treibt dabei die Turbinen an.

MEERESSTRÖMUNGEN

Die Meeresströmungen kann man mit Flüssen vergleichen, die um die Erde fließen. In der Zukunft könnte man mit Meeresströmungen wie dem Golfstrom im Meer verankerte Turbinen betreiben. Ein solches System könnte so viel Energie wie ein Atomkraftwerk liefern.

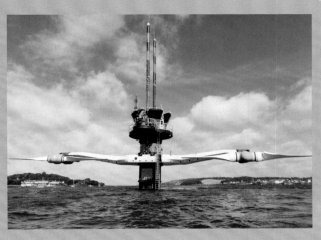

► TURBINENWARTUNG
Diese Strömungsturbinen sind zur Wartung über die Wasseroberfläche gehoben worden.

ENERGIE DER WELLEN

Wellen sind sehr stark und können zerstörerisch sein. Ihre Kraft in nützliche Energie zu verwandeln ist nicht einfach. Die erfolgreichsten Systeme nutzen die Wellen, um Luft durch Rohre zu pressen und mit diesem hohen Luftdruck Turbinen zu betreiben. Diese Turbinen sind in beide Richtungen wirksam – wenn die Wellen Luft in das System drücken und wenn sie diese wieder heraussaugen.

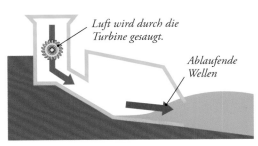

Luft wird durch die Turbine gedrückt.

Ankommende Wellen

Einflussphase

Luft wird durch die Turbine gesaugt.

Ablaufende Wellen

Ablaufphase

Fischerei

Meeresfische sind schon seit Tausenden Jahren ein Bestandteil der menschlichen Ernährung und in manchen Teilen der Welt werden die traditionellen Fangtechniken auch heute noch eingesetzt. Mit Schiffen und Netzen lassen sich größere Mengen fangen, sodass eine Industrie mit großen, technisch aufgerüsteten Schiffen entstanden ist. Allerdings kann Überfischung die Bestände verschiedener Arten gefährden. Eine Alternative ist die Aquakultur von Fischen, Muscheln und anderen Meerestieren.

TRADITIONELLE METHODEN
Diese Fischer auf den Fidschi-Inseln benutzen von Schwimmern getragene Netze, um kleine Fischschwärme im flachen Wasser einzukreisen. Die am Meer lebenden Menschen haben immer auf einfache Weise Fischfang betrieben – mit Netzen, Angeln und Speeren.

KÜSTENFISCHEREI
In vielen Küstengemeinden gibt es Flotten kleiner Fischerboote, die einige Stunden lang hinausfahren und täglich mit ihrem Fang zurückkehren. Die Fischer benutzen einfache Netze und Angeln. Da sie nur den örtlichen Bedarf decken, haben sie kaum Einfluss auf die Fischbestände.

▶ EIN GUTER FANG
Während die Boote sicher im Hafen liegen, kaufen die Dorfbewohner Fische des Fangs, den die Fischer von Mui Ne an der mittleren Südküste von Vietnam gebracht haben.

MUSCHELFARMEN
Muscheln wurden sicher schon von den ersten Menschen gesammelt. Doch viele Arten können heute auch in Farmen herangezogen werden. Sie verankern sich von Natur aus auf Steinen und anderen harten Flächen, sodass sie auch bereitgestellte Hölzer, Flöße oder Seile besiedeln und Nahrung aus dem Wasser filtern. Bei Ebbe sind die Muscheln leicht zu ernten.

◀ MUSCHELFARM
Um Pfosten gewundene Seile sind von Tausenden Muscheln besiedelt worden.

FISCHFARMEN

Lachse und andere Fische können in Netzkäfigen in Küstennähe gehalten werden. Die Gezeiten sorgen für den Wasseraustausch, sodass die Fische gesund bleiben. Allerdings müssen sie gefüttert werden. Es kann die Umwelt belasten, wenn Fische in großer Anzahl gehalten werden.

FANGFLOTTEN

Die meisten der heute verzehrten Fische werden von Fangflotten oder speziellen Fabrikschiffen gefangen. Diese bleiben monatelang auf See und fangen große Mengen Fisch, die sofort verarbeitet und gefroren werden. Solche Flotten fischen sogar im stürmischen Südpolarmeer.

◄ GROSSER FANG
Dieses Ringwaden-Fischerboot aus Alaska benutzt ein ringförmiges Netz, das zugezogen werden kann, um einen einzelnen Fischschwarm zu fangen.

PAMELA RAE

AHA!

In jedem Jahr fangen die Fischereiflotten der Welt bis zu 2,7 Billionen Fische mit einem Gesamtgewicht von über 75 Millionen Tonnen.

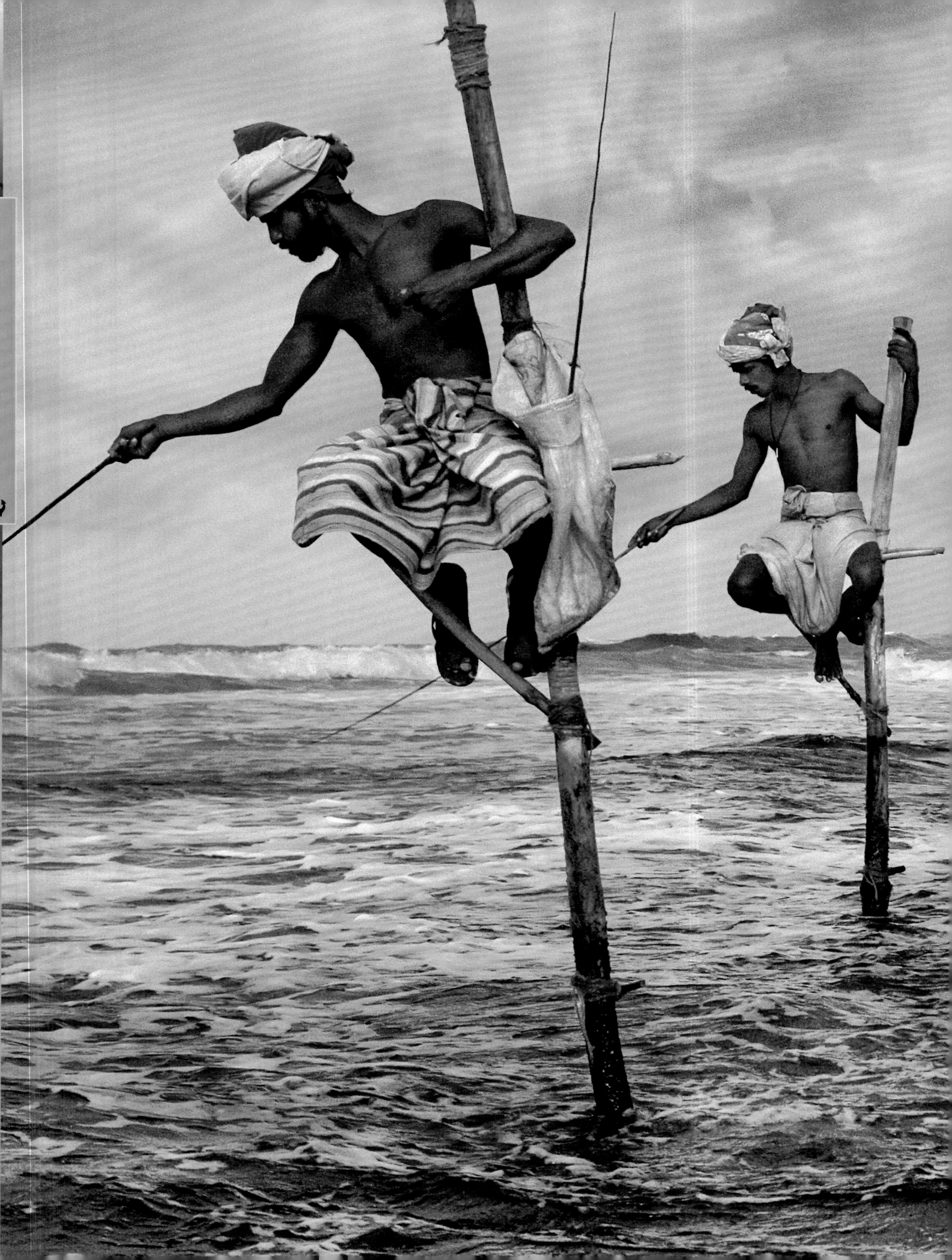

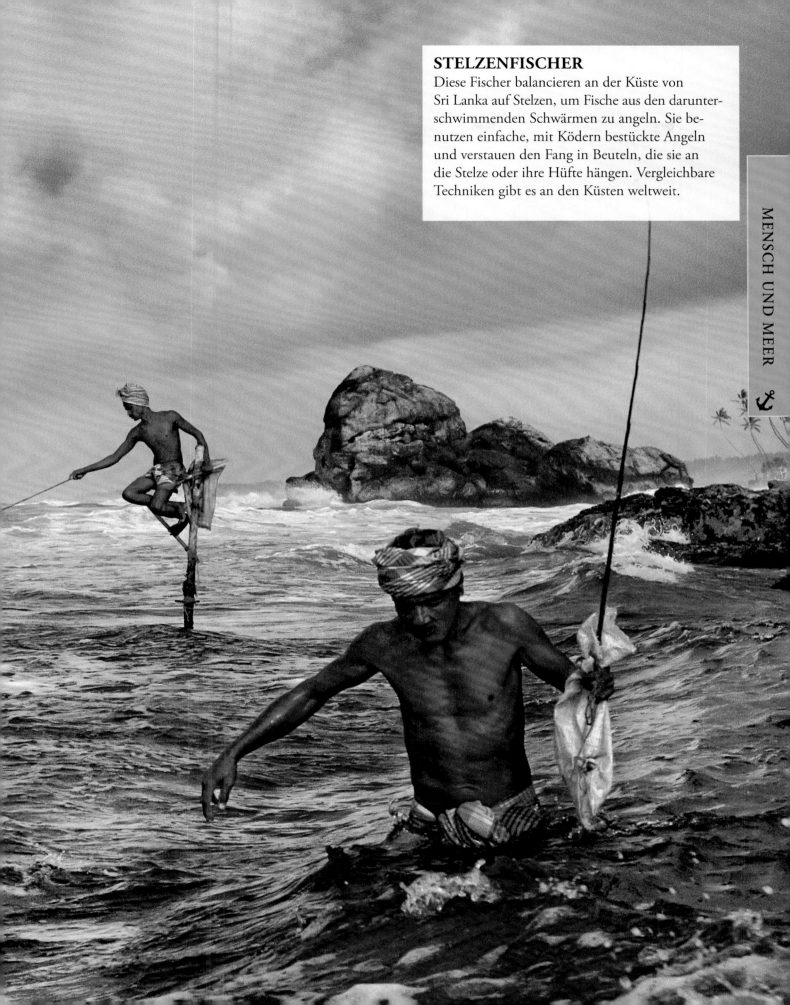

STELZENFISCHER

Diese Fischer balancieren an der Küste von Sri Lanka auf Stelzen, um Fische aus den darunterschwimmenden Schwärmen zu angeln. Sie benutzen einfache, mit Ködern bestückte Angeln und verstauen den Fang in Beuteln, die sie an die Stelze oder ihre Hüfte hängen. Vergleichbare Techniken gibt es an den Küsten weltweit.

Handelswege

Die Meere dienen schon seit Jahrhunderten als Handelsrouten und verbinden so die Nationen. Schiffe sind immer noch ideal, um schwere Güter wie Öl und Autos, aber auch viele andere Waren zu transportieren. Sie werden oft in Stahlcontainer geladen, die leicht auf das Schiff gebracht und später mit Lastwagen verteilt werden können.

HANDELSROUTEN

Jahrhundertelang wurden die Handelsrouten zwischen den Kontinenten vor allem von den vorherrschenden Winden bestimmt, von denen die Segelschiffe abhängig waren. Sie segelten mithilfe der tropischen Passatwinde von Osten nach Westen, mussten auf dem umgekehrten Weg jedoch die Westwinde nutzen, die über den kühleren Meeren wehen. Heutige Schiffe brauchen die Windrichtung nicht mehr zu beachten, sollten aber die Strömungen berücksichtigen.

CONTAINERSCHIFF

Leichtere Güter werden oft mit dem Flugzeug transportiert, vor allem wenn sie wie Früchte schnell verderben können. Schwere Lasten transportiert man am besten auf dem Seeweg, da der Auftrieb der Schiffe eine hohe Beladung erlaubt. Schiffe benötigen nur Treibstoff, um voranzukommen, im Gegensatz zu Flugzeugen, die schon viel verbrauchen, nur um in der Luft zu bleiben. Schiffe sind langsam, was für viele Waren aber kein Problem ist. Eine ganze Flotte kann auch wie ein Fließband ständig neue Güter liefern.

Ein großes Schiff transportiert über 19 000 Container.

▶ SCHWER BELADEN
Eine riesige Ladung schwerer Container ist für einen Frachter wie diesen nichts Ungewöhnliches.

AHA!

Die MSC *Oscar* ist das größte Containerschiff der Welt – sie ist länger als 4 Fußballfelder.

HANDELSHÄFEN

Die meisten der großen Küstenstädte der Erde wurden mit dem durch die Handelsschifffahrt erworbenen Reichtum erbaut. Viele haben auch heute noch florierende Häfen, doch die meisten Frachtschiffe legen an Kais an, die speziell für ihren Ladungstyp eingerichtet sind. Dieser Hafen hat spezielle Kräne zum Heben der Container.

SCHWIMMENDE HOTELS

Die großen Linienschiffe boten früher die einzige Möglichkeit, von Kontinent zu Kontinent zu reisen. Heute fliegen die meisten Menschen und die Passagierschiffe dienen vor allem den Urlaubskreuzfahrten. Sie sind riesige schwimmende Hotels, die Touristen eine Luxusreise zu oft exotischen Plätzen ermöglichen.

PIRATERIE

Durch die Kartierung von Untiefen und die Entwicklung elektronischer Navigationssysteme ist die Handelsschifffahrt heute sicherer als früher. In manchen Gegenden können Schiffe aber immer noch von schwer bewaffneten Piraten in Motorbooten angegriffen werden. Oft versucht man, sie mithilfe der Löschwasserschläuche abzuwehren.

237

Meere in Gefahr

Die Meere schienen einmal zu groß zu sein, als dass der Mensch sie gefährden könnte. Doch eine Kombination von Verschmutzung, Überfischung und Bebauung der Küsten zerstört viele Lebensräume und tötet ihre Bewohner. In manchen Teilen der Erde hat sich der Meeresgrund in der Nähe großer Städte in eine giftige Wüste verwandelt.

ÜBERFISCHUNG

Die moderne Fischerei arbeitet so effektiv, dass sie Fischbestände vernichtet. Ein großes Fangschiff kann einen ganzen Schwarm mit einem Netz fangen, sodass keine Fische übrig bleiben, die sich vermehren könnten. Wenn das so weitergeht, wird es im Jahr 2050 nicht mehr viele Fische geben. Außerdem werden viele Seevögel, Delfine, Robben und Meeresschildkröten getötet, weil sie sich in den Netzen verfangen.

ABWÄSSER

In vielen Teilen der Erde werden ungeklärte Abwässer ins Meer geleitet, sodass sich die in ihnen enthaltenen Krankheitserreger verbreiten. Nährstoffe aus dem Abwasser fördern die Entstehung giftiger Algenblüten, wie hier auf dem Bild. Sterben die Algen ab, entziehen die verfaulenden Reste dem Wasser den lebenswichtigen Sauerstoff.

PLASTIKPLAGE

Riesige Müllmengen gelangen in die Meere und treiben jahrelang in ihren Strömungen. Insbesondere Plastik zersetzt sich nicht und wird weltweit an den Stränden angespült. Der Müll kann für die Bewohner des Meers tödlich sein. Robben verfangen sich zum Beispiel in treibenden Fischnetzen und ertrinken, weil sie nicht wieder an die Wasseroberfläche gelangen können.

VERGIFTETES WASSER

Auslaufendes Öl von verunglückten Tankern oder beschädigten Bohrinseln vergiftet das Leben im Meer und verseucht die Strände. Auch Industrieabfälle werden illegal im Meer entsorgt. Sie können gefährliche Stoffe enthalten, die Fische und andere Meerestiere töten.

▲ ÖLPEST
Öl aus dem norwegischen Tanker Mega Borg *fließt in den Golf von Mexiko, während Löschschiffe das Feuer zu löschen versuchen.*

▲ ZERSTÖRUNG DER MANGROVEN
Die Abholzung der Mangrovenwälder zur Bebauung der Küsten zerstört die natürlichen Lebensräume und setzt die Küste ungeschützt tropischen Stürmen aus.

BEBAUUNG DER KÜSTEN

Die Küsten der Welt ziehen Touristen an und das dadurch fließende Geld hat zu einer ausufernden Bebauung geführt. Viele Lebensräume wie dieser Mangrovenwald sind zerstört worden, um Platz für Hotels zu schaffen. Die Bebauung führt auch zu einer erhöhten Belastung durch Abwässer und Müll, die das Wasser vergiften und die in Küstennähe gelegenen Seegraswiesen und Korallenriffe schädigen.

TOTE ZONEN

Manche der großen Flüsse sind so stark mit Industrieabwässern und Pestiziden aus der Landwirtschaft verseucht, dass sie den Meeresgrund an ihrer Mündung vergiftet haben. Die berüchtigste dieser toten Zonen bedeckt über 22 000 km² des Golfs von Mexiko in der Nähe der Mississippi-Mündung (USA).

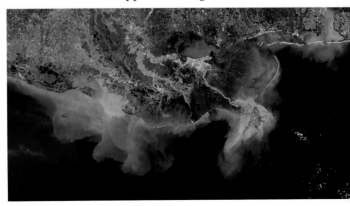

▲ GIFTIGER EINFLUSS
Dieser Blick aus dem All zeigt, wie Schlamm und Schadstoffe vom Mississippi in den Golf von Mexiko gespült werden.

Der Klimawandel

Die Wetteraufzeichnungen zeigen, dass es immer wärmer wird. Diese Klimaveränderung bedroht die Meereslebensräume und die Küstenstädte. Durch die globale Erwärmung könnte das Polareis weiter schmelzen und der Meeresspiegel steigen, sodass manche Inseln im Wasser versinken würden. Wärmere Meere können zu öfter auftretenden und stärkeren Stürmen führen und die Korallenriffe schädigen. Die höhere Kohlendioxid-Konzentration in der Luft, die eine der Hauptursachen der globalen Erwärmung ist, macht auch das Wasser saurer, was für viele Meereslebewesen eine Katastrophe ist.

SCHMELZENDES EIS

Die Eisschilde Antarktikas und Grönlands schmelzen und das Meereis über dem Nordpol wird dünner. Im September 2012 – dem Ende des Sommers – war die eisbedeckte Fläche des Nordpolarmeers so klein wie noch nie seit Beginn der Aufzeichnungen. Die Eisschmelze hat großen Einfluss auf die Tierwelt, besonders auf die Eisbären, die auf dem Packeis jagen.

▲ ÜBERFLUTETE STRASSE
Viele Städte in Bangladesch sind schon heute während des Monsuns überflutet, wie hier die Hauptstadt Dhaka. Doch der steigende Meeresspiegel könnte manche Städte unbewohnbar machen.

STEIGENDER MEERESSPIEGEL

Wenn die Eisschilde der Kontinente schmelzen, hebt das abfließende Schmelzwasser den Meeresspiegel an. Wahrscheinlich wird er innerhalb des nächsten Jahrhunderts um 1 m steigen. Dann würden rund 17 % der Fläche Bangladeschs überflutet werden. Auch Küstenstädte wie New York, London und Schanghai könnten Flutkatastrophen ausgesetzt sein. Außerdem würden einige Inselstaaten völlig verschwinden.

GEWALT DER STÜRME

Hurrikane werden vom Wasserdampf angetrieben, der im Spätsommer über warmen tropischen Meeren aufsteigt. Während die globale Temperatur sich erhöht, erwärmt sich die Meeresoberfläche, sodass sich mehr Wasserdampf über größeren Flächen und einen längeren Zeitraum bildet. Daher werden durch den Klimawandel mehr Stürme und bei den höchsten Temperaturen auch stärkere Stürme entstehen. Wenn die kühleren Meere sich aufwärmen, sind auch Regionen betroffen, in denen es bisher keine Hurrikane gibt.

▲ HURRIKAN IM NORDEN
2012 zog der Hurrikan Sandy aus der Karibik so weit nach Norden, dass er die Küste von Maine im Nordosten der USA erreichte.

AHA!

Manche Wissenschaftler sind der Meinung, dass durch die globale Erwärmung der Nordpol bis zum Jahr 2050 während des Sommers eisfrei sein wird.

KORALLENBLEICHE

In sehr warmem Wasser stoßen Steinkorallen die winzigen Algen aus, von denen sie ernährt werden, und bleichen aus. Kühlt sich das Wasser ab, können sie sich erholen, doch viele sterben ab. Das ist in den letzten Jahren mehrfach geschehen und wird sich vielleicht jährlich wiederholen. Die Korallenbleiche könnte innerhalb von 100 Jahren die meisten Korallenriffe zerstören.

SÄUREBAD

Die globale Erwärmung wird durch Zunahme des Kohlendioxidgehalts der Atmosphäre hervorgerufen. Dieses Gas löst sich im Wasser und reagiert zum Teil zu Kohlensäure. Damit wird das Wasser saurer, sodass fester Kalk gelöst wird. Da die Gehäuse und Skelette der Muscheln und Korallen größtenteils aus Kalk bestehen, ist das für sie verhängnisvoll. Darunter leiden auch die Tiere, die sich von ihnen ernähren.

▶ GEFÄHRDETE MUSCHELN
Diese Muschelschalen bestehen größtenteils aus Kalk. Wird das Wasser saurer, wird die Bildung von festem Kalk behindert.

241

Schutz der Meere

Unsere Zukunft kann von der Gesundheit der Meere und ihren Fischbeständen abhängen. Die Meere spielen in der Nahrungskette eine große Rolle – nicht nur für uns Menschen, sondern auch für die Pflanzen und Tiere an Land. Zum Glück arbeiten bereits viele Menschen daran, sie zu schützen. Wir können dabei helfen, indem wir die Müllproduktion verringern und so weniger Müll in den Meeren landet, nur Fisch kaufen, der nicht bedroht ist, und weniger fossile Brennstoffe verfeuern, die die globale Erwärmung beschleunigen.

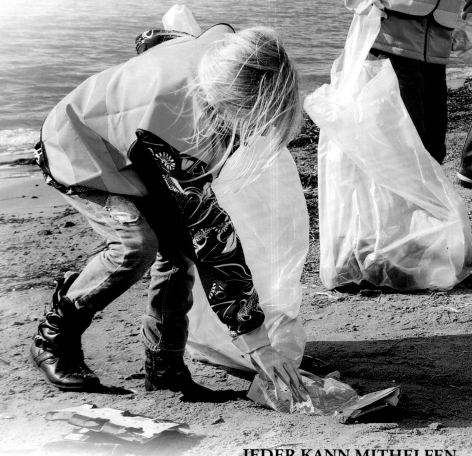

SICHERER FISCHFANG

Verbesserte Techniken können helfen, die Zahl der Seevögel, Delfine und Meeresschildkröten zu verringern, die den Fangflotten zum Opfer fallen. Spezielle Netze lassen Delfine und Schildkröten entkommen, sodass sie sich nicht in ihnen verfangen und ertrinken. Die Langleinen, deren Köder Albatrosse anlocken, können mit Vorrichtungen ausgerüstet werden, die die Vögel verscheuchen.

JEDER KANN MITHELFEN

Wir alle können etwas für den Schutz der Meere tun. Das könnte zum Beispiel die Reinigung eines Strands vom Müll sein. Jede Menge Plastik landet im Meer, und da Kunststoffe nicht verrotten, verfangen sich Tiere darin oder verschlucken sie. Lederschildkröten verschlingen zum Beispiel Plastiktüten, weil sie wie Quallen – ihre Hauptbeute – aussehen.

SICHERE GEWÄSSER

Manche flache Meeresbereiche wurden als Meeresschutzgebiete ausgewiesen, in denen der Fischfang nicht erlaubt ist. So können sich die Tiere dort wieder vermehren. Da die Reservate nicht abgezäunt sind, suchen die Fische und anderen Tiere auch die benachbarten Gebiete auf und vergrößern ihre Populationen. So führt der Schutz in einem Gebiet auch zu besseren Fängen in der näheren Umgebung.

SAUBERE MEERE

Für den Schutz der Meere ist es besonders wichtig, die Verschmutzung des Wassers zu vermeiden. So werden immer noch Abwässer in die Meere geleitet und giftige Chemikalien aus der Industrie werden in Flüsse entsorgt und gelangen so in die Ozeane, wo sie die Lebensräume zerstören. Viele Staaten haben heute Gesetze zur Behandlung von Abwässern und zur Reinhaltung der Flüsse und damit auch der Meere.

▲ VERSCHMUTZTER FLUSS
Die Abwässer einer asiatischen Kupfermine ergießen sich in einen einst sauberen Fluss. Schließlich gelangen sie ins Meer, wo sie die Lebewesen vergiften.

SCHUTZ DER KÜSTEN

In manchen Teilen der Welt wurde die Bebauung der Küsten nicht kontrolliert. Touristenhotels ohne Kanalisationsanschluss entstanden an unberührten Stränden, sodass das Meer durch Abwässer belastet und die natürliche Schönheit der Umgebung zerstört wurde. Doch allmählich ändert sich das, da erkannt wurde, dass man erhalten muss, was die Touristen anlockt. Dies erfordert den Schutz der Küste und ihrer Lebewesen wie auch des angrenzenden Meers. Viele moderne Hotels werden mittlerweile so geplant, dass sie die natürliche Umgebung möglichst wenig beeinträchtigen.

SCHLUPF UNTER AUFSICHT

Manche der bedrohten Meerestiere können unter
Obhut des Menschen vermehrt und dann in die
Natur entlassen werden. Meeresschildkröten sind
besonders bedroht, da nur eines von 1000 Jung-
tieren erwachsen wird. Diese unter Aufsicht
geschlüpften Suppenschildkröten haben eine gute
Chance, nach der Freilassung zu überleben.

Glossar

Aasfresser Ein Tier, das sich überwiegend von den Resten toter Tiere ernährt.

Algen Pflanzenähnliche Organismen, die das Sonnenlicht zur Nahrungsproduktion verwenden. Die meisten sind Einzeller, doch auch die Tange gehören zu ihnen.

Alkenvogel Eine Gruppe von Meeresvögeln wie der Papageitaucher, die ihre Flügel beim Tauchen einsetzen.

Allesfresser Ein Tier, das sich sowohl von Pflanzen als auch von Tieren ernährt.

Antenne Ein langes, am Kopf sitzendes Organ, das Bewegungen und manchmal chemische Stoffe wahrnehmen kann.

Archaeen Den Bakterien ähnliche, mikroskopisch kleine Organismen, die wegen ihres besonderen Aufbaus eine eigene Domäne des Lebens bilden.

Archäologie Die Erforschung der Geschichte mithilfe von Ausgrabungen und der Untersuchung der Funde.

Ästuar Eine trichterförmige, breite Flussmündung.

Atoll Eine ringförmige Insel, die oft auf der Basis eines Korallenriffs entstanden ist, das sich um einen versunkenen Vulkan herum gebildet hat.

Atom Das kleinste Teilchen eines chemischen Elements, etwa des Eisens.

Auftriebsgebiet Ein Teil des Meers, in dem viele Algennährstoffe zur Wasseroberfläche aufsteigen.

Ausgrabung Das systematische Bergen verschütteter Überreste alter Kulturen.

Auslassgletscher Ein Gletscher, der sich am Rand einer Eiskappe oder eines Eisschilds gebildet hat.

Bakterien Mikroskopisch kleine, einzellige Organismen, die keinen echten Zellkern haben.

Balz Das Verhalten eines meist männlichen Tiers, mit dem es einen Partner zu gewinnen versucht.

Barten Die aus fasrigem Material bestehenden Platten, die bestimmte Wale anstelle der Zähne besitzen und mit denen sie kleine Tiere aus dem Wasser filtern.

Basalt Ein dunkles, vulkanisches Gestein, das sich als Lava aus im Meer gelegenen Vulkanen ergießt und die ozeanische Kruste bildet.

Beute Ein Tier, das von einem anderen gefressen wird.

Biolumineszenz Die Lichterzeugung durch lebende Organismen.

Bruchzone Ein Bereich der ozeanischen Kruste, an dem sich Stücke der Kruste quer zu den mittelozeanischen Rücken gegeneinander verschieben.

Brustflossen Die paarigen Flossen in der Nähe des Fischkopfs.

Chitin Eine zu großen Teilen in den Außenskeletten der Krebstiere und Insekten enthaltene Substanz.

Chlorophyll Ein Farbstoff, der es einer Alge oder Pflanze ermöglicht, Fotosynthese zu betreiben.

Chloroplast Eine Organelle innerhalb einer Pflanzen- oder Algenzelle, die Chlorophyll enthält und der Fotosynthese dient.

Dinoflagellat Ein einzelliger Organismus, der Teil des Phytoplanktons ist.

Divergierende Plattengrenze Die Grenze zwischen zwei sich auseinanderbewegenden Platten der Erdkruste.

Düne Ein Hügel aus Sand oder ähnlichem Material, der vom Wind aufgeschüttet wurde.

Ebbe Durch den Einfluss der Gezeiten ablaufendes Wasser.

Echolot Ein Gerät, das die Tiefe eines Gewässers anhand der Zeit misst, die abgegebener Schall braucht, um vom Grund des Gewässers reflektiert zu werden und am Ausgangspunkt anzukommen.

Echoortung Das Erkennen von Beute oder anderen Objekten durch die Abgabe von Tönen und den Empfang des Echos, anhand dessen ein Bild des Objekts wahrgenommen werden kann.

Einhorn Ein in Sagen vorkommendes Pferd mit einem einzigen Horn auf der Stirn.

Einzellig Nur aus einer Zelle bestehend. Höhere Tiere und Pflanzen bestehen aus vielen Zellen.

Eisberg Abgebrochener Teil eines Gletschers oder des Meereises, der auf dem Meer treibt.

Eisschild Eine große, dicke Eisschicht, die einen Teil eines Kontinents bedeckt.

Eisscholle Ein schwimmendes Stück Meereis.

Eiweiße Die Stoffe, die ein Organismus aus einfacheren Bausteinen erzeugt und mit denen er sein Körpergewebe aufbaut.

Ekman-Transport Dieser Effekt bewirkt, dass durch die Drehung der Erde sich bewegendes Wasser in Abhängigkeit von der Tiefe zunehmend nach links oder rechts abgelenkt wird, sodass seine Bewegung sich von der des Oberflächenwassers unterscheidet.

Erdmantel Die Schicht heißen Gesteins, die zwischen der Erdkruste und dem Erdkern liegt.

Evolution Der Prozess, in dem sich Arten von Generation zu Generation verändern und ihrer Umwelt anpassen.

Fjord Ein von einem Gletscher ausgehobenes Tal, das vom Meer geflutet wurde.

Flut Durch den Einfluss der Gezeiten ansteigendes Wasser.

Fossil Die Überreste oder Spuren eines Lebewesens, die nicht verrotten, sondern zum Beispiel zu Stein geworden sind.

Fotosynthese Der Prozess, durch den Algen und Pflanzen mithilfe des Lichts Zucker aus Kohlendioxid und Wasser herstellen.

Furchenwale Eine Gruppe filtrierender Wale, deren Kehle besonders dehnbar ist und viel Wasser aufnehmen kann.

Gemäßigt Ein gemäßigtes Klima ist weder besonders warm noch ungewöhnlich kalt.

Gewebe In der Biologie lebendes Material wie Knochen, Muskeln oder ein Teil einer Pflanze.

Geysir Eine Quelle aus von vulkanischem Gestein erhitztem Wasser, das unter Dampfentwicklung hervorschießt.

Gezeitengletscher Ein Gletscher, der bis auf das Meer hinausfließt, wo sich sein Ende mit den Gezeiten auf und ab bewegt.

Gletscher Eine Masse aus komprimiertem Eis und Schnee, die langsam zu Tal fließt.

Graben Ein Riss in der Erdkruste, der von Kräften hervorgerufen wird, die die Erdkruste auseinanderziehen.

Grabenbruch Eine Region, in der ein Teil der Erdkruste in den Graben abgesunken ist, der durch das Auseinanderdriften der Platten der Erdkruste entstand.

Granit Ein hartes Gestein, das in großen Mengen in der Erdkruste vorkommt.

Grundgestein Das feste Gestein, das unter den weicheren, jüngeren Sedimenten liegt.

Harpune Eine Art Speer.

Hotspot Ein Bereich vulkanischer Aktivität, an dem heißes Mantelmaterial an die Oberfläche steigt.

Hurrikan Ein starker tropischer Sturm.

Inselbogen Eine Reihe von Inseln, die die Grenze zwischen zwei Platten der Erdkruste markiert. Typisch ist die vulkanische Aktivität, die dadurch entsteht, dass eine Platte der Erdkruste unter die andere abtaucht und zerstört wird.

Kalben Der Prozess, mit dem sich Eisberge von Gletschern lösen.

Kalkalge Ein mikroskopisch kleiner, im Meer lebender Organismus mit einem Kalkskelett.

Kalkstein Ein Gestein, das aus Kalk besteht, wie es zum Beispiel von riffbildenden Korallen produziert worden sein kann.

Keratin Das Material, aus dem Haare, Fingernägel und die Schilde der Schildkrötenpanzer bestehen.

Kieselalge Ein einzelliger Organismus des Phytoplanktons, der ein Außenskelett aus Siliziumdioxid besitzt.

Kohlendioxid Ein Gas, das von lebenden Organismen durch ihren Stoffwechsel und durch das Verfeuern fossiler Brennstoffe in die Atmosphäre abgegeben wird.

Kolonie Eine Gruppe von Tieren oder anderen Organismen, die zeitweilig oder ständig zusammenleben.

Komet Ein aus Eis und Staub bestehender Himmelskörper, der sich um die Sonne bewegt und einen Gasschweif erzeugt.

Kontinent Eine große Landmasse.

Kontinentaldrift Der Vorgang, bei dem die Kontinente von den beweglichen Platten der Erdkruste über die Erdoberfläche bewegt werden.

Kontinentalhang Der Rand des Kontinentalschelfs, der zum Meeresgrund hin abfällt.

Kontinentalkruste Eine dicke Tafel relativ leichten Gesteins, die auf dem schwereren

Gestein des Erdmantels schwimmt und einen Kontinent bildet.

Kontinentalschelf Der im Meer untergetauchte Rand eines Kontinents, der den Boden des seichten Schelfmeers bildet.

Konvektion Die Bewegung von Gasen oder Flüssigkeiten wie Luft oder Wasser und sogar von geschmolzenem Gestein, die durch Temperaturunterschiede hervorgerufen wird.

Konvergente Plattengrenze Die Grenze zwischen zwei sich aufeinander zu bewegenden Platten der Erdkruste, die oft durch Erdbeben und Vulkane gekennzeichnet ist.

Kopffüßer Ein Weichtier wie etwa ein Krake oder ein Kalmar, das mit Saugnäpfen bedeckte Arme und ein relativ großes Gehirn besitzt.

Koralle Ein kleines Meerestier, das in Kolonien lebt. Manche Arten – die Steinkorallen – scheiden Kalk ab. Aus diesem Kalk entsteht im Verlauf vieler Jahre ein Korallenriff.

Korallenriff Eine felsartige Struktur, die von Korallen mit Kalkskelett aufgebaut wurde und nun die verschiedensten Meeresorganismen beherbergt.

Krake Ein achtarmiger Kopffüßer.

Krebstier Ein Tier mit hartem Außenskelett und Paaren gegliederter Beine, zum Beispiel eine Krabbe oder eine Garnele.

Kreide Ein weiches Kalkgestein, das aus den Skeletten winziger Kalkalgen entstanden ist.

Lagune Ein Bereich seichten Wassers, der vom Meer abgeschnitten wurde.

Lava Geschmolzenes Gestein, das aus einem Vulkan fließt.

Magma Geschmolzenes Gestein in oder unter der Erdkruste.

Mangrove Eine von verschiedenen Baumarten, die im Schlamm tropischer Küsten wachsen und daran angepasst sind, mit den Wurzeln und dem unteren Teil des Stamms im Salzwasser zu stehen.

Meteorit Ein Himmelskörper, der durch die Atmosphäre auf den Erdboden stürzt.

Migration Eine regelmäßige, oft jährliche Wanderung zu Brutgebieten oder um Nahrung zu finden. Es gibt auch eine tägliche Migration, bei der Organismen des Planktons bei Tag und bei Nacht verschiedene Tiefen aufsuchen.

Mikroorganismen Mikroskopisch kleine Lebewesen wie Bakterien und Einzeller.

Mineral Ein Stoff, der aus einem oder mehreren Elementen in einem festen Verhältnis besteht und oft eine bestimmte Kristallstruktur aufweist.

Mittelozeanischer Rücken Ein Gebirge auf dem Meeresboden, das durch den sich öffnenden Graben zwischen zwei Platten der Erdkruste entstanden ist.

Molekül Ein Molekül besteht aus mehreren Atomen. Ein Wassermolekül setzt sich aus einem Sauerstoff- und zwei Wasserstoffatomen zusammen.

Muschel Ein Weichtier mit zwei durch ein Schloss verbundenen Schalenhälften.

Nährstoffe Stoffe, die von Lebewesen zum Aufbau ihrer Körper benötigt werden.

Nesseltier Die Gruppe von Meerestieren, zu der Quallen und Korallen gehören.

Nördliche Hemisphäre Die Hälfte der Erde nördlich des Äquators.

Ökosystem Die miteinander in Beziehung stehenden Lebewesen eines Lebensraums.

Organismus Etwas Lebendiges.

Ozeanische Kruste Die relativ dünne Basaltkruste, die über dem Erdmantel liegt und den Grund der Meere bildet.

Ozeanografie Die Wissenschaft von den Meeren.

Packeis Dickes Eis, das durch Gefrieren des Meerwassers entstanden ist. Es besteht aus zusammengeschobenen Eisschollen.

Parasit Ein Lebewesen, das sich von einem anderen ernährt, es dabei aber zumindest anfangs nicht tötet.

Passatwinde Winde, die über tropischen Meeren stetig von Osten nach Westen wehen und in der Segelschifffahrt eine wichtige Rolle spielten.

Peridotit Das Gestein, aus dem der größte Teil des Erdmantels besteht.

Pflanzenfresser Ein Tier, das sich von Pflanzen und Algen ernährt.

Phytoplankton Einzellige Organismen, die an der Wasseroberfläche treiben und sich durch Fotosynthese ernähren.

Plankton Lebende Organismen, die von der Strömung verdriftet werden.

Polyp Ein Nesseltier mit röhrenförmigem Körper wie eine Seeanemone oder eine Koralle. Korallenriffe werden von Polypenkolonien aufgebaut.

Rankenfußkrebse Krebse wie die Seepocken und Entenmuscheln, die fest auf dem Untergrund sitzen.

Reptilien Eine Tiergruppe, zu der Schlangen, Echsen, Schildkröten und Krokodile gehören.

Riff Ein aus Felsen oder Korallenkalk bestehendes Gebilde unterhalb des Wasserspiegels.

Röhrenfüßchen Röhrenförmige, durch Wasserdruck bewegte Körperfortsätze eines Stachelhäuters wie etwa eines Seesterns.

Röhrenwurm Ein im Meer lebender Wurm, der eine schützende Röhre bewohnt.

Rückenflosse Eine Flosse auf dem Rücken eines Fischs oder Wals.

Ruderfußkrebs Ein winziges Krebstier, das oft in großen Mengen auftritt.

Saprovore Organismen, die sich von den verrottenden Überresten anderer Lebewesen ernähren.

Satellit Etwas, das einen Himmelskörper wie zum Beispiel die Erde umkreist.

Säugetiere Die Arten der gleichwarmen, meist behaarten Tiere, deren Junge mit

Milch ernährt werden, mit der ihre Mutter sie säugt.

Schelfmeer Ein seichtes Meer, das einen Kontinentalschelf bedeckt.

Schlick Ein weiches Sediment, das sich aus sehr feinen mineralischen und aus sich zersetzenden organischen Bestandteilen besteht.

Schnecke Ein Weichtier, das auf einem langen, muskulösen Fuß kriecht.

Schule Insbesondere bei Walen und Delfinen benutzter Begriff für eine Gruppe oder einen Schwarm.

Schwarm Eine große Gruppe von Tieren, etwa Fischen, die zusammenleben.

Schwerkraft Die Anziehungskraft, die von großen Objekten wie der Erde ausgeübt wird und Dinge auf der Oberfläche oder in der Umlaufbahn hält.

Seamount Ein aktiver oder erloschener Vulkan auf dem Meeresboden, der nicht bis an die Wasseroberfläche reicht.

Sediment Teilchen wie Sand oder der Schlick, die sich zum Beispiel auf dem Meeresboden absetzen.

Seeanemone Ein mit den Quallen verwandtes Meerestier, das fest auf dem Untergrund verankert lebt und mit Nesseltentakeln Nahrung erbeutet.

Sipho Eine Röhre, die von einem Weichtier benutzt wird, um Wasser in den Körper zu saugen oder auszustoßen.

Sonnensystem Das System der Planeten mit ihren Monden und der weiteren Himmelskörper, die sich um die Sonne drehen.

Stachelhäuter Eine Gruppe von Tieren, zu der Seeigel, Seegurken und Seesterne gehören.

Strahlentierchen Ein einzelliger Organismus, der sich von anderen Organismen ernährt und Teil des Zooplanktons ist.

Subduktion Der Vorgang, bei dem sich eine Platte der Erdkruste unter eine andere schiebt, sodass Vulkane und Erdbeben entstehen.

Südliche Hemisphäre Der Bereich der Erde südlich des Äquators.

Tarnung Ein Zeichnungsmuster, eine Farbe oder die Körperform, durch die sich Organismen vor Fressfeinden verstecken können.

Tentakel Eine biegsame Verlängerung eines Tierkörpers, die bei Nesseltieren mit Nesselzellen besetzt ist.

Thermokline Die Grenze zwischen dem kalten, dichten Wasser der Tiefe und einer Schicht wärmeren, leichteren Wassers in der Nähe der Wasseroberfläche.

Tiefseetafel Eine Ebene auf dem Meeresgrund der Tiefsee unterhalb des Kontinentalschelfs, meist in einer Tiefe von 4000–6000 m.

Tsunami Eine zerstörerische Welle, die meist von einem Erdbeben, aber auch von Landrutschen oder Vulkanausbrüchen ausgelöst werden kann.

Turbine Ein von einem Wasser- oder Luftstrom bewegtes Schaufelrad, das einen Generator zur Erzeugung elektrischen Stroms antreiben kann.

Umweltverschmutzung Die Entsorgung von Abfallstoffen, die oft eine negative Wirkung haben, in die Luft, in das Wasser und auf das Land.

Verbindung Ein Stoff, der aus den Atomen mehrerer Elemente besteht. Zucker ist beispielsweise eine Verbindung aus Kohlenstoff-, Wasserstoff- und Sauerstoffatomen.

Verdunstung Der Übergang eines Stoffs in seinen gasförmigen Zustand.

Wasserdampf Die gasförmige Form des Wassers, die beim Kochen oder bei der Verdunstung entsteht.

Weichtier Ein Tier mit weichem Körper und meist einer Schale oder einem Gehäuse, wie eine Muschel oder eine Schnecke. Ein Kopffüßer ist ein hoch entwickeltes Weichtier.

Westwinde Winde, die von Westen nach Osten wehen.

Wirbel Eine großräumige, kreisförmige Strömung im Meer, die nördlich des Äquators im Uhrzeigersinn, südlich des Äquators gegen den Uhrzeigersinn verläuft.

Wirbellose Tiere, die kein gegliedertes inneres Skelett besitzen.

Zelle Die kleinste Einheit des Lebens. Sie kann als Einzeller existieren oder Teil eines mehrzelligen Organismus sein.

Zooplankton Tiere, die hauptsächlich vom Wasser verdriftet werden und nicht überwiegend gerichtet schwimmen.

Zyklon Ein aus Wolken, Regen und starken Winden bestehendes Wettersystem, das von sich drehenden Luftmassen in warmen, feuchten Gebieten erzeugt wird.

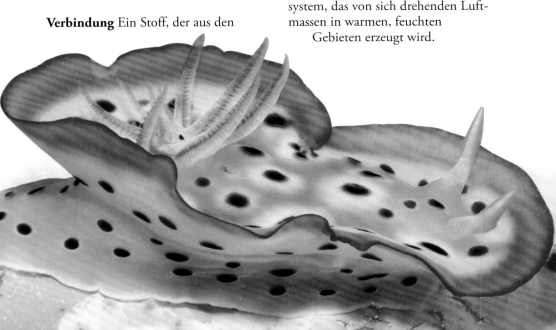

Register

REGISTER

Dank und Bildnachweis

Smithsonian Institution:
Laetitia Plaisance, Program Manager / Project Scientist, Office of the Sant Chair for Marine Science, National Museum of Natural History, Smithsonian

Smithsonian Enterprises:
Chris Liedel, President; Carol LeBlanc, Senior Vice President, Consumer and Education Products; Brigid Ferraro, Vice President, Consumer and Education Products; Ellen Nanney, Licensing Manager; Kealy Gordon, Product Development Manager

DK dankt Carron Brown für das Register, Joanna Shock, Vanessa Daubney und Ira Pundeer für die Lektoratsassistenz, Neha Sharma, Namita, Vaibhav Fauzdar, Vansh Kohli und Steve Woosnam-Savage für die Herstellungsassistenz und Bimlesh Tiwary für die DTP-Assistenz.

Der Verlag dankt folgenden Personen und Institutionen für die freundliche Genehmigung zum Abdruck von Fotos: